Communication Skills for Healthy Relationships

THIRD EDITION

건강한 인간관계를 위한

의사소통 기술

한국간호연구학회 편

pb Pacific Books

Communication Skills for Healthy Relationships

집 필 진

【대표저자】

양경희(원광보건대학교)

【집 필 진】

- **강서영**(광주보건대학교)
- **김정호**(마산대학교)
- **김한나**(수원여자대학교)
- **박선정**(수원여자대학교)
- **박순옥**(전 여주대학교)
- **배영주**(한영대학교)
- **오은정**(원광보건대학교)
- **이상화**(김해대학교)
- **장효열**(전북과학대학교)
- **전미경**(문경대학교)
- **정기언**(울산과학대학교)
- **정선아**(수원여자대학교)
- **정춘화**(원광보건대학교)
- **조영란**(김해대학교)
- **현은희**(동아보건대학교)

Communication Skills for Healthy Relationships

머·리·말

I·N·T·R·O·D·U·C·T·I·O·N

제3판

마음이 아프게 되면, 몸도 안 좋아지고 몸의 균형을 잃으면 마음도 약해진다. 우리는 다양한 문화와 환경 여건에서 생활하며 지각하고 해석하면서 스트레스를 받기도 하고, 도전거리로 결정함으로써 성장의 길을 선택할 수도 있다. 건강 요구를 가진 대상자들을 돌보는 건강전문직은 누구보다도 건강에 힘써서 자신의 건강을 지켜야 한다. 따라서 내가 나 자신과 편안하게 소통하는 일은 가장 중요하다. 몸 건강에는 생리적 소통이 중요하듯 마음건강에는 자신의 마음을 잘 들여다보고 자신과 소통하며 타인들과 잘 소통하는 것이 가장 중요하다. 의사소통은 자신에 대한 이해를 충실히 하고 대상자들을 이해하며, 건강한 인간관계를 맺고 대상자들이 자신의 환경에 적응하고 주도적으로 삶을 살아가도록 안내하는 과정이다.

본서에서는 자신의 소통 유형이나 방식을 점검해보고 타인과의 관계 속에서 그리고 건강전문직으로서 대상자에 대한 효율적인 의사소통적용을 통해 타인과의 관계에서 마음을 조화롭게 유지하여 건강을 증진하고 회복하도록 도울 수 있는 역량개발을 다룬다. 2019년『건강한 인간관계를 위한 의사소통 기술』을 첫 출간하였는데, 이제 제3판 발행에 이르렀다. 많은 분들이 활용해주셔서 너무나 감사하다. 잦은 개정은 우리를 분주하게 만들지만, 학생들과 소통하며 그들의 눈높이와 시대적 요구를 반영해가면서 수정할 수 있어 한편으로는 참으로 다행스럽고 힘이 나는 일이다.

제3판은 1단원 자아발견에서 자기성찰을 통한 자신과 타인 이해 및 관계형성, 2단원 의사소통 이론에서 자아통합과 의사소통 유형 탐색, 3단원 의사소통의 전략과 기술에서는 효율적인 의사소통, 비효율적인 의사소통 및 비폭력대화, 4단원 의사소통 전략에서는 대상자별 의사소통과 건강전문직 수행 시 의사소통을 다루었다. 내용의 충실도를 기하려고 심혈을 기울였고, 특히 우리 생활에서 건강하게 자기주장을 하여 자유로우면서도 주변과 화합하여 행복하며 살아가도록 적절한 대응이 더 많이 요구되는 '자기주장적 의사소통 사례를 풍부하게 수록하였으며, 말기환자들에 대한 의사소통 내용을 정리하여 수록하였다.

대학생 초기에 자기 이해와 소통 방식을 잘 습득하여 간호학적 지식과 경험을 최적의 수준으로 활용하게 하여 자신과 건강대상자의 행복과 건강을 지키는 건강전문직 양성을 목표로 하는 의사소통의 필독서를 출판한다는 자부심을 안고 기쁜 마음으로 원고를 마감한다.

2022년 7월

대표저자 양경희

머·리·말

I·N·T·R·O·D·U·C·T·I·O·N

개정판

건강의 어려움을 겪는 사람들의 치유를 돕기 위해서는 먼저 건강전문인이 건강해야 한다. 진정한 건강이란 자신, 타인, 세계에 좋은 관계를 맺는 것이라는 생각으로 학생들의 의사소통 과목에 대해 매력을 갖게 되었다. 『건강한 인간관계를 위한 의사소통 기술』 교재집필에 정성을 들이고 학생들을 가르치면서 진정으로 교육하는 기쁨을 알게 되었다.

학생들이 너무 순수하고 진지하게 자신을 탐색하며 즐겁게 강의시간을 기다려 주어서 비대면 강의에도 행복이 뚝뚝 떨어지는 시간이었다. 물론 비대면 수업은 수업을 준비하고 학습목표를 달성하고, 평가에 부과되는 여러 가지 업무가 만만치는 않다. 그러나 강의를 준비하는 작업 내내 고생스럽지 않았다. 강의 중에 이런 내용을 이렇게 수정하자는 생각이 들면 또 즐거웠다. 이런 경험을 집필진들과 공유할 수 있어서 얼마나 행복한가!

학생들은 강의 소감에 학생들이 '맞아요. 강의와 책 이름이 건강한 인간관계를 위한 의사소통 기술에 딱 맞아요.' 라고 찬사를 해주었다. 자화자찬이라 해도 아무리 생각해도 교재명도 마음에 든다. 교수가 말해주면 잔소리로 들을 내용인데, 자신들이 강의를 듣고 자신의 유형을 알아가며, 공감하고 또한 자기계발 내용을 작성하고 발표하는 데 가슴이 뿌듯하다.

그래서 한 장 한 장 원고를 기쁜 마음으로 수정하였다. 1단원 자아발견에서는 자기성찰을 통한 자신과 타인과의 관계형성, 2단원 의사소통이론에서는 자아통합과 의사소통의 유형 탐색, 제3단원 의사소통의 전략과 기술에서는 효율적인 의사소통과 비폭력대화 그리고 제4단원에서는 발달단계별, 상황별 의사소통과 대중매체의 활용에 대해서 정리해 보았다.

특히 이번에는 다문화가족과 보건의료현장의 사례를 보완하고, 비대면 의사소통에 대한 분야를 신설하여, 전화 내용도 수정하여 넣고, 메신저 및 화상강의를 추가하여 아직은 미약하지만 비대면 시대의 개막에 대비해보았다.

학생들이 자신을 이해하고 의사소통의 원리를 숙지하여 효율적인 의사소통을 활용하여 건강한 인간관계를 형성하고, 훌륭한 건강전문직의 소양을 갖추어 현장에 나간다면 얼마나 아름다운 실천을 할 수 있을까. 주눅 들지 않지만 정도에 맞는 자신감과 온화하나 당당함을 갖춘 전문인! 아, 정말 멋지다. 감격스러운 모습이다.

2021년 1월

대표저자 양경희

머리말

INTRODUCTION

초 판

보건의료전문직으로서 건강지식과 치유를 제공하게 될 대학생에게 자존감이 충만하고 덕 있는 인격으로 성장하고 통합되는 것은 매우 중요한 일이다. 국민의 건강과 생명을 지키는 수호천사들의 근무환경은 자신의 심신건강을 지키기에도 너무나 취약하다. 나이팅게일은 우리의 마음을 성스럽게 만들기는 하지만, 자신의 복지와 건강권을 주장하지 못한 채 힘들게 일하다 직분을 포기하게도 만든다. 정책적인 보완이 시급히 이루어져야 하지만, 보건의료적 지식을 품격 있게 실천하고 교육하며 직무역량을 발휘하는 모습을 염원하면서 학생들에게는 건강한 의사소통이 정말 중요하다는 생각이 강하게 들어서 의사소통에 관한 교재 집필을 구상하였다.

한국간호연구학회 임원진들께 이런 마음을 내보이니, 멋진 의사소통 교재를 만들어 보자는 뜻을 모아주었다. 학회는 2년 계획을 세워 간호사들이 관계를 갖고 있는 여러 맥락 속에서 연구를 진행하였다. 보통 『의사소통』하면 치료적 의사소통만 생각했는데, 관심 있게 연마하다 보니, 자신의 내면의 문제와 상황을 해석하고 평화롭게 반응하는 방법이 더욱 중요하다는 것을 알게 되었다. 자기에 대한 이해와 수용이 먼저 되고 자기계발을 하면서, 타인과의 관계를 잘 맺도록 하는 효율적인 의사소통 기술이 필요하다는 것과 비폭력적인 의사소통 기술 훈련의 필요성을 알게 되었다.

교재는 4단원으로 구분하였고, 흔히 발생하는 사례를 많이 수록하였다. 1단원 자아발견에서 제1장 자기이해, 제2장 성격이해, 제3장 타인과의 관계, 2단원 의사소통 이론에서 제4장 자기성장과 통합, 제5장 의사소통의 이해, 3단원 의사소통의 전략과 기술에서 제6장 효율적 의사소통, 제7장 비효율적 의사소통, 제8장 비폭력대화를 다루었다. 4단원은 좀 더 임상상황을 고려하여 제9장 발달단계별 의사소통, 제10장 상황별 의사소통, 마지막 제11장은 보건의료상황에서의 의사소통과 대중매체의 활용으로 구성하였다. 교재 이름도 『건강한 인간관계를 위한 의사소통 기술』로 정했다.

지난해 1학년에게 의사소통 강의를 할 때처럼 행복했다. 강의하는 모습을 상상하면서 긴 작업을 행복하게 마친다. 새로운 교재를 개발한다니 '너무 힐링되고 행복했어요. 교수님 또 들으며 안 돼요?' 한다. 정말 기쁘다. 또한 교재 집필에 열정을 기울인 저자 23인 한분 한분의 정성이 너무 따뜻하다. 의사소통 교재인 만큼 원고 집필도, 편집회의도 행복하게 했다. 행복한 수업과 일상 그리고 임상에서 활짝 웃고 전문인의 품격을 가지고 간호에 임할 장래간호사를 비롯한 보건의료인들의 모습을 떠올리며 뿌듯해한다. 물심양면으로 지원해 주신 퍼시픽북스 임원진과 편집실에 너무도 고맙고, 무엇보다도 이 강의를 준비하면서 기쁘게 경험하고 반응한 학생들에게, 모든 저자 교수님들께 감사한 마음이 가슴에 가득하다.

2019년 5월

대표저자 양경희

CONTENTS

1 단원

자아발견

제1장 자기이해 | 제2장 성격이해 | 제3장 타인과의 관계

인간은 다른 사람이나 사물에 대해서는 알려고 하고 곧잘 평가한다. 자신을 탐구하는 일에는 관심을 별로 두지 않는다. 타인이나 상황에 대한 판단은 자기의 관점에서 하기 때문에 인간관계에서 부딪히며 갈등을 초래하게 된다. 타인과 세상과 관계를 맺기 전에 자신의 존재에 대한 탐구가 선행되어야 한다. 다른 사람과 소통하기 전에 자신의 내면을 탐색하고 자신과 소통해야 한다. 1단원에서는 타인과 세상과의 관계를 조화롭게 만들기 위해 자신에 대한 이해를 돕는 탐색활동을 하고 타인과의 관계 형성과 패턴에 대해서 다루고자 한다.

Communication Skills for Healthy Relationships

01
장

자기이해

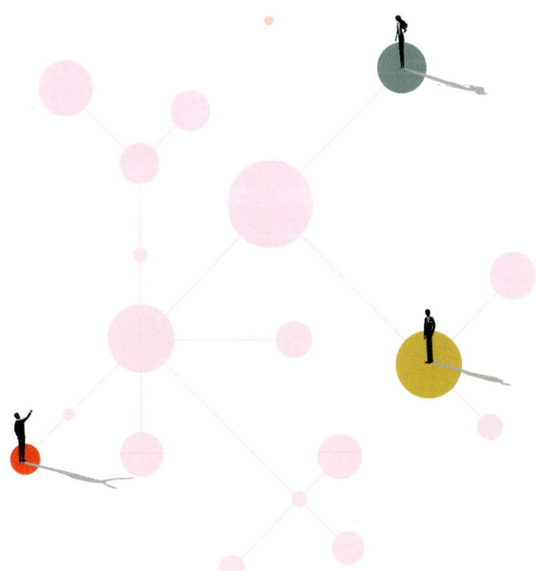

학·습·목·표

1. 자기이해의 필요성을 설명한다.
2. 자신의 관심사를 설명한다.
3. 자아개념을 설명한다.
4. 자신의 자존감 수준을 평가한다.
5. 자기차이의 개념을 설명한다.

주·요·용·어

- 자기이해
- 자아개념
- 자아상
- 자존감
- 자기차이
- 거울자아
- 자아정체성
- 자기복잡성

01 자기이해

우리는 일상생활을 하면서 많은 생각들을 하고 행동을 하지만, 정작 내가 누구이며 어떤 생각을 하는 사람인지에 대해서는 무지하다. 그럼에도 얼마나 많은 사람들이 자신을 잘 알고 있다고 생각하며 자신에게 일어나는 여러 상황에서 다른 사람을 탓하고 상황을 탓하는지 모른다.

나의 인생에서 주인공은 '나'라고 말한다. 나의 문제를 내가 해결할 수 없는데 내가 주인공이라는 말은 있을 수 없다. 나의 문제는 나에게서 비롯되었고 내가 해결할 수 있다. 따라서 좋은 인간관계를 맺고 행복하게 살기 위해서는 먼저 나를 알아야 한다.

나는 누구인가, 나의 이미지는 어떠한가, 나는 어떤 생각을 하고 있고, 나는 나를 어떻게 인정하며, 내가 어떻게 반응하는가, 나는 도대체 어디로부터 영향을 받는가 등을 점검해 볼 필요가 있다.

따라서 이 장에서는 자기이해를 돕기 위해서 자신의 관심사를 확인하고, 자아개념과 자존감 및 자기차이 요소를 설명한다.

1 자아개념(self-concept)

자아개념은 인간이 가지고 있는 자신에 대한 신념들의 총합이다. 자아개념은 개인이 가지고 있는 능력, 성격, 태도, 느낌 등 자신에 대한 주관적인 견해를 말한다. 자아개념은 자기관찰, 자기지각을 통한 자신에 대한 태도, 평가 그리고 타인에 의한 평가에 의해서 형성되는데, 나이가 들어가면서 타인에 의한 평가보다는 자기 자신에 대한 평가에서 더 많은 영향을 받는다. 자아는 사회적 상호작용 속에서 이루어지며 다양한 역할수행 과정에서 자신에 대한 반성적 성찰을 통해 파악되고 구성된다. 사회학자인 쿨리(Charles Cooly, 1902)에 의하면, 우리는 내가 다른 사람에게 어떻게 보이는가를 생각하는가에 근거하여 자신을 인식하고 자의식을 개발한다고 한다(looking-glass self, 거울자아). 따라서 인간은 타인과의 교류 없이는 개인의 개성을 지닐 수 없으며, 고립이 장기화되면 타인과 구별되는 자기성도 손상된다고 하였다.

자아개념은 크게는 긍정적 자아개념과 부정적 자아개념으로도 구분할 수 있다.

긍정적 자아개념을 가진 사람은 타인의 평가에 의해서가 아닌 스스로가 자신을 가치 있다고 여기고, 자신의 단점도 수용하면서 자신을 사랑하며 신뢰한다. 인간관계가 원만하고, 매사에 진취적이고 적극적이며, 자신의 생각과 감정에 의하여 선택하고 행동하며 이에 책임질 줄 아는 사람이다. 부정적 자아개념을 가진 사람은 스스로를 자신이 사랑 받을 만한 존재가 아니라고 생각하며, 자신을 신뢰하지 못한다. 자신을 타인과 비교하며 비판하여 열등의식을 키운다. 자신의 생각과 감정을 잘 표현하지 않으며 타인의 거절을 두려워하여 결정을 잘 못하고 새로운 시도를 하는 것이 어렵다.

이해를 돕기 위해 Cooly의 거울자아를 대입하여 어느 기관에서나 흔히 볼 수 있는 신입직원의 경험에 대한 2가지 방향의 사례를 제시한다.

신입직원의 자기개념 인식과 개발

사례 1

▸ 상사	▸ 신입사원
• 신입직원이 프레젠테이션을 하는데 창의력도 있고 역량도 있는 것 같다. 이 직원을 좀 키워야겠다.(생각) • **여러 가지 피드백을 주면서,** "왜 그렇게 생각하지요? 좀 더 구체적으로 말해보아요!"	• 상사는 지적질을 많이도 하네!(상상) • 상사는 틀림없이 내가 발표하는 게 별로라고 생각하는구나.(상대판단) • 나는 썩 좋은 직원은 아니다.(자기인식)

사례 2

▸ 상사	▸ 신입사원
• 신입직원이 프레젠테이션을 하는데 창의력도 있고 역량도 있는 것 같다. 이 직원을 좀 키워야겠다. • **여러 가지 피드백을 주면서,** "왜 그렇게 생각하지요? 좀 더 구체적으로 말해보아요!"	• 상사는 많은 걸 알려주시려고 하시는구나.(상상) • 상사는 틀림없이 나를 재목감이라고 생각하고 있는 거야.(상대판단) • 나는 정말 좋은 직원이다.(자기인식)

따라서 어떤 방향의 자아개념을 가지고 있는지에 따라 개인의 생활은 물론 가정과 사회에 미치는 영향이 달라진다. 자신의 자아개념을 객관적으로 평가하여, 보다 긍정적인 자아개념을 형성하고, 부정적인 자아개념을 놓아주는 것이 자아개념을 공부하는 중요한 목적이다.

2 자아상(self-image)

자아상은 자신의 존재나 능력 또는 역할 등 자신에 대한 주관적 평가와 견해로 다른 사람들의 평가와 일치하지 않을 수도 있다.

사회심리학자 로젠버그(Morris Rosenberg)는 자아상이란 '자기 자신에 대해서 개인이 내리고, 습관적으로 지속되는 평가로서, 승인과 거부의 태도(attitude)로 나타나는 것'으로 보았다. 신체적 측면에서는 자신이 어떤 사람인가라는 물음과 관련하여 자신의 마음속에 형성되는 신체적 모습으로 가지게 되는 심리적인 그림을 그리거나 상을 가지고 있는데, 이것을 신체적 자아 또는 신체 이미지(body image)라고 한다. 타인과 상호작용하는 관계의 상황에서 나타나는 다양한 역할에 의해 형성되는 자아를 사회적 자아라 하고, 자신만이 알 수 있는 은밀한 개인적 경험으로 형성되는 개인 나름의 독특한 자아를 개인적 자아라고 한다. 마르코와 누리우스(Markus & Nurius, 1986)에 의하면 예견되거나 피하고 싶거나 소망하는 미래의 자기상인 가능한 자기(possible self)가 있어서, 이것이 사람들로 하여금 구체적인 목표에 도달하도록 동기화시키는 것에 관여한다고 한다.

1 자아상 형성의 요인

개인의 신체적 요인과 자신에게 중요한 의미가 있는 사람이 주는 강화와 시범이 자아상 형성에 중요한 요인이 될 수 있다. 또한 또래집단과의 비교를 통해 자신의 매력, 능력이나 인기를 스스로 평가하면서 자아의식을 형성해 나간다. 그리고 도덕적 가치, 미적 가치, 질적 가치 및 양적 가치 등의 사회적 가치는 개인의 지능, 신체적 매력, 교육정도, 재력, 권력, 성취도에 따라 좌우되며 종교적 신념이 자아상 형성의 근거가 된다.

부정적 자아상의 유형들을 살펴보면 먼저 소극적 반응으로 나타나는 거절의 자아로서 정서적인 면에서 두려움, 자기연민의 감정, 자기증오, 죄책감이나 인정받고자 하는 욕구 등이 있고, 지적인 면에서 수치심, 낮은 자존감, 감정의 마비 등이 있다. 그리고 영적인 면에서 침침함, 죽어감, 자포자기, 꺼짐 등이 있다. 또한 적극적 반응으로 나타나는 반항의 자아는 정서적인 면에서 분노, 원한, 자만심, 강압, 의기양양, 심적 위축감 등이 있고, 지적인 면에서 우월의식과 경쟁의식, 완고함, 고집, 배우기를 싫어함 등이 있으며, 영적인 면에서 망상, 분개 및 비통, 비판적 성향, 지배욕과 소유욕, 조작 등이 있다.

긍정적인 자아상을 형성하는 데는 자신을 비판하는 것을 멈추고, 거울을 볼 때 미소를 짓고, 충분한 수면을 취하고 자신에게 어울리는 옷을 입고, 머리를 예쁘게 만지며, 화장을 하고, 자신에게 이러한 흥미로운 일을 하며, 다른 사람과 비교하지 않고, 장점을 적는 등의 활동이 도움이 된다.

3 자존감(self-esteem)

자존감은 자존심이라고도 부르며 자아존중감을 말한다. 자존감은 자신에 대한 주관적인 평가인 동시에 타인의 행동과 평가에 의해 영향을 받는 상호교환적인 성격을 지니고 있다. 따라서 자존감은 의미 있는 타인에 의해 영향을 받으면서 대인관계 시 행동수행에 영향을 주게 된다. 자존감이 높은 사람은 긍정적인 자아상을 가지고 있어 외부자극에 쉽게 영향을 받지 않으나, 자존감이 낮은 사람은 높은 사람에 비해 자신이 다른 사람에게 어떻게 보이는가를 더 많이 의식하며 타인의 거부에 상처받기가 쉽다.

자존감과 정체성은 의사소통 방법에 있어서 중요한 요인이다. 자존감이 높은 사람은 그 집단 내의 대화에 활발하게 참여하지만 자존감이 낮은 사람은 계속 움츠러들게 된다. 또한 자존감은 설득력과도 관련이 있다. 자존감이 높은 사람은 그렇지 못한 사람보다 다른 사람을 더 잘 설득하는 경향이 있다.

이 장에서 활용할 자존감 측정도구는 쿠퍼스미스(Coopersmith, 1967)가 제작한 자존감 측정문항(Self-Esteem Inventory)을 강종구(1986)가 번역한 자존감 검사도구이다. 4가지 하위영역별로 구분하여 점수를 산정함으로써 개인의 영역별 수준을 확인하여 자존감의 향상에 구체적으로 활용할 수 있다.

4 자기차이(self-discrepancy)

자기차이를 아는 것은 자기를 알아 가는데 중요한 개념이다.

히깅스(Higgins, 1987)의 자기차이 이론에 의하면 사람들은 실제자기(real-self), 이상자기

(ideal self), 당위자기(ought self)의 측면에서 자신을 생각한다. 실제자기는 현재 모습의 자기이며, 당위자기는 자기에게 중요한 사람에 의해 기대되는 자기이다. 이러한 자기유형 간의 개념이 일치할 때 안정적이고 건강한 대인관계를 형성할 수 있다. 그러나 자기유형 간의 개념 차이가 있을 때 유형과 크기, 그리고 자신의 관점과 타인의 관점들에 따라 정서경험이 달라져 정서장애나 고통의 종류와 강도가 달라지고 결국 자기의 종류별, 관점 간의 차이가 발생하여 정서변화와 함께 갈등 상황에 이르게 되며, 생리적 변화와 신체적 질병을 초래하기도 한다.

Higgins는 실제자기와 이상자기의 차이가 크면 낙담정서(우울 관련 정서)가 나타나며, 실제자기와 당위자기의 차이가 크면 초조한 정서(불안 관련 정서)가 일어났으며, 다른 연구에서 대상자들은 우울과 불안, 또는 분노를 경험하였다.

전겸구(2000)는 만성적으로 실제자기와 이상자기의 차이가 크면 신체 증상이 많고 암으로 발전된다고 하였고, 실제자기와 당위자기의 차이가 만성적으로 크면 식욕부진, 설사, 편두통, 생리불순, 위산과다로 인한 소화불량 등 신체적 장애가 높았다고 하였다.

또한 실제자기와 이상자기의 차이는 우울, 두통 및 소화기 증상을 일으키고, 차이가 큰 사람은 작은 사람에 비해서 두통, 소화기 증상, 불면증이 많았다. 실제자기와 당위자기의 차이가 있으면 불안, 소화기 증상이 많으며, 차이가 큰 사람은 작은 사람에 비해 소화기 증상과 불면증이 많았고, 실제자기와 당위자기의 차이는 심장 증상에도 유의하게 나타났다(강혜자, 2000; 강혜자, 한덕웅, 2005). 이러한 결과는 자기차이가 크면 신체, 정신질환과의 관련이 높다는 것을 시사해준다.

5 자아정체성(self-identity)

자아정체성이란 타인에 대한 태도나 자기 자신에 대한 지각에 있어서 내적 동일성과 연속성을 유지하는 자신의 능력에 대한 자신감이다. 에릭슨(Erikson)은 청소년이 위기를 성공적으로 헤쳐 나갈 때 자신의 정체성을 명확하게 이해하며, 다른 사람과도 친밀한 인간관계를 발달시킬 수 있다 하였다(Erikson, 1968).

즉, 자아정체감이란 자기 자신의 독특성에 대해 안정된 느낌을 갖는 것으로, 행동이나 사고, 느낌의 변화에도 불구하고 내가 누구인가를 일관되게 인식하는 것이며, 현재의 삶 속에서 자신의 위치, 역할, 능력 및 책임 그리고 자신의 중심이 되는 가치와 목표에 대한 분명한 자기인식을 의미한다.

정체성에는 키가 크다, 영리하다, 소탈하다 등의 개인적 특성을 가지고 있는 개인정체성(personal identity)과 대학생, ○○출신, ○○사 등과 같이 집단의 특징으로 기술되는 사회정체성(social identity)이 있다. 정체성이 분명하면 불확실성을 감소시킨다. 인간은 자기 자신에 대해 분명한 이미지를 가지고 있을 때 다른 사람들과의 대화가 보다 적극적이고 확실하며, 직접적인 대화를 할 수 있다.

6 자기복잡성(self-complexity)

자기복잡성은 자기 자신을 얼마나 많은 차원으로 정의하는가에 대한 수준이다. 자기를 정의하는 수준이 높은 경우에는 낮은 경우에 비해 한두 가지 충족이 안 되어도 나머지가 충족되면 상처를 입지 않은 부분이 있기 때문에 손상에 대한 스트레스나 심리적 충격에도 잘 대처하고 우울 관련 증상도 적다. 그러나 복잡성이 낮은 경우, 다시 말하면, 한두 가지 차원으로 자신을 정의한 경우에는 한 가지만 손상되어도 심각한 실패로 여긴다.

예를 들어, 사람들은 자신에 대해 뚱뚱한지 또는 날씬한지, 얼마나 공부를 잘하는지 못하는지와 같은 두 차원으로 정의하기도 하고, 어떤 사람은 노래, 운동, 학교성적, 친구관계, 이성교제, 건강, 성격 등 많은 차원으로 정의하기도 한다. 이렇게 여러 차원으로 정의하는 것은 복잡성이 높고, 한두 차원으로 정의하는 것은 복잡성이 낮다.

만약, 어떤 학생이 자신을 평가하는 차원이 학업 성적과 미모 2가지라면, 공부는 열심히 해서 성적은 우수해도, 운동부족으로 허리가 굵어진다면, 이 학생은 뚱뚱하다는 것 때문에 자기의 절반을 손상 받게 되며, 만일 공부만 하고 잠도 안자고 운동도 못하여 살이 쪘는데 시험까지 못 보았다면 이 학생의 심정은 치명적일 것이다.

반대로 다른 학생은 친구관계, 노래, 운동, 학교성적, 이성교제 등 다차원적으로 자신을 정의한다면, 시험을 한번 못 보아도 별로 스트레스를 받지 않을 것이다. 자기개념이 다차원적일수록 환경이나 역할 변화에 빠르고 유연하게 대처할 수 있으므로, 되도록 자신을 다양한 관점에서 이해하는 노력이 필요하다.

REFERENCE

- 강종구(1986). 자아개념, 진로의식성숙 및 학업성취도가 직업포부수준에 미치는 영향. 서울대학교 석사학위논문.
- 강혜자(2000). 자기차이, 정서 및 신체증상의 관계. 한국심리학회지 : 건강, 2000.5(2). 193-208.
- 강혜자, 한덕웅(2005). 자기차이에 따른 우울과 불안의 경험. 한국심리학회지 : 건강, 10(3). 349- 374.
- 곽윤경, 김윤경, 노지영, 배영주 외(2017). 인간관계와 의사소통. 의학서원.
- 안효자, 이영내, 김명자, 김현미, 송민선 외(2015). 인간관계와 의사소통. 수문사.
- 양경희 외(2019). 건강한 인간관계를 위한 의사소통 기술. 퍼시픽북스.
- 양경희 외(2021). 건강한 인간관계를 위한 의사소통 기술, 제2판. 퍼시픽북스.
- 이경순, 이미경, 김경희(2014). A to Z 인간관계와 의사소통. 현문사.
- 전겸구(2000). 분노의 종합적 이해를 위한 시도. 미술치료연구(특집호), 7(1). 1-31.
- 전성숙, 변은경, 김미영(2018). 인간의 이해와 의사소통. 수문사.
- 한규석(2013). 사회심리학의 이해. 학지사.
- 한덕웅, 성한기, 강혜자, 이경성, 최훈석, 박군석, 김금미, 장은영(2005). 사회심리학. 학지사.
- 한평실(2006). 건강한 자아상 회복을 위한 내적 치유에 관한 연구. 안양대학교 대학원 목회학 석사학위 논문.
- Coopersmith, S.(1967). The antecedents of self-esteem. San Francisco : W/H. Freeman.
- Erikson, E. H.(1968). Identity : Youth and crisis. New York : W.W.Norton & Co18.
- Higgins, E. F.(1987). Self-discrepancy theory relating self and affect. Psychological Review, 94. 319-340.
- John W. Santrock(2008). Adolescence, 12th. McGraw-Hill. 134-154.
- https://www.alleydog.com/glossary/definition.php?term=Possible%2520Selves
- Charles Cooley-Looking glass self | Individuals and Society | MCAT | Khan Academy Created by Brooke Miller. Watch the next lesson : https://www.khanacademy.org/test-prep··· Missed the previous lesson? https://www.khanacademy.org/test-prep··· MCAT on Khan Academy: Go ahead and practice some passage-based questions! About Khan Academy : Khan Academy offers practice exercises, instructional videos, and a personalized learning··· https://video.search.yahoo.com/search/video?fr=yfp-t-s&p=cooley+looking+glass+self#action=view&id=2&vid=f104ff1cfe9d9d3556ec27cf9bd659aa
- Society and the Adolescent Self-Image [Morris Rosenberg, 1965].pdf

2-1 뇌구조 그리기(좌, 우뇌)

자신의 뇌구조 그리기(사례)

• 내가 생각하는 것, 관심 있는 것, 좋아하는 것, 싫어하는 것은 무엇인가요?

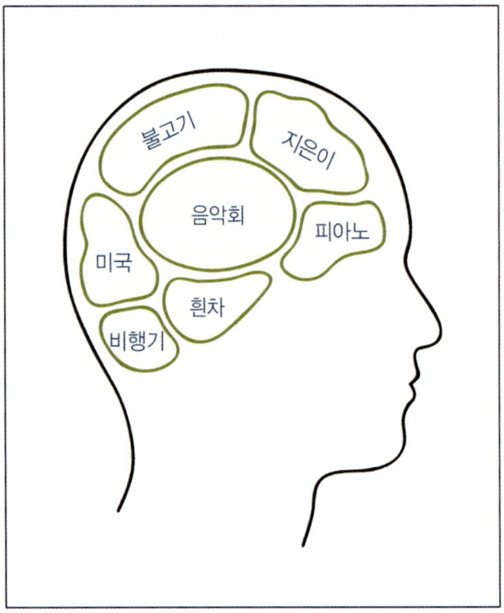

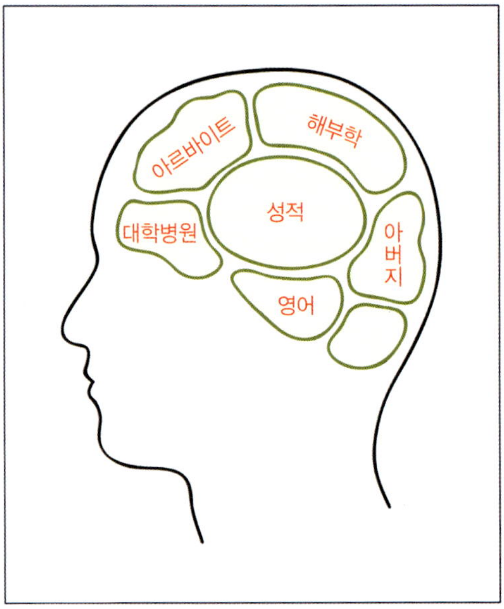

자신의 좌뇌 그리기

- 내가 생각하는 것
- 내가 해야하는 것
- 장래 희망하는 직업
- 나의 공부 계획 등
- 내가 궁금한 것(인지적)은 무엇인가요?

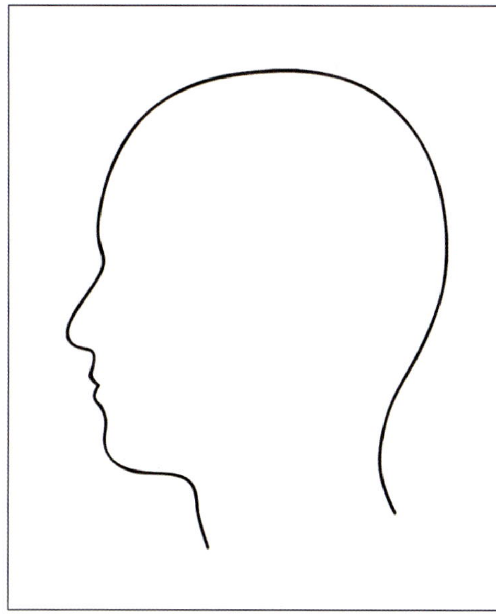

자신의 우뇌 그리기

- 관심 있는 것 또는 나의 소원은?
- 나를 표현하는 형용사
- 좋아하는 것
- 싫어하는 것
- 보고 싶은 것
- 갖고 싶은 것
- 먹고 싶은 것
- 가고 싶은 곳

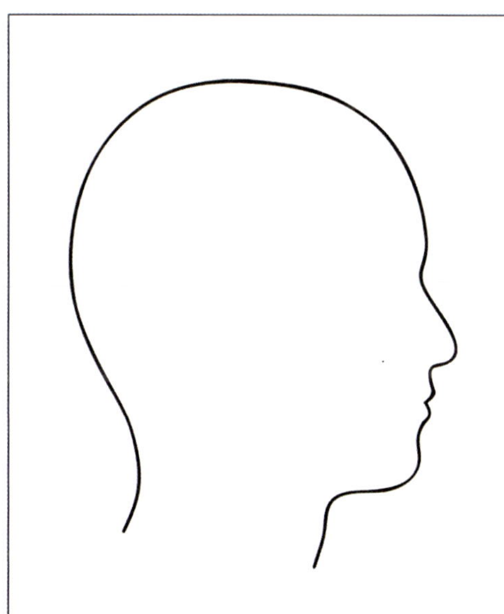

2-2 자존감 측정(Self-Esteem Inventory)

문 항	전혀 그렇지 않다 (1)	약간 그렇지 않다 (2)	약간 그렇다 (3)	아주 그렇다 (4)
1. 나는 내가 다른 사람이었으면 한 적이 거의 없다.				
2. 나는 여러 사람 앞에서 이야기하는 것이 어렵지 않다.				
3. 나에게는 고쳐야 할 점이 별로 없다.				
4. 나는 어렵지 않게 마음을 결정할 수 있다.				
5. 나는 다른 사람들과 재미있게 지낸다.				
6. 가족 중에 나에게 관심을 보여주는 사람이 있다.				
7. 나는 새로운 것에 쉽게 익숙해지는 편이다.				
8. 나는 친구들과 잘 어울리며 인기가 있는 편이다.				
9. 우리 가족은 나에게 지나친 기대를 하지 않는다.				
10. 우리 가족은 대체로 내 기분을 잘 이해해주는 편이다.				
11. 나는 매사를 쉽게 포기하지 않는 편이다.				
12. 나는 비교적 남보다 행복한 편이다.				
13. 나는 대체로 계획적이고 안정된 생활을 한다.				
14. 대체로 다른 사람들이 내 생각을 따라주는 편이다.				
15. 나는 나 자신에 대해 내세울 것이 많다고 생각한다.				
16. 집을 나가 버리고 싶다는 생각을 거의 해본 적이 없다.				
17. 내가 하는 일은 거의 뜻대로 된다.				
18. 나는 몸매와 외모가 멋진 편이다.				
19. 나는 할 말이 있을 때 대체로 그 말을 하는 편이다.				
20. 우리 가족들이 나를 잘 이해하고 있다.				
21. 다른 사람들에 비해서 나는 사랑을 많이 받는 편이다.				
22. 가족들이 나를 미워하는 것 같지는 않다.				
23. 내가 하고 있는 일에 대해 항상 자부심을 느낀다.				
24. 나는 모든 것이 그다지 어렵게 생각되지는 않는다.				
25. 나는 다른 사람이 나에게 의지해도 될 만큼 강하다.				

자존감 검사의 4가지 하위영역의 문항 분석과 채점

하위영역	문항번호	합계	본인점수	총점
자기 비하	1, 3, 11, 15, 16	20		
타인과의 관계	6, 7, 9, 10, 20, 21, 22	28		
지도력과 인기	2, 5, 8, 14, 18, 25	24		
자기주장과 불안	4, 12, 13, 17, 19, 23, 24	28		

* (1)번을 1점, (2)번을 2점, (3)번을 3점, (4)번을 4점으로 합산함. 점수가 높을수록 자아존중감이 높다.

출처 : Coopersmith(1967)가 제작한 Self-Esteem Inventory를 강종구(1986)가 번역함.

Communication Skills for Healthy Relationships

02 장

성격이해

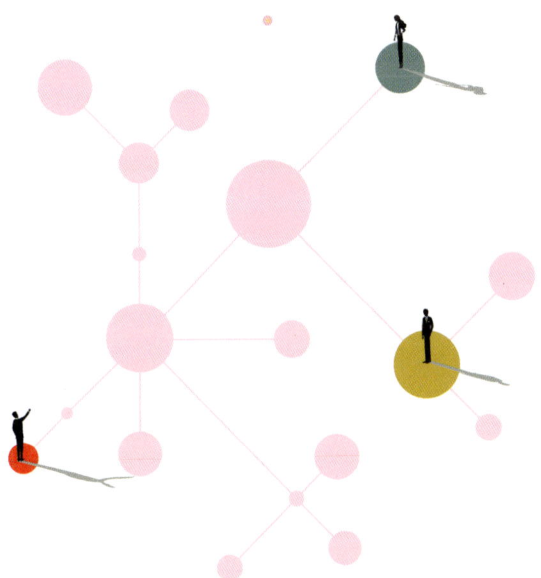

학·습·목·표

1. 성격유형의 의미를 이해한다.
2. MBTI 성격유형의 구조를 이해한다.
3. 자신의 MBTI 성격유형을 통해 자기계발 방법을 확인한다.
4. 에니어그램의 성격유형을 이해한다.
5. 자신의 에니어그램 성격유형을 통해 자기계발 방법을 확인한다.

주·요·용·어

- 성격유형
- MBTI
- 선호
- 에니어그램
- 에너지 방향
- 인식기능
- 판단기능
- 생활양식
- 직관
- 인식
- 퇴행
- 성장

02 성격이해

성격(personality)은 일반적으로 사교기술이나 효율성 같은 측면에서 사용하면서 성격이 좋다, 나쁘다고 말한다. 그러나 알포트(Allport G. W., 1968)는 성격을 개인의 내부에서 특징적인 행동과 사고를 결정하는 정신물리적 체계의 역동적인 것으로 표현하고, 길포드(Guilford J. P., 1959)는 개인이 가지고 있는 특성들의 독특한 양식으로 설명하였다. 즉 성격은 한 개인에게서 가장 현저하게 지배적인 특성이라고 볼 수 있으며, 어느 성격이 좋다, 나쁘다고 말할 수는 없다.

개인은 자신의 고유한 기질적 성격유형을 가지고 있다. 여러 다른 특징을 가진 많은 사람들 속에서 생활하는 인간은 자신의 성격유형을 파악하고, 타인의 성격유형을 이해한다면 인간관계를 맺고 성공적인 의사소통을 하며 살아가는데 큰 도움이 될 것이다.

이 장에서는 개인의 성격유형을 이해하여 의사소통과 대인관계 능력을 한층 향상하도록 안내하는 MBTI 성격유형과 에니어그램 유형검사를 활용하여 자신의 유형을 찾아보고 자신의 특성을 이해하며 자기계발을 시도해본다.

1 MBTI(Myers-Briggs Type Indicator)

❶ MBTI 검사의 이해

MBTI 검사는 융(Carl Jung)의 심리유형 이론을 근거로 캐서린 브릭스(Katherine C. Briggs)로부터 연구가 시작되어 1940년대 이사벨 마이어스(Isabel B. Myers)가 제작하고 마리 멕콜리(Mary McCaulley) 등이 참여하여 개발된 자가보고식 비진단성 성격유형 검사로 성격유형을 설명하여 성격적 특성과 행동의 관계를 이해하도록 돕는다.

MBTI 지표(index)는 첫째, 태도유형으로 정신적 에너지의 방향성을 나타내는 외향-내향(E-I) 지표로 먼저 2가지 방향이 결정되며, 둘째, 정보 수집을 포함한 인식기능을 나타내는 감각-직관(S-N) 지표, 셋째, 수집한 정보를 토대로 합리적으로 판단기능인 사고-감정(T-F) 지표, 넷째, 실생활에서 적용되어 나타난 생활양식을 보여주는 판단-인식(J-P) 지표 등의 4가지 차원의 선호 지표가 있다. 생활양식은 판단과 인식으로 대별되어 판단기능의 판단이라는 단어가 중첩되는 감이 있으나, 생활양식은 외부세계에 대한 태도나 대처하는 양식을 나타낸다. 판단형은 판단기능(사고나 감정)을 외부로 쓰기 때문에 결정이 중요하고, 인식형은 인식기능(감각과 직관)을 외부로 쓰기 때문에 계속적으로 정보를 수집한다. MBTI는 이 지표들이 조합된 양식을 통해 16가지 성격유형으로 구성된다**[그림 2-1]**.

따라서 MBTI 검사는 어떤 공통된 특징에 따라 4가지 척도에 근거하여 16가지 성격유형으로 분류하고 있으며, 사람들의 다양한 행동이 우연에 의한 것이 아니라 몇 가지 기본적인 선호 경향의 차이에서 나타난다고 본다.

융(Jung)의 심리유형론에 따르면, 선호경향이란 선천적으로 인간에게 잠재되어 있는 경향성이다. 사람은 오른손과 왼손을 모두 쓸 수 있지만, 손을 내밀어야 하는 상황에서 오른손잡이는 무의식적으로 오른손이 먼저 나가고, 왼손잡이는 왼손이 먼저 나간다. 사람은 자기가 편한 쪽을 먼저 사용하려는 경향이 있고, 편한 쪽으로 사용할 때 능률이 오른다. 이처럼 사람은 자기가 좋아하는 기능이나 태도를 먼저 그리고 자주 사용하게 되는데, MBTI 검사는 두 가지 반대되는 경향 가운데 어떤 것을 주로 사용하는가를 알아보는 것이다.

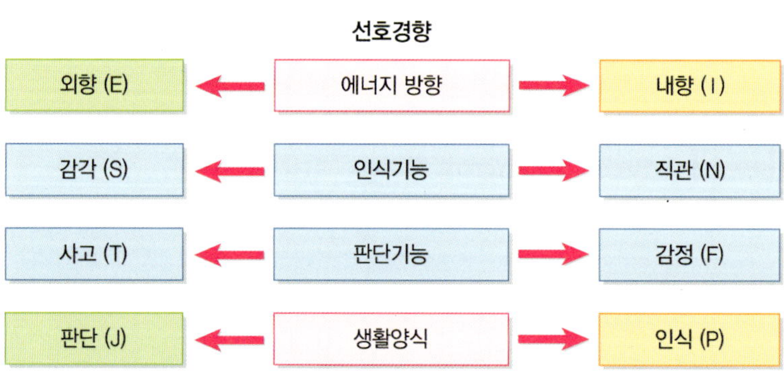

그림 2-1 MBTI의 4가지 선호지표(Myers, Kirby & Myers, 1998)

❷ MBTI 유형의 선호유형

4가지 각 선호지표(외향(E)–내향(I), 감각(S)–직관(N), 사고(T)–감정(F), 판단(J)–인식(P))에 대해 개인의 선호경향을 결정하면, ISTJ나 ESTJ 등과 같이 4개의 알파벳 코드 조합이 나온다**[그림 2-2]**.

유형역동 이론에 따르면 감각(S), 직관(N), 사고(T), 감정(F)의 네 가지 선호경향 사이에는 역동관계가 존재한다. 각 유형에서 주기능으로 작용하는 선호경향은 다른 기능들보다 먼저 개발되고 자주 사용된다. 주기능은 **[그림 2-1]**에서 제시한 인식기능이나 판단기능 중에서 나타난다. 인식기능인 감각(S) 또는 직관(N) 중 하나가 주기능이면, 부기능은 판단기능 중 사고(T) 또는 감정(F)이다. 반대로 주기능이 판단기능인 사고(T) 또는 감정(F)이면, 부기능은 인식기능 중 감각(S) 또는 직관(N)이 된다. 주기능은 생활태도인 판단 또는 인식(J, P)부터 찾기 시작한다. 생활태도가 판단(J)이면, 바로 앞에 위치한 판단기능인 사고나 감정(T, F) 중 하나가 주기능이 되는데, 내향형인 경우는 한 문자 앞으로 가서 인식기능인 감각이나 직관(S, N)이 주기능이 된다. 생활태도가 인식(P)이면, 앞에 2번째 문자인 인식기능인 감각이나 직관(S, N)이 주기능이 되는데 내향형인 경우는 뒷자리에 있는 판단기능인 사고나 감정(T, F) 중 하나가 주기능이 된다.

ISTJ의 경우에는 주기능이 인식기능 중 감각(S)이며, 반대편의 직관(N)은 열등기능이다. 부기능은 주기능의 옆자리에 위치한 판단기능인 사고(T)가 되며 3차기능은 그 반대편 쪽의 감정(F)이 된다. 따라서 주기능은 감각(S), 부기능은 사고(T), 3차기능은 감정(F), 열등기능은 직관(N)이다. ENFP인 경우에는 주기능이 직관(N), 부기능이 감정(F), 3차기능이 사고(T), 열등기능이 감각(S)이다. 심리유형의 역동을 확인하기 위해서는 『심리유형의 역동과 발달』을 참고하도록 한다.

주기능을 잘 인식하면 부기능도 인식하기 쉬우나, 3차기능과 열등기능은 성격유형 코드에서 가시적으로 드러나지는 않지만, 순차적으로 개발되며 그 기능을 자신있게 활용하는 정도에 있어서도 차이가 있다. 열등기능은 주기능의 반대로 가장 덜 발달된 기능이지만, 어린시절 자신의 유형을 잘 인식하고 수용하게 되면 중년기가 되어 열등기능도 잘 쓸 수 있도록 발달하게 된다.

다음은 MBTI의 선호경향을 인용하여 에너지 방향, 인식기능, 판단기능 및 생활양식별로 이해하기 쉽게 도식화한 것을 소개한다**[표 2-1][표 2-2]**.

표 2-1 성격유형에 따른 선호방향

에너지 방향	
외향형(E, Extroversion)	내향형(I, Introversion)
사람들과 어울리고 활동에 참여하면서 에너지를 얻는다.	혼자 깊이 생각할 시간을 가지면서 에너지를 얻는다.
생각하는 것을 말로 표현한다.	자신의 생각을 깊이 숙고한다.
외부세계에서 일어나고 있는 일에 초점을 맞춘다.	무슨 일인지에 대한 내면의 생각에 초점을 맞춘다.
방해하는 자극을 자극제로 생각한다.	방해하는 자극은 자신을 산만하게 만드는 것으로 받아들인다.
먼저 행동한 후, 생각한다.	먼저 생각한 후, 행동한다.
변화와 행동하는 것을 좋아한다.	집중하고, 심사숙고 하는 것을 좋아한다.
면대면 대화나 음성메시지를 선호한다.	메모나 서면으로 하는 의사소통을 선호한다.
외출이 잦아 만나기 어렵고, 너무 바빠서 일대일 대화가 힘들다는 말을 자주 듣는다.	다른 사람들이 당신과 함께 있어도 거리감을 느끼며, 알기 어렵다는 말을 자주 한다.
다른 사람과 교류하면서 자신의 영역을 넓혀간다.	한 발 물러나거나 때로는 다른 사람을 피함으로써 주변 상황에 대해 방어한다.

출처 : Alice M. Fairhurst, Lisa L. Fairhurst(1995), 심혜숙 역(2009). 재인용.

인식기능	
감각형(S, Sensing)	직관형(N, iNtuition)
자신의 오감(시각, 청각, 미각, 촉각, 후각)을 신뢰한다.	자신의 예감이나 직감과 다양한 정보들 간의 연관성을 중시한다.
정확성과 꼼꼼함에 가치를 둔다.	통찰과 유추에 가치를 둔다.
현재를 즐긴다.	미래를 기대한다.
조직적이고 단계적인 접근을 중시한다.	창의적이고 새로운 접근을 중시한다.
나무를 본다.	숲을 본다.
경험이 자신의 안내자이다.	상상력과 영감이 자신의 안내자이다.
실제적인 적용이나 결과를 알고 싶어 한다.	추가적인 활용 방법이나 혁신적인 가능성을 알고 싶어 한다.
사물에 대한 해석이나 일반화를 기피한다.	세부사항을 간과하는 경향이 있고, 너무 자세하게 설명하면 집중력을 잃는다.
경향을 파악하기 위해 사실을 수집한다.	하나의 사실이나 사건을 보고 일반화하여 보편적인 의미를 이끌어낸다.

출처 : Alice M. Fairhurst, Lisa L. Fairhurst(1995), 심혜숙 역(2009). 재인용.

표 2-1 성격유형에 따른 선호방향 (계속)

판단기능	
사고형(T, Thinking)	감정형(F, Feeling)
내재되어 있는 원칙을 중시하여 결정한다.	다른 사람에게 미칠 영향을 중요시하며 결정한다.
장점과 단점을 비교하고 평가한다.	개인적인 가치에 근거하여 살펴본다.
논리적인 결과를 원한다.	조화로운 결과를 원한다.
단호하지만 공평하다.	공감적이고 예외를 허용한다.
진실을 추구하는 것을 중요하게 여기고, 객관적인 원칙에 영향을 받는다.	가장 중요한 것이 무엇인지 찾고자 하며, 다른 사람의 관점에 영향을 받는다.
정보와 사물에 관심을 갖는다.	사람에게 관심을 갖는다.
이성적으로 결정한다.	감성적으로 결정한다.
회의적, 논쟁적이며, 원칙을 준수하는 경향이다.	수용적이고 공감적이며, 인내하는 경향이다.
발견된 문제점을 해결하고자 하며, 해결하기 위한 노력의 일환으로 다른 사람들과 그것에 대해 공유한다.	다른 사람을 비판하지 않으려고 하며, 문제를 다루기 위한 노력의 일환으로 먼저 잘한 부분을 찾아 칭찬한다.

출처 : Alice M. Fairhurst, Lisa L. Fairhurst(1995), 심혜숙 역(2009). 재인용.

생활양식	
판단형(J, Judging)	인식형(P, Perceiving)
해야 할 일을 계획한대로 행동한다.	순간의 필요에 따라 행동한다.
예측하고 미리 계획함으로써 문제를 최소화하고자 한다.	문제가 생기면 그때그때 해결하려고 한다.
시간을 계획하고, 날짜를 정해서 약속한다.	일정은 가능하면 오랫동안 선택사항으로 남겨놓는다.
규칙적으로 꾸준히 노력해야 성취할 수 있다고 믿는다.	마지막 순간에 많은 것을 성취할 수 있을 거라고 믿는다.
마무리 짓는 것을 즐긴다.	시작하는 것을 즐긴다.
일하는 것이 노는 것보다 먼저라고 생각한다.	노는 것과 일은 공존할 수 있다고 생각한다.
일이 안정되고 일상적인 것이 되기를 원한다.	자발적으로 몇 가지 도전에 직면하고 싶어 한다.
업무와 시간표에 초점을 둔다.	과정과 선택할 수 있는 요인에 초점을 둔다.
새로운 정보를 수집하기 위해 잠시 멈추기도 하지만, 의사결정은 신속하게 한다.	새로운 정보를 고려하는 것을 즐기면서 최종결정을 미룬다.

출처 : Alice M. Fairhurst, Lisa L. Fairhurst(1995), 심혜숙 역(2009). 재인용.

③ 선호유형의 조합형태

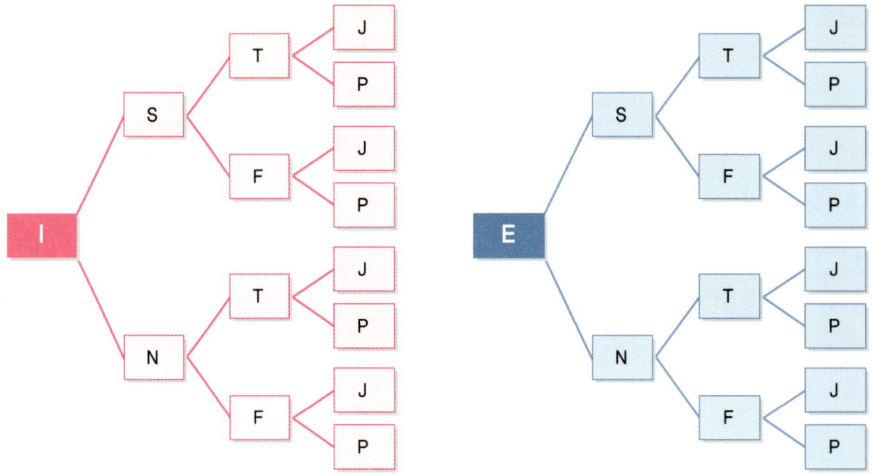

그림 2-2 MBTI 선호유형의 조합형태

④ 16가지 성격유형

표 2-2 16가지 성격유형

ISTJ	ISFJ	INFJ	INTJ
세상의 소금형	임금뒷편의 권력형	예언자형	과학자형
한번 시작한 일은 끝까지 해내는 사람들	성실하고 온화하며 협조를 잘 하는 사람들	사람과 관련된 것에 통찰력이 뛰어난 사람들	전체적으로 조합하여 비전을 제시하는 사람들
ISTP	ISFP	INFP	INTP
백과사전형	성인군자형	잔다르크형	아이디어뱅크형
논리적이고 뛰어난 상황 적응력을 가지고 있는 사람들	따뜻한 감성을 가지고 있는 겸손한 사람들	이상적인 세상을 만들어 가는 사람들	비평적인 관점을 가지고 있는 뛰어난 전략가들
ESTP	ESFP	ENFP	ENTP
수완 좋은 활동가형	사교적인 유형	스파크형	발명가형
친구, 운동, 음식 등 다양한 활동을 선호하는 사람들	분위기를 고조시키는 우호적인 사람들	열정적으로 새로운 관계를 만드는 사람들	풍부한 상상력을 가지고 새로운 것에 도전하는 사람들
ESTJ	ESFJ	ENFJ	ENTJ
사업가형	친선도모형	언변능숙형	지도자형
사무적, 실용적, 현실적으로 일을 많이 하는 사람들	친절과 현실감을 바탕으로 타인에게 봉사하는 사람들	타인의 성장을 도모하고 협동하는 사람들	비전을 가지고 사람들을 활력적으로 이끌어가는 사람들

출처 : Alice M. Fairhurst, Lisa L. Fairhurst(1995), 심혜숙 역(2009). 재인용.

5 MBTI 선호유형 이해하기

일반적으로 인간에게서 관찰할 수 있는 행동들은 아주 넓은 범위에 걸쳐 있다. 선호를 고려하는 것은 우리가 이러한 차이를 이해하는데 도움을 주는 한 가지 방법이고, 모든 유형은 정상적이며 유익하다.

성격유형을 이해하는 초기 단계에서 사람들은 종종 저 사람은 'P형이야', 'J형이야' 라고 이름 짓지만, 그들이 진정한 P형이라든가 J형은 아니다. 단지 대부분의 상황에서 인식(P)이나 판단(J)의 유형을 잘 사용하는 것뿐이다. 모든 사람들은 외향과 내향, 감각과 직관, 사고와 감정, 판단과 인식의 능력을 모두 가지고 있다.

성격유형을 고려하여 자신의 행동과 다른 사람들의 행동을 해석해가면서 유형에 대해 배우는 것은 MBTI를 활용하는 좋은 방법이다.

6 MBTI 활용과 유의할 점

1) MBTI는 자신의 심리적 선호 유형을 알고 다른 사람의 유형을 알아 그 차이를 인식하고 강점을 인정함으로써 자신과 타인을 수용하는 역량을 개발하여 대인관계에 도움이 된다.
2) 성격유형은 사람들을 구분하기 위해 배정하는 것이 아니며, 자신과 다른 사람들의 선호경향을 이해하는 방법 중의 하나이다.
3) 성격유형이 모든 것을 설명해주지는 않는다. 16개의 각 성격유형 안에도 아주 다양한 성격특성들이 있으며, 각자의 독특성과 가치를 가지고 있어서 똑같은 ISTJ 유형이라도 완전히 일치하는 동일한 ISTJ 2명이 존재할 수는 없다. 즉 동일한 유형에 많은 사람들이 있더라도 그 유형 안에서 자신만의 고유한 특성이 있다.
4) 유형이 모든 문제를 설명하지는 않지만, 다른 사람들의 개인적인 가치를 좀 더 깊이 이해할 수 있게 하여 그들의 말과 행동에 대해 논리적으로 설명할 수 있는 모델을 제공해 준다.
5) 어떤 유형도 다른 유형보다 더 우수한 유형이라고 말할 수 없다. 왜냐하면 모든 유형은 그 자체로 장점도 있고 개발해야 할 점을 모두 가지고 있기 때문이다.

2 에니어그램(Enneagram)

1 에니어그램의 이해

1) 어원

에니어그램은 그리스어에서 기원한 것으로 9를 의미하는 에니어(Ennea)와 그림이나 점을 의미하는 그라모스(Grammos)를 합한 것이다. 에니어그램은 9개의 점으로 표현되는 인간의 성격 유형을 말하는 것이다.

에니어그램의 기원에 대한 견해는 다양하지만 4,000년 전의 피타고라스학파의 기록에도 묘사되어 있다. 구전되어 오던 에니어그램 시스템을 서구에 처음으로 소개한 것은 러시아의 신비주의자 구르지예프(Gurdjieff)이며, 그는 1915년에서 1916년 사이에 파리에서 연구 결과를 통해 에니어그램을 소개하였다. 볼리비아의 이차소(Ichazo)는 1960년대에 칠레 아리카연구소에서 에니어그램 시스템을 기반으로 9가지 유형을 개발했고 1970년대에 클라우디오 나랑호(Claudio Naranjo)에 의해 미국 기독교계에서 급속도로 확산되었다. 1994년 스탠포드대학교에서 국제에니어그램협회(International Enneagram Associatio : IEA)가 창립되어 다양한 국가 및 그룹에서 광범위하게 사용하고 있다.

2) 의미

에니어그램은 9가지의 성격유형을 뜻한다. 그러나 인간 개인의 성격이 이 9가지 성격유형에 의해 획일적으로 구분되는 것은 아니다. 각 개인의 성격을 9가지 유형의 성격을 통해 세상을 어떻게 보는지, 가치관은 어떠한지, 인간관계는 어떻게 맺는지 등 무수한 관계의 역동을 분류해놓은 것이라고 볼 수 있다.

2 에니어그램의 목적

에니어그램 시스템을 활용하는 목적은 첫째, 자신의 성격유형을 이해하여 개선하는 것이다. 인간은 자신의 성격을 명확하게 들여다보고 이해함으로써 성장과 발전을 이룰 수 있다. 둘째, 타인의 성격유형을 이해함으로써 인간관계를 개선하는 것이다. 타인의 성격유형을 이해하며 서로의 차이를 인정하는 것은 긍정적 인간관계를 만들 수 있다. 셋째, 자아 통합과 균형을 유지하는 것이다. 자신에게 내재된 성격에 대한 이해를 바탕으로 이를 균형적으로 발전시켜 자아를 통합할 수 있다. 넷째, 자신의 기질적 재능과 소질을 개발하는 것이다. 마지막으로, 조직 구성원의 이해를 통하여 공동체의 성장을 이루는 것이다. 다시 말해, 에니어그램을 활용함으로써 다양한 구성원들로 이루어진 조직의 역동을 이해하고 긍정적인 상승효과를 이룰 수 있는 조직역동을 만드는데 기여할 수 있다.

자신의 성격유형을 성찰하고 타인의 성격유형을 이해하는 것은 성공적 의사소통의 큰 자원이 될 것이다. 9가지 성격유형에 대해 설명한 것을 바탕으로 포괄적으로 성격유형을 예측해 볼 수 있겠지만 좀 더 정확한 성격유형 분석을 위해서는 에니어그램 진단검사를 활용할 필요가 있다. 최근 학교에서는 학생의 진로지도 및 효율적 의사소통을 위해 기본 진단검사로 많이 활용하고 있고 기업체에서도 조직간 이해와 효율적 조직관리 및 팀워크를 위해 에니어그램 진단검사를 활용하는 사례가 많다.

3 에니어그램의 상징

에니어그램은 다음의 3가지 도형의 상징이 있다**[그림 2-3]**. 3가지 도형의 융합은 인간을 이해하고 바라보는 관점을 제시하고 있다.

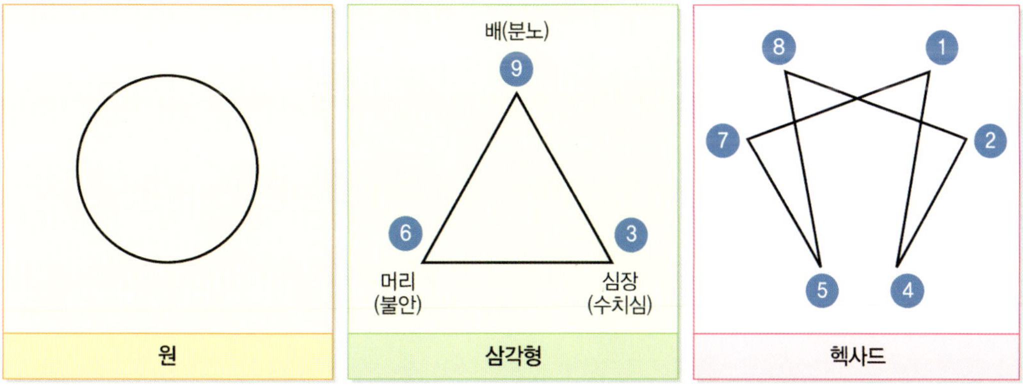

그림 2-3 에니어그램의 상징 요소

1) 원

원은 하나의 선으로 이루어진 도형이며, 균형과 변화 및 연속성과 혼돈을 의미한다. 또한 9가지 성격유형이 모두 하나로 통합되는 것을 표현한다. 인간은 자신에 대해서, 타인과의 관계에서 그리고 자신과 사물과의 관계에서도 원만하고 충만하기를 바라는 인간 내면의 잠재의식이 원형으로 상징된다.

2) 삼각형

삼각형은 3가지 힘이 균형을 이룰 때 가장 완벽해진다는 3의 법칙을 내포하고 있다. 삼각형은 삼분법을 의미하고 이상적인 인간상에 도달할 수 있다는 것을 표현하고 있다. 인간이 원만한 존재가 되기 위해서는 자신의 삶에서 힘의 균형을 잡는 것이 중요하다. 균형 잡힌 삶이란 생각(머리), 감정(심장) 그리고 행동(배)의 균형을 의미한다.

3) 헥사드(Hexad)

헥사드는 육각형의 형상으로 나타나고 개방성과 부분적으로 대칭되는 특성을 갖는다. 헥사드는 방향성과 연속성을 의미하며 9가지 성격유형이 상호작용하고 변화한다는 것을 표현한다. 인간의 의식 흐름도, 음, 양의 변화와 조화 그리고 분열과 통합을 의미한다.

4 힘의 중심 이해

에니어그램에서는 개인의 힘의 중심을 이해하는 것을 통해 성격유형을 나눈다. 즉, 인간은 살아가면서 에너지를 얻는 방식이 다르다는 점에서 힘의 중심이 에니어그램의 성격유형을 나누는 데 가장 기본적인 기준으로 본다. 즉 개인의 신체 어느 부위를 중심으로 에너지가 순환하는지에 따라 배(장) 중심, 심장 중심, 머리 중심으로 나뉜다. 이들은 다시 3개의 성격유형으로 세분되어 9개의 기본 성격유형을 이루게 된다.

1) 배 중심(본능)

배 중심 유형의 인간은 하복부와 소화기 계통이 발달한 사람이다. 뇌 기능에서 본능과 습관을 관장하는 영역이 발달한 유형으로 힘이 중요하다고 생각하기 때문에 자기중심적인 성향을 보인다. 건장한 체격과 투쟁적이고 도전적인 인상을 보인다. 또한 현재에 관심이 있으며 자신의 의지와 힘을 중요하게 생각하여 일을 처리하는 방식도 신속하고 정확하다. 의사결정하는 방식도 타인의 감정을 고려하기보다 원칙에 따라 결정하고자 한다.

청각과 후각이 발달하여 음악을 듣거나 향기를 좋아하며 이와 관련된 직업을 선호하고 지도자나 리더의 역할을 좋아한다.

배 중심 유형은 8, 9, 1번 성격유형이 포함된다. 에니어그램 상징인 삼각형 한 꼭지점인 9유형은 에너지 흐름이 음과 양이 조절된 유형으로 평화를 선호한다. 시계 반대 방향에 위치한 8유형은 에너지를 분출, 발산하고자 하는 유형으로 강한 힘을 발휘하고자 한다. 이에 반해 시계 방향에 위치한 1유형은 안으로 힘을 집중하고 몰두하는 유형으로 완전하게 살고 싶은 욕구를 가진다.

- 8유형 : 주장이 강한 도전전문가형 [힘]
- 9유형 : 조화와 평화를 바라는 화합전문가형 [평화]
- 1유형 : 완벽함을 추구하는 개혁전문가형 [완전주의]

2) 심장 중심(느낌)

심장 중심 유형은 에너지의 중심을 인간의 감정에 두는 타인배려형 성격유형이다. 둥글둥글한 외모와 부드러운 인상을 가지며, 인간을 중시하고 타인에게서의 인정과 사랑받기를 원한다. 자아 이미지와 인간관계를 우선적으로 고려하며, 상징이나 의식에 끌려 집착과 의존을 보이기도 한다.

이들이 느끼는 감정은 불안감과 수치심이다. 사람들과의 관계를 유지하고 집단에 속해 있을 때 안심하고 편안함을 느낀다. 타인에게 인정받고자 하는 욕구가 강하기 때문에 인정받지 못할 때 적대심을 갖는 것이 특징적이다.

심장 중심 유형에는 2, 3, 4번 성격유형이 속한다. 에너지의 흐름이 조절된 3유형을 중심으로 에너지를 분출하는 유형인 2유형과 에너지를 내적으로 집중하는 유형인 4유형이 포함된다. 3유형은 성공하고자 원하여 목표관리에 철저하다. 에너지가 외부로 분출하는 2유형은 사랑을 중시하여 사람관리에 관심이 많으며, 에너지를 내적으로 집중하는 유형인 4유형은 자신의 독특성을 추구한다.

- 2유형 : 타인에게 도움을 주려는 조력전문가형 [사랑]
- 3유형 : 성공을 중시하는 성취전문가형 [성공]
- 4유형 : 특별한 존재를 지향하는 창조전문가형 [독특함]

3) 머리 중심(사고 중심)

머리 중심 유형은 사고와 논리 중추가 발달한 사람이다. 미래중심적이며 뇌와 신경계에 무게중심이 있다. 체격이 허약하고 빈약한 인상을 주는 편이다. 주관심사는 객관적 이치와 정보 수집이며 안전 추구이다. 이들이 주로 느끼는 감정은 두려움이다.

머리 중심 유형에는 다시 5, 6, 7번이 속한다. 협동적이고 조직의 조화를 중시하는 6유형이 중심이며, 객관적이며 인습을 타파하며 아이디어가 많은 5유형과 쾌활하고 낙천주의인 7유형이 있다.

- 5유형 : 지식을 얻어 관찰하는 지식전문가형 [유능]
- 6유형 : 안전을 추구하고 충실한 질문전문가형 [안전]
- 7유형 : 즐거움을 추구하고 계획하는 선택전문가형 [행복]

5 에니어그램의 성격유형

1) 성격유형별 의사소통

개인의 성격유형은 청소년기를 거쳐 구체화되면서 기질적 성격으로 고착된다. 대인관계에서 성격유형의 이해는 타인과의 의사소통에 유용하므로 자신의 성격유형을 알 필요가 있다. 자신의 성격을 잘 알고 있는 것 같아도, 자신이 알고 있는 자기와 타인의 눈에 보인 자기와는 차이가 있을 수 있으므로 몇 가지 성격 이해를 하여 도움을 받아야 한다.

성격유형을 파악하면 의사소통에서 도움을 받을 수 있다. 그 사람의 성격유형에 따라 선호하는 대화 스타일과 좋아하는 것, 그리고 싫어하는 것을 파악한다면 더 발전적인 의사소통을 할 수 있다[표 2-3].

표 2-3 에니어그램 성격유형별 의사소통 성향

유형	대화 스타일	좋아하는 것	싫어하는 것
1유형 (완벽주의자)	명료한 언어와 표현, 교정하기 좋아함, 훈계와 설교	완벽한 일처리, 도덕성, 의무, 절대가치, 조화와 대칭	즉흥성, 근거 없는 결정, 무책임한 행동
2유형 (조력가)	칭찬, 개인적 질문, 붙임성 있는 태도	친밀한 관계, 인맥, 자선	과학적 증거, 이론, 통계, 경제동향
3유형 (성취주의자)	대화 주도형, 공격적으로 자신을 드러냄	효율성, 성취감, 출세, 승리, 경쟁	감정의 동요, 타인과 보조 맞추기
4유형 (개인주의자)	의미심장한 침묵, 짧고 의미를 담은 말, 감정이 묻어나는 단어	창의력, 자기표현, 고상한 취향, 감동	관례, 평범한 삶, 반복적인 일
5유형 (탐구자, 사색가)	보고서나 이메일로 대화, 최소한의 대화, 확률과 수치	지성, 과학적 방법, 지적 경쟁, 정보와 대가	무의식적 충동, 감정에 빠짐, 사회적 기대
6유형 (충성가)	차분하고 명료한 언어, 확인하려는 질문, 다소 의심과 걱정	명분, 권위, 체계, 분석, 위험 예감	이유 없는 복종, 톡톡 튀는 것, 일탈, 속임수, 허세
7유형 (열정가)	과장된 이야기, 흥미꺼리 찾기, 브레인스토밍	모험, 흥미를 끄는 것, 여행과 이벤트	의무, 관례, 신중함, 지속성
8유형 (도전자, 지도자)	단도직입적, 거친 말투, 대결구도, 열변	자기의 영향력, 정의로움, 대결과 의리	권모술수, 결단력 부족, 잘난 척, 연약한 모습
9유형 (평화주의자)	잘 들어줌, 논리적이지 않음, 장황하게 설명함	평화로움, 공정함, 이타심	경쟁, 권위, 갈등 상황, 최종 마감일

출처 : 이은하(2014). 성인용 성격검사를 활용한 성인인성 패턴에 관한 연구. 에니어그램 심리역동연구. 1(1).

2) 성격유형과 날개성향

자신의 본질적 욕구를 성격유형으로 보면 그 성격유형을 더욱 발전시킬 수 있는 성향을 날개(wing)성향이라고 한다. 날개성향은 본인의 성격유형 양 옆에 있는 성격유형으로 본질적 욕구를 더 잘 발휘하도록 성장시킬 수 있는 잠재력이다.

예를 들면 9번 유형의 날개는 시계반대 방향인 8번 날개와 시계방향인 1번 날개로 9W8 또는 9W1로 표현한다. 성격유형의 날개 성향을 이해한다면 개인의 성격유형을 더 세밀하고 역동적으로 파악할 수 있다.

양쪽 날개 중 더 많이 활용되는 날개가 우세한 날개 성향인데, 9번 유형이 8번 날개를 많이 사용한다면 9W8로 표기하며, 중재자로서 현재의 상황을 지혜롭고 파악하고 평화스럽게 잘 해결하는 사람이며, 1번 날개를 많이 사용한다면 9W1로 표기하며, 결단력이 있고 큰 세상을 꿈꾸는 몽상가이다.

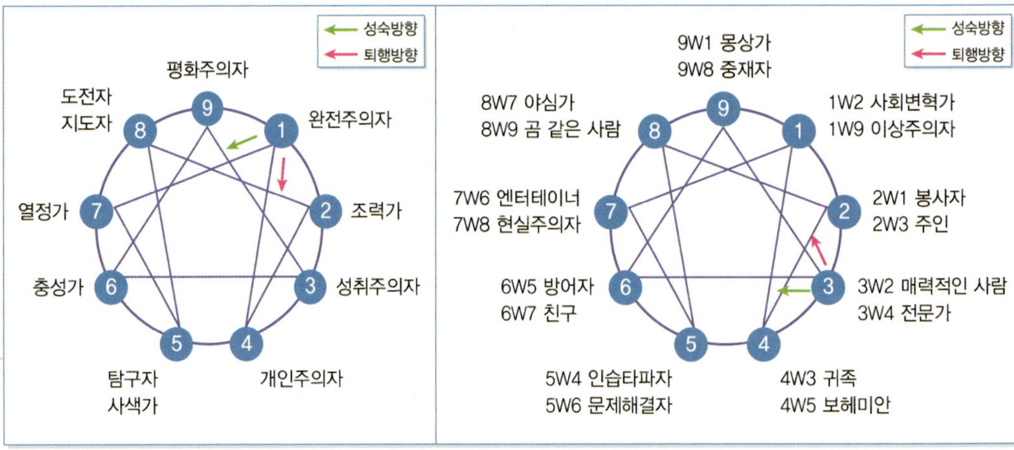

그림 2-4 성격유형과 날개성향

6 에니어그램의 역동성

인간이 스트레스 상황에서나 두려움이 있는 경우에는 퇴행의 방향으로 내부 삼각형은 3→9→6→3으로 진행되고 이러한 내부의 조건에 따라 육각형이 1→4→2→8→5→7로 이동한다. 반대로 성숙과 통합이 일어날 때는 3→6→9→3으로 진행되고 1→7→5→8→2→4로 이동한다[**그림 2-4**].

7 성격유형별 도움을 주는 방법

타인과의 차이를 알고 서로 다름을 인정하면 의사소통은 보다 더 성공적으로 진행될 수 있다. 각 성격유형은 강점과 약점이 있기 때문에 레니 바론과 엘리자베스와 겔리의 저서 '나를 찾는 에니어그램 상대를 아는 에니어그램'에 제시된 9가지 성격유형별 도울 수 있는 방법을 간략히 소개하고자 한다.

1) 8유형의 개발에 도움되는 정보

8유형은 힘 욕구가 강하여, 자기주장을 잘하고 적극적이고 주도적인 모습으로 책임을 다하고자 한다. 이러한 유형의 경우 단도직입적이고 거친 말투를 보이며 의사소통을 할 때 대결구도로 열변을 하는 경향이 있다. 다음과 같은 조언을 해주는 것이 도움이 될 것이다.

- 때로는 다른 사람의 말도 경청하는 것이 필요하다.
- 사람들은 거칠게 하거나 정면으로 부딪히는 것을 싫어한다.
- 다른 사람에게 도움을 주며 부드럽게 대하는 태도를 갖도록 한다.
- 자신의 문제를 편안하게 이야기하고 약점을 보여주는 것이 좋다.
- 다른 사람들과 가깝게 지낼 수 있는 마음을 갖는다.

2) 9유형의 개발에 도움되는 정보

9유형은 평화 욕구가 강하다. 수용적인 성격으로 긍정적이고 편안한 분위기를 만들어 사람들에게 안정을 준다. 타인과 의사소통을 할 때 다소 논리적이지 않고 장황하게 설명하는 경향이 있으며 자신의 주장을 잘 하지 못한다. 다음과 같은 조언이 도움이 될 것이다.

- 불만이 있을 때는 밖으로 표현하도록 한다.
- 거절하는 것도 표현하도록 훈련한다.
- 다른 사람들이 원하는 것을 생각 없이 따르지 말고 자신의 관심사나 욕구를 표현하도록 한다.
- 화를 내는 사람 앞에서 다른 사람을 두둔하지 않도록 한다.
- 자신이 원하는 것과 느끼는 바를 표현하도록 한다.
- 선택할 수 있는 몇 개의 대안들을 제시하는 것이 좋다.

3) 1유형의 개발에 도움되는 정보

1유형은 완전주의 성향이 강하다. 정직하고 확실한 모습으로 자신에게 주어진 일에 적극적으로 임하나, 타인에 대한 배려가 약할 수 있다. 다음과 같은 조언이 도움이 될 것이다.

- 항상 완벽하지 않아도 괜찮음을 확신시킨다.
- 자신이 세운 원칙에 갇히지 않도록 세심한 관심을 기울인다.
- 건강한 논쟁의 필요성을 알고 자신의 감정을 표현할 수 있도록 신뢰관계를 만들어 가는 것이 중요하다.
- 책임감이 강하므로 일상을 떠난 휴가나 여행을 통해 주위를 환기시키거나 취미활동을 하는 것이 좋다.
- 분노를 억지로 억제하지 않는다.
- 이들이 실수하였을 때는 평가나 비난보다는 진심으로 깊은 이해를 한다.

4) 2유형을 도울 수 있는 방법

2유형은 사랑 욕구가 강하다. 타인에게 도움을 주려는 성격으로 주변을 배려하고 공감하며 협조적인 태도를 보인다. 봉사와 섬김 자세로 타인에게 초점을 맞춰 타인과 즐기는 시간을 중요하게 여기지만, 과학적인 증거나 논리적인 분석에 취약한 면이 있다. 다음과 같은 조언이 도움이 될 것이다.

- 타인의 도움을 받는 것도 필요하며 도움을 요청하도록 한다.
- 다른 사람을 조정하려고 하지 않도록 주의를 기울여 준다.
- 타인이 듣고 싶어하는 말을 하기 보다는 자신이 느낀 바를 정직하게 표현하도록 한다.
- 타인에게 부정적인 감정도 솔직하게 표현할 수 있는 용기를 갖도록 도와준다.

5) 3유형을 도울 수 있는 방법

3유형은 성공 욕구가 강하다. 의욕적이고 적극적인 모습으로 목표를 향해 도전하고 성공을 추구한다. 자신감 있는 태도를 보이며 자신의 일에 최선을 다하지만, 의사소통을 할 때 자신을 드러내길 원하고 공격적으로 대화를 주도하는 경향이 있다. 다음과 같은 조언이 도움이 될 것이다.

- 일에서의 성공뿐 아니라 개인적인 생활에서도 자신이 원하는 것을 찾도록 한다.
- 목적에 의한 인간관계가 아니라 깊은 인간관계를 맺을 수 있도록 돕는다.
- 마음을 느긋하게 갖고 여유 있게 일을 하도록 한다.
- 자신이 다른 사람을 대하는 것이 다른 사람을 배려하는 것인지, 자신의 목적에 따라 이용하는 것은 아닌지 살피게 한다.
- 지나친 경쟁의식이나 일중독에 빠지지 않도록 돕는다.

6) 4유형의 개발에 도움되는 정보

4유형은 독특성이 특징이다. 자기식의 표현을 좋아하고 자기만족을 위해 생활한다. 자신을 표현하기 위해 많은 에너지를 사용하며 자신을 알아주지 않는 세상에 대해 불안해한다. 다음과 같은 조언이 도움이 될 것이다.

- 독특한 생각과 행동을 보이는 사람이 많음을 말해주고, 그에 대해 이해하고 있음을 알려준다.
- 그를 이해하면서도, 직언을 해줄 수 있는 사람이 필요하다고 말해준다.
- 방종이나 자기 연민에 빠져있지 않도록 관심을 기울인다.
- '지금 여기'에서 즐거움을 찾도록 격려하고 전문적이고 창의적인 일을 통해서 자신의 역량을 발휘하도록 돕는다.
- 이 유형과 감정적으로 대립될 때 명확하게 중심을 잡고서, 이 상황이 상대방에게 어떤 기분이 들게 하는지 표현해준다.

7) 5유형의 개발에 도움되는 정보

5유형은 지식과 정보를 근거로 자신의 생각을 객관적으로 정리하고 주관적 통찰력을 통해 대안을 제시하는 유형이다. 힘든 상황에서도 긍정적인 자세로 문제를 해결하려고 노력한다. 장황한 대화를 싫어하고 정확한 정보와 수치를 선호하기 때문에 감성적인 부분이 약한 경향이 있다. 다음과 같은 조언이 도움이 될 것이다.

- 책을 읽으며 느낀 점이나 사람을 통해 관찰한 점을 서로 공유하는 기회를 갖도록 한다.
- 혼자 조용히 있을 수 있도록 시간이나 자리를 배려해 준다.
- 논리적으로 분석하거나 다른 생각을 하느라고 반응을 늦게 보일 수 있음을 이해한다.
- 사람들과 만남의 자리를 회피하는 성향을 보이므로 사람들과 함께 할 수 있도록 이끌어 준다.
- 자신의 생각과 판단이나 예측이 전부가 아님을 알려주고 타인의 의견을 경청하도록 한다.
- 공동체 활동을 통해 다른 사람과 함께 하며 나누는 훈련을 한다.

8) 6유형의 개발에 도움되는 정보

6유형은 안전을 중요시 한다. 안전을 추구하고 충실한 사람으로 최선을 다해서 성실하게 생활한다. 사람들과 협조적인 관계를 형성하여 서로 도우려 노력하나 주변에 대해서 걱정을 하는 성격유형이다. 다음과 같은 조언이 도움이 될 것이다.

- 불안과 스트레스를 환기시킬 수 있도록 신체활동을 하도록 격려한다.
- 미래에 대한 막연한 두려움이나 부정적인 생각에 빠지지 않도록 긍정적인 이야기를 한다.

- 생각만 하지 말고 적절한 행동을 하도록 용기를 준다.
- 열등감에 빠져 있지 않도록 인정해 주며 공감해 주고 자신감을 키워 준다.
- 진행 중인 일의 결과가 나쁠 것이라는 생각을 많이 하기 때문에 좋은 결과에 초점을 맞추도록 긍정적인 생각을 갖게 한다.
- 의심에 갇혀있지 않도록 자신의 결정을 신뢰하도록 격려한다.

9) 7유형의 개발에 도움되는 정보

7유형은 행복을 추구하는 유형이다. 즐거움을 추구하고 행복을 위해 일을 계획한다. 낙관적인 자세를 유지하며 사람들을 즐겁게 해주고자 노력한다. 의사소통을 할 때는 다소 과장되게 이야기를 하거나 흥밋거리 위주로 말하면서 진지한 대화나 신중한 결정은 피하려는 경향이 있다. 다음과 같은 조언이 도움이 될 것이다.

- 충동적으로 약속을 하거나 행동하지 않도록 주의를 준다.
- 자신의 감정을 성찰하고 직면할 수 있도록 지지한다.
- 규칙적인 운동이나 지속적으로 할 수 있는 취미를 갖게 한다.
- 어떤 일을 밀고 나가는 것을 배우고 훈련하도록 돕는다.
- 가치 있는 목표를 세우고 목표 달성을 위해 노력을 집중하도록 돕는다.
- 구체적이고 실제적인 계획을 세우고 실천할 수 있도록 한다.

REFERENCE

- 김정택, 심혜숙(2013). 16가지 성격유형의 특성. 어세스타.
- 네이버 지식백과, MBTI[Myers-Briggs Type Indicator](심리학용어사전), 2014. 4. 한국심리학회.
- 모듈2 : 인간관계와 의사소통. 한금선, 치료적 의사소통과 간호상담, 대한간호협회 온라인 RN보수교육.
- 양경희 외(2019). 건강한 인간관계를 위한 의사소통 기술. 퍼시픽북스.
- 양경희 외(2021). 건강한 인간관계를 위한 의사소통 기술, 제2판. 퍼시픽북스.
- 이은하(2013). EPDS, 에니어그램 심리역동체계. 한국가이던스(ISPN 2013-000018).
- 이은하(2014). 에니어그램 성인용 성격검사를 활용한 성인인성 패턴에 관한 연구. 에니어그램 심리역동연구, 1(1).
- 이은하(2014). 에니어그램 청소년용 성격검사를 활용한 청소년인성 패턴에 관한 연구. 에니어그램 심리역동연구, 1(1).
- 이종의(2014). 너와 나의 만남 에니어그램. 나무의 꿈(ISPN 978-89-91168-44-2). 한국에니어그램교육연구소. http://www.kenneagram.com.
- ㈜한국MBTI연구소(2019). MBTI 초급 Workshop 교재. 미송기획.
- Alice M. Fairhurst, Lisa L. Fairhurst(1995). Effective teaching, effective learning, Nicholas Brealey; 1st edition, 심혜숙 역(2009). 효과적 교수, 효과적 학습. 어세스타.
- Allport(1968). Introduction to personality, 손정락 역(2006). 성격심리학. 시그마프레스에서 재인용.
- Baron Renee, Wagele Elizabeth, & Harpersanfrancisc(1995). Are You My Type, Am I Yours? : Relationships Made Easy Through the Enneagram, 주혜명, 김태홍, 김환영 역(2011). 나를 찾는 에니어그램 상대를 아는 에니어그램. 연경미디어.
- Guilford(1959). Introduction to personality, 손정락 역(2006). 성격심리학. 시그마프레스에서 재인용.
- Katharine D. Myers & Linda K. Kirby 지음, 김정택, 김명준 역(2013). 심리 유형의 역동과 발달. 어세스타.
- Sandra Krebs Hirsh/Jane A. G. Kise 지음, 김명준, 김은주 역(2008). 성격유형과 코칭. 어세스타.
- Myers, I. B., Kirby, L. K., & Myers, K. D.(1998). Introduction to type : a guide to understanding your results on the Myers-Briggs Type Indicator(6th ed) Palo Alto, Calif. : Consulting Psychologists Press.
- Walter, M.(1999). Introduction to personality, 손정락 역(2006). 성격심리학. 시그마프레스에서 재인용.
- Palmer, H.(1998). The Enneagram understanding yourself and the others in your life, New York. Haper San Francisco.

3-1 MBTI(Myers-Briggs Type Indicator)

1. 나의 성격유형 : (   )형

2. 나의 성격유형의 특성 알아보고, 잠재능력 개발하기

3-2 에니어그램

1. 에니어그램에 의한 자신의 힘의 중심과 성격유형 확인하기
   (교수자의 지시에 따라 사전에 검사해온다).
   - 나의 성격유형 : (   )형

2. 현재 자신의 재능과 잠재력 알아보기
   (자신에게 개발된 점과 개발해야 하는 잠재능력에 대해 확인하기)

03
장

타인과의 관계

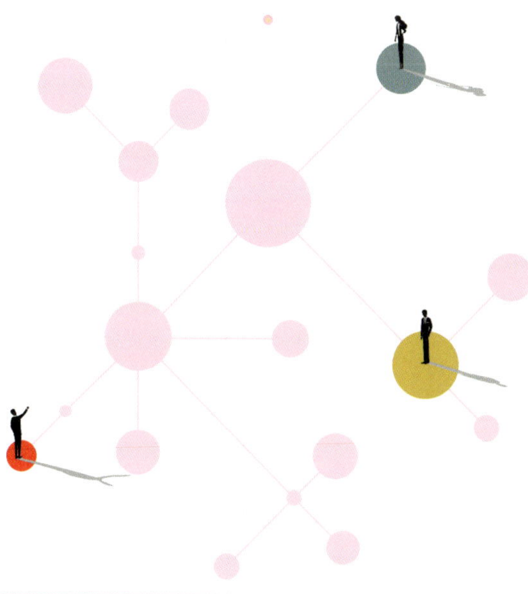

학·습·목·표

1. 인간관계의 중요성을 설명한다.
2. 자기개방의 의미와 방법을 설명한다.
3. 조하리 창에서 제시한 자기개방의 유형과 특징을 설명한다.
4. 에릭 번의 교류분석 모형에서 제시한 자아 상태의 특성을 설명한다.
5. 자아 상태에 따른 의사소통 교류패턴의 특징을 설명한다.
6. 자신의 교류패턴을 확인한다.

주·요·용·어

- 인간관계
- 자기개방
- 조하리 창
- 자아 상태
- 교류패턴

03 타인과의 관계

인간관계는 두 사람 이상의 사람들 상호간에 일어나는 관계로 역동적이며 상호작용하는 매우 복잡한 과정이다. 인간에게는 다른 동물들과는 달리 인지와 감정이 매우 정교하게 내재되어 있고 이들은 어떤 동기와 상황에 의해서 억압되거나 억제하거나 보유하거나 저장되거나 활성화된다. 인간은 생의 전 과정에서 인간관계를 맺으며 자신의 욕구를 충족하고 정체감을 발달시킨다. 이들이 인간관계에서 인식된 어려움을 확인하고 잘 경험한다면, 오히려 자아가 성장하고 통합되어 보다 에너지 넘치고 행복한 생활을 할 수 있다.

이 장은 인간관계의 중요성을 인지하고 타인과의 원만한 관계 형성을 위해 자기개방에 대한 개념과 조하리 창(Johari window)의 모델에서 제시한 자기개방의 유형을 살펴보고자 한다. 또한 에릭 번(Eric Berne)의 교류분석 모형에서 제시한 자아 상태의 유형과 자아 상태에 따른 의사소통의 교류패턴을 익히고, 자신의 패턴을 확인하여 수정하는 것은 타인과의 관계에서 도움이 될 것이다.

1 인간관계

인간은 태어나면서부터 인간관계를 형성하며, 성장해 갈수록 이 관계는 다양해지고 복잡해진다. 처음에는 수동적이지만, 관계가 형성될수록 능동적이고 관계 형성에 자신의 생각과 행동의 영향이 증대되어 역동적이고 연속적이며 복합적인 상호작용을 통해 상호 의존하며, 상호 지지하게 된다. 따라서 인간관계 속에서 생존하고 욕구를 충족시키며, 자신의 정체감을 확인하게 되고 이를 통해 건전한 성격도 발달시키며 삶을 풍요롭고 행복하게 만들어 간다.

오늘날 인간이 생활하면서 경험하게 되는 많은 문제의 원인은 인간관계에서 비롯된 것이 많다. 이는 자신이 알게 모르게 형성한 자신의 신념과 자신에 대한 평가를 통해서 또는 문제를 해결해가면서 성숙해간다. 만족스러운 인간관계를 유지하면 주위 사람들로부터 다양한 정보와 정서적 지지를 받아 한 인간으로서의 바람직한 성장과 발달을 경험하게 된다. 그러나 원만한 관계를 유지하지 못하면 좌절과 소외감, 부적응 등을 경험하게 될 뿐만 아니라 가정, 직장 및 지역사회에서도 다양한 문제를 일으킬 수 있다. 따라서 다른 사람과 불필요한 갈등 없이 우호적이고 친밀한 관계를 형성하고 지속하기 위해서는 자신의 인간관계 유형을 점검해 볼 필요가 있다.

2 인간관계 유형

인간은 서로 관계를 맺음에 있어 진정한 자신의 모습은 감추고 남에게 보여주기를 원하는 모습으로 꾸미거나 혹은 가면을 쓴 것과 같은 모습을 보이기도 하고, 있는 그대로의 자신의 참모습을 보이는 만남을 통해 관계를 맺기도 한다. '스침'의 관계와 '만남'의 관계를 다음과 같이 구분할 수 있다.

1) '스침'의 관계

'스침'의 인간관계는 칭찬이나 인정을 받기 위한 의도가 있다. 다른 사람과 관계를 가질 때, 자신의 생각이나 느낌을 숨기고 포장된 모습으로 대한다. 자신의 느낌이나 욕구를 억제하거나 은폐하고, 가식적인 관계가 유지된다. 이러한 상태에서는 서로 거리감을 느끼게 되고 진정한 만남의 관계를 맺는 것을 방해하여 사람들과 함께 있어도 오히려 외로움을 느낀다.

2) '만남'의 관계

'만남'의 인간관계란 그대로의 '나'와 '너'가 서로 만나 상호작용하는 관계를 말한다. 인간은 '만남'의 인간관계를 발달시킬 수 있는 가능성을 가지고 태어났으나, 성장과정 중 인식의 왜곡이나 오류로 인해 가식적인 자기를 형성하게 된다. 있는 그대로의 한 인간 실존과 만남을 경험하는 것으로, 또 다른 나를 만나는 심정을 가진 만남이다. 이러한 경험을 통해 자기실현을 할 수 있는 인간으로 변화해 나갈 수 있다.

❸ 치료적 인간관계(Therapeutic relationship)

치료적 인간관계란 치료자와 의뢰인의 관계에서 대상자가 성장할 수 있도록 잠재력을 개발하고 적절한 대처기술을 개발하도록 돕는 관계이다. 로저스(C. Rogers)는 치료적 관계를 조력관계(helping relationship)라고 하고 '적어도 한 사람이 다른 사람의 성장, 발달, 성숙 및 삶에 대한 대응능력을 높여주려는 의도를 가진 관계'라고 정의하였다. 조력관계는 어머니와 아이의 관계, 교사와 학생의 관계, 면담자와 대상자의 관계에 활용된다. 치료적 인간관계의 목적은 대상자의 성장이며, 다음의 구체적인 목적을 갖는다.

첫째, 대상자의 자기인식, 자기수용, 자존감을 강화하는 것이다. 둘째, 자아정체감 및 자아통합성을 증진하는 것이다. 셋째, 사랑을 주고받는 능력, 친밀하고도 상호의존적인 대인관계를 형성하는 능력을 갖추는 것이다. 마지막으로 욕구를 충족하고 현실적으로 목표를 성취할 수 있는 기능을 향상하고 능력을 증진하는 것이다.

진정한 치료적 관계에서는 양쪽이 모두 학습을 경험하며 지지해 주는 관계로 서로 만족스럽고 각자의 경험 세계가 상대방에 의해서 확장되고 풍성해지는 것을 경험한다. Rogers에 의하면 조력자들은 다음의 항목을 대조하며 조력자로서 자신의 자질을 점검해 보아야 한다고 하였다.

- 다른 사람들은 나를 신뢰하고 의지할 수 있으며, 일관성 있게 행동한다고 인식하는가?
- 나는 표현력이 풍부하여 애매모호함 없이 의사소통을 잘 할 수 있는가?
- 나는 다른 사람을 따뜻하게 대하고 관심을 나타내며 존경하는 등 긍정적인 태도로 상대방을 대할 수 있는가?
- 나는 상대방에게서 완전히 독립할 수 있을 만큼 강한가? 상대방은 물론 나 자신의 느낌과 욕구도 끝까지 존중할 수 있는가? 나의 느낌이 상대방의 느낌과 서로 다르다는 것을 구별할 수 있는가? 내적 자아가 강하여 상대방이 분노하더라도 내가 파괴되지 않고 상대방에게 얽히지 않을 수 있는가?
- 나는 상대방이 지나치게 자신감에 차 있는 것을 용납할 수 있는가? 나는 상대방에게 그러한 자유를 줄 수 있는가?
- 나는 상대방의 느낌과 그의 세계에 깊숙이 들어가서 그가 느끼고 행하는 것을 직접 볼 수 있는가? 그 속에서 내가 직접 보고 느낀 것에 대해 아무런 평가나 판단도 하지 않을 만큼 상대방의 세계에 몰입할 수 있는가?
- 나는 과연 상대방의 여러 가지 면을 모두 수용할 수 있는가?

- 상대방이 내 행동에 위협을 느끼지 않도록 아주 신중하고 조심스러운 태도로 그와 관계를 가질 수 있는가?
- 나는 상대방으로부터 비난을 받았더라도 상대방에게 부정적인 태도를 갖지 않을 수 있는가?
- 나는 사람을 만날 때 그를 지속적으로 성장하고 있는 사람으로 대할 수 있는가?

1 자기개방(self-disclosure)

① 자기개방의 정의

자기개방은 다른 사람에게 자신에 관한 정보를 알려주는 과정이나 행동이다(Jourard, 1964). 자기개방은 자신의 과거, 현재 및 미래에 대한 느낌과 생각을 개방하는 것으로(Reis & Shaver, 1998), 효과적인 의사소통과 바람직한 인간관계를 형성하는데 도움이 된다(신완수, 변창진, 1980).

② 자기개방의 기능

자기개방의 기능은 크게 정서적 측면과 인지적 측면이 있다. 정서적 측면은 적절한 정서 표출을 통해 정서의 억압이 가져오는 불안과 긴장을 해소하고 스트레스를 감소시켜 정신적, 신체적인 건강에 도움을 준다(Miller, 1980; Pennebaker, 1989; Pennebaker & Beall, 1986). 인지적 측면은 자신의 경험이나 생각 또는 감정을 솔직하고 명확하게 이야기함으로써 당면한 문제나 경험을 이전보다 더 명료하게 인식하고 새롭게 구조화하며 이를 통해 자기 개념이 더 명확해진다(김교헌, 한덕웅, 1996). 따라서 자기개방은 개인을 성장시키고 스트레스에 대처하는 능력을 향상시키며, 사회에 대해서도 긍정적인 태도를 갖게 하여 원만한 인간관계를 형성하도록 도움을 준다.

③ 자기개방 방법

1) 자기개방 속도

자기개방을 할 때 자신 혹은 상대방이 너무 일찍 자기를 개방하면 오히려 상대방이 멀어지기도 하며, 서로에게 빨리 자기를 개방하도록 압박을 주기도 한다. 그러므로 자기개방의 속도는 서로 적절하게 조절할 필요가 있다.

2) 자기개방 수준

자기개방은 가벼운 주제에서 시작하거나 자신의 이야기가 아닌 타인의 이야기로 설명을 시작하는 것이 도움이 될 수 있다. 서로 신뢰가 부족하거나 자기를 개방했을 때 상대방이 받아들일 수 있는지에 대한 불안감과 두려움이 있는 경우에는 자기개방을 서두르지 말고 먼저 자신의 감정, 생각 등에 대해 점검해 볼 필요가 있다.

3) 자기개방 표현

자기개방은 주로 말을 통해서 이루어지므로 말을 할 때는 자신의 정보와 속마음을 정확하게 전달할 필요가 있다. 말하기 전에 자신의 생각을 미리 정리하고 상대방이 말을 들을 준비가 되어 있는지 확인한다. 한 가지 주제에 대해서 부드러운 표현을 사용하며, 말의 내용과 표정이 일치되도록 하는 것이 중요하다. 극단적인 표현 또는 상대방이나 다른 사람에 대한 인신공격으로 들릴 수 있는 비난조의 말, 상대방의 과거 실수에 대한 언급 등은 피한다. 다음은 자기개방을 위한 몇 가지 표현 방법이다(이광자 외, 2014).

- 자신의 말로 표현하기 : '내가 보기에는', '내 생각에는', '내 느낌에는'과 같이 내가 주체가 되어 말하기
- 구체적 사실을 말하기 : 내가 경험한 것(보고, 듣고, 냄새 맡고, 맛보고, 만져보고)을 근거로 말하기
- 감정 표현하기 : '속상하다', '화가 난다', '기쁘다'와 같이 내 감정을 직접적으로 말하기
- 생각 표현하기 : 내가 믿고 해석하며 기대하는 것에 대해 내 생각을 말하기
- 자신의 행동을 말하기 : 자신의 과거, 현재, 미래의 행동에 대한 이유와 의미를 다른 사람에게 설명하기

2 조하리 창(Johari window)

조하리 창(Johari window)은 심리학자인 조셉 루프트(Joseph Luft)와 해리 잉햄(Harry Ingham)이 제시한 것으로, 두 사람의 이름 첫 글자를 합쳐 '조하리(Johari)'라 하고 '마음의 문을 연다'는 의미로 창(window)이라는 용어를 덧붙여 '조하리 창'으로 불리고 있다. 조하리 창은 대인관

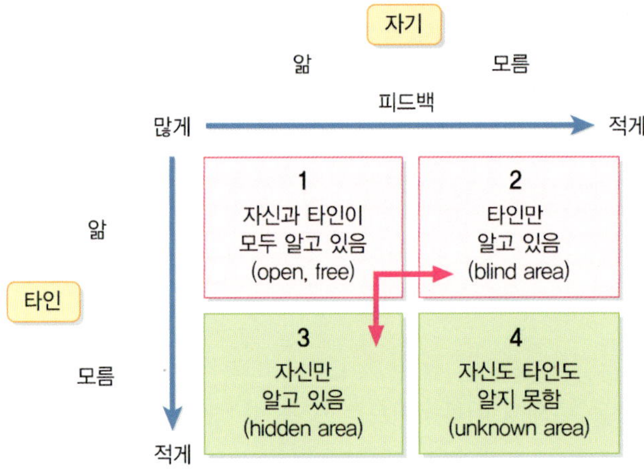

그림 3-1 조하리 창(Johari window)

출처 : Johari window(2003). A model for self-awareness, personal development, group development and understanding Relationship. *Adapted from www.businessballs.com, © Copyright alanchapman 2003.*

계에 있어서 자신을 개방하는 정도와 상대방으로부터 피드백을 받아들이는 정도를 제시함으로써 자신과 타인의 이해를 돕는데 유용하게 쓰인다.

조하리 창은 네 가지 영역(개방된 영역, 자각하지 못하는 영역, 감춘 영역, 알려지지 않은 영역)으로 나뉘는데, 영역은 각각 자신이나 다른 사람이 본인에 대해 어느 정도 '알고 있는가' 혹은 '모르는가'에 따라 구분된다. 창의 크기는 상호 신뢰 수준과 피드백, 자기 자신을 타인에게 개방하는 정도에 따라 결정된다. 또한 이 네 가지 영역 가운데 개방된 영역(open area)인 1영역이 넓을수록 타인과의 갈등이나 마찰을 일으킬 가능성이 적고, 나머지 세 개의 영역 중 어느 한 영역이 특별히 더 큰 경우(자기주장형, 신중형, 고립형)는 타인과 갈등이 일어날 가능성이 높다**[그림 3-1]**.

① 개방된 영역(open area)

나도 알고 남도 아는 영역으로 자신에 대해 솔직하게 개방하고 타인의 피드백에 대해서도 방어적이지 않다. 1영역이 넓은 개방형은 일반적으로 개방적이어서 원만한 대인관계를 형성할 수 있다. 그러나 타인으로부터 경박하다는 오해를 받을 수도 있다는 점과 타인은 자신과 같이 개방적이지 않을 수 있다는 점을 알고 자신을 잘 이해하는 것이 좋다. 주의할 점은 상대방의 자기개방 정도나 피드백에 대한 반응이 자신과는 다를 수 있다는 것을 인식하고 개방수준을 조정해야 한다.

② 자각하지 못하는 영역(blind area)

나는 모르지만 남은 알고 있는 영역으로 자기개방에 대해서는 솔직하나 타인에게서 피드백 되는 정보가 적어 의사소통이 원활하지 않다. 2영역이 넓은 자기주장형에게는 감정이 상할까봐 상대방이 피드백 주기를 꺼려하고, 항상 자기를 중심으로 일어나는 문제에 대하여 말을 많이 하여 독단적일 수 있으므로 타인의 말을 잘 경청하는 것이 매우 중요하다.

③ 감춘 영역(hidden area)

나만 알고 남은 모르는 영역으로 자기개방은 거의 하지 않고 타인이 반응하는 정보에만 관심이 많다. 자신에 대해서는 노출하지 않고 다른 사람의 이야기에 관심을 갖고 정보를 캐내려고 하므로 시간이 지날수록 다른 사람들로부터 경계를 받는다. 3영역이 넓은 신중형은 자신을 잘 알고 수용적이나, 타인들은 그에 대해 잘 알지 못하여 접근하기가 어렵다. 따라서 자신의 성격특성, 꿈, 희망, 두려움, 상처, 부정적인 감정이나 단점까지도 표현하는 노력이 필요하다.

④ 알려지지 않은 영역(unknown area)

나도 모르고 남도 모르는 영역으로 자기를 개방하지 않고 타인에게서 피드백 되는 정보도 없다. 4영역이 넓은 고립형은 자기중심적으로 생각하고 고립된 생활을 하며 타인과의 공감과 소통에 어려움이 있다. 원만한 대인관계 형성을 위해서는 자기 생각이나 감정에 대한 솔직한 개방과 타인의 의견에 귀를 기울이는 노력이 필요하며, 계획하지 않은 경험이나 적극적인 참여 또는 교육, 상담을 통해 통찰(insight)의 기회를 갖는 것이 도움이 된다.

[그림 3-2]는 넓은 면적의 성격을 띤 사람들의 특성을 나타낸 그림이다. 앞에 설명한 내용을 참조하여 자신의 특성에 따른 단점을 보완하는 노력이 필요하다.

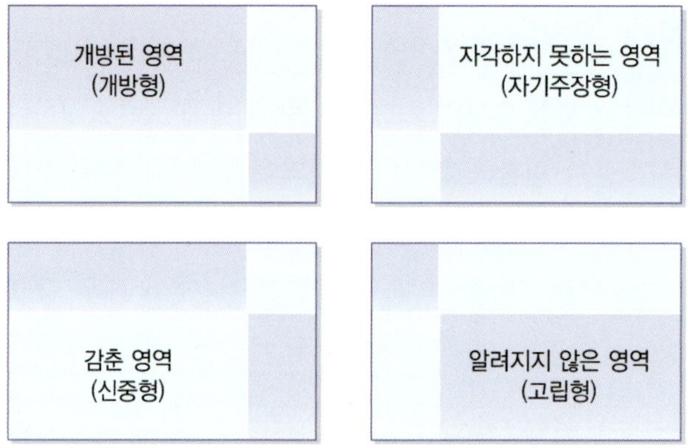

그림 3-2 조하리 창에 따른 인간관계 유형

출처 : 이광자 외(2014). 인간관계와 의사소통의 실제. 신광출판사. p.40.

3 에릭 번의 교류분석(Transactional Analysis, TA)

교류분석은 Eric Berne에 의해 창안된 것으로 정신분석학적 요소와 개인 및 사회 심리적인 개념을 포함한다. 교류분석은 의사소통 시에 서로 주고받는 두 사람 사이의 자극(stimulus, S)과 반응(response, R)의 관계를 조사하여 의사소통 체계와 구성을 분석함으로써 개인의 자아 상태를 인식시키고, 역기능적인 의사소통을 기능적으로 변화시키는데 도움을 준다. 또한 자기 자신을 깊이 자각함으로써 사고, 감정 및 행동 방식을 변화시켜 개인의 성장, 발달을 도와 인간관계 개선에 활용될 수 있다.

❶ 자아 상태

인간이 경험하는 모든 사건은 뇌나 신경조직에 기록되었다가 유사한 경험을 반복하게 될 때 이전의 기억을 회상하게 되는데, 이 기억과 경험의 저장소를 교류분석에서는 자아 상태(ego state)라고 하였다. 자아 상태 중 어떠한 특성이 우세하느냐에 따라 부모자아(parent ego state, P), 성인자아(adult ego state, A) 또는 아동자아(child ego state, C)로 부른다. 개인은 특정한 자아 상태를 지니는 것이 아니라 세 가지 자아 상태를 동시에 지니지만, 다른 사람과 의사소통을 하는 과정에서 이들 세 가지 중 어느 하나의 자아 상태를 선택하여, 그 입장에서 생각하고 행동하며 감정을 나타낸다[표 3-1]. 현재의 자아상태는 그 사람의 과거 경험이나 환경과 매우 밀

표 3-1 자아 상태의 표현 유형

자아 상태	의미	언어적 표현	신체 언어	성향
P	• 삶에 대해 우리에게 가르쳐진 개념 • 자신이 삶에 대해 의문을 가질 수 있기 전에 형성	어떤 상황에서라도 ~해, 항상, 언제나, 절대, 잊지 마, 거짓말 하지 마라, 속이지 마라, 훔치지 마.	• 손가락질 • 우호적인 제스처 • 화내거나 인내심 없는 신체 언어	• CP : 전통적, 규범적, 권위적, 통제적, 비판적 • NP : 온정적, 수용적 과잉간섭과 관여
A	• 인생에 대해 스스로 생각한 개념 • 데이터에 근거해 결정하고 의견을 형성하는 능력 • 부모와 자녀를 통제할 수 있음	왜, 누구, 어떻게, 언제, 어디서, 얼마만큼, 나는 이렇게 생각해, 아마도, 합리적 진술	• 침착한 • 조용한 • 개방적임	• 객관적, 합리적, 현실적, 논리적, 냉담, 기계적
C	• 삶에 대한 개념을 느낌 • 외적 사건에 대한 느낌과 내적 반응	아니오, 제발, 나는 ~를 원해, 내 생애에 최악의 날, 이건 공평하지 않아.	• 어깨를 들썩임 • 어린아이나 징징거리는 목소리 냄 • 낄낄거리며 웃는 • 성질부리는	• FC : 직관적, 창조적, 자발적, 적극적, 자기중심적, 충동적 • AC : 순응적, 타율적, 감정억제, 소극적, 의존적, 폐쇄적

접한 관련이 있으며, 자아상태를 파악하는 데는 말(단어들)뿐 아니라 어조, 제스처, 자세, 얼굴 표정과 같은 행동이 중요 단서가 된다.

1) 부모자아상태(Parent, P)

부모자아(P)는 출생 시부터 약 5세까지 어린 시절에 부모나 부모 대리인과 같은 주 양육자와의 상호작용을 통해 발달된다. 아동은 주로 부모가 보여주는 사고와 행동, 감정을 그대로 답습하는데, 부모자아는 대개 부모의 행동과 습관을 모방함으로써 형성된다. 부모자아는 비판적 부모자아(critical parent, CP)와 양육적 부모자아(nurturing parent, NP)로 구분된다. 비판적 부모자아는 벌을 주고 훈계하며 통제적인 기능이 있으며, 양육적 부모자아는 온화하고 부드러우며 안정을 유지하고 보살피는 기능이 있다. 부모자아상태는 프로이드의 초자아(superego)의 영향을 많이 받지만, 자아(ego)와 이드(id)의 기능요소도 있다.

2) 성인자아상태(Adult, A)

성인자아(A)는 생후 10개월부터 점진적으로 형성되며 현실 상황에서 합리적으로 사고하고 행동하며 감정을 나타낸다. 현재 상황에 대한 객관적인 관찰, 사실 증명을 위한 자료 수집과 객관적인 정보 분석, 문제 해결과 적용 등을 확인하고 검토하는 기능을 한다. 특히 성인자아는 부모자아와 아동자아로부터 정보를 수집하여 부모자아로부터의 편견이나 선입견을 차단하고 아동자아의 유치하고 부적응적인 행동을 방지하여 개인의 원만한 의사소통이 이루어지게 한다. 성인자아상태는 현실검증 기능을 하는 순수 자아기능과 비슷하다.

3) 아동자아상태(Child, C)

아동자아(C)는 태어나면서부터 생후 5세까지의 경험했던 사고와 행동, 감정을 나타내는 것으로, 과거 어린 시절 경험의 영향을 받는다. 자유로운 아동자아(free child, FC)와 순응적인 아동자아(adapted child, AC)로 구분된다. 자유로운 아동자아는 자기중심적이고 충동적이며 호기심이 많고 반항과 공격성을 보인다. 순응적인 아동자아는 자기의 경험, 훈련 및 치명적 외상에 대한 반응으로 나타나거나 혹은 자신에게 중요한 인물의 요구에 반응하며, 합리적이거나 비합리적인 것의 구별 없이 순종적이며 자신의 표현이나 감정을 억제한다. 아동자아상태는 본능과 충동이 저장된 이드(id)의 영향을 많이 받지만, 초자아와 자아의 기능도 있다.

2 자아 상태 유형별 의사소통 유형표현의 사례

1) 부모자아상태

(1) 비판적 부모자아(CP)

규칙과 질서를 존중하며, 비판적이거나 훈계적인 방식으로 표현한다.

- 긍정적 : 과거 부모로부터 받은 명령을 재연함. '건강에 좋지도 않는데 담배를 끊으세요.'
- 부정적 : 비판적이고 억압적인 표현을 함. '아직도 백해무익한 담배를 피운단 말예요!', '아니, 또 그렇게 했단 말이야!', '몇 번이나 말했잖아.', '내가 그러지 말라고 했지!', '그렇게 해서는 안 돼.'

(2) 양육적 부모자아(NP)

온정적이고 수용적이어서 상대방에게 관심을 갖고 염려하는 표현을 사용하기도 하나, 상대방의 일에 심하게 관여하거나 간섭하는 표현을 한다.

- 긍정적 : 상대를 진지하게 돌보려는 입장에서 말함. '도와줄 일 없어?', '필요한 것 없어?'
- 부정적 : 상대가 미덥지 못해 일을 대신 해주려고 함. '그 일은 내가 해줄게.'

2) 성인자아상태

사실에 입각하여 객관적이고 논리적인 표현을 주로 한다. 예를 들면 '누가, 언제, 어디서, 무엇을, 왜, 어떻게 했는가?' 또는 '여기에서 문제점은 …', '통계에 따르면 …' 등이다. 또는 '오늘은 우산을 가지고 가는 게 좋겠구나.'라는 말에 '네. 저도 그렇게 하는 게 좋겠어요.'로 대답할 수 있다.

3) 아동자아상태

(1) 자유로운 아동자아(FC)

감각적이고 호기심이 많으며, 자기중심적이며 충동적으로 자기가 하고 싶은 대로 표현한다.

- 긍정적 : 즐거운 모임에 참석했을 때 어렸을 때처럼 기분 좋게 시간을 보낸다.
- 부정적 : 공식적인 모임에서 트림이나 하품을 가리지 않고 하거나, '이 바보야! 다 해먹어라!' 등 빈정거리는 듯한 표현을 하기도 한다.

부정적인 자아상태의 사람은 자신의 감정을 잘 살피고 상대방의 마음을 헤아리는 것이 필요하다.

(2) 순응적 아동자아(AC)

조심성이 많고 순응적이며, 권위적인 인물의 눈치를 보거나 의존적인 반응으로 표현한다.

- 긍정적 : 식탁에서 멀리 있는 맛있는 음식을 먹고자 할 때, '죄송하지만, … 좀 …'이라고 부탁한다.
- 부정적 : 자신이 좋아하는 음식이 멀리 있으면, 아무 말도 안 하고 얼굴을 찌푸린다.

부정적인 자아상태의 사람은 원하는 것을 솔직하게 털어놓는 방법을 익히거나, 자유로운 자아를 촉진하기 위해 자신의 감정을 표현하며 유머를 사용해 보는 것이 좋다.

3 부모자아, 성인자아, 아동자아의 구조분석

모든 자아 상태는 긍정적이거나 부정적으로 표현될 수 있고, 건강한 성격을 지니기 위해서는 자아 상태 간에 경계가 분명하면서도 개방적이어야 한다. 자아 경계가 너무 모호하거나 경직된 경우 자아의 에너지 흐름이 방해되어 병리적인 성격이 나타난다. 바람직하지 않은 영향에 의한 오염(contamination)과 외적 압력에 의한 자아 상태의 불균형을 발견하고 바람직한 상태로 바꾸기 위해서는 구조분석을 한다.

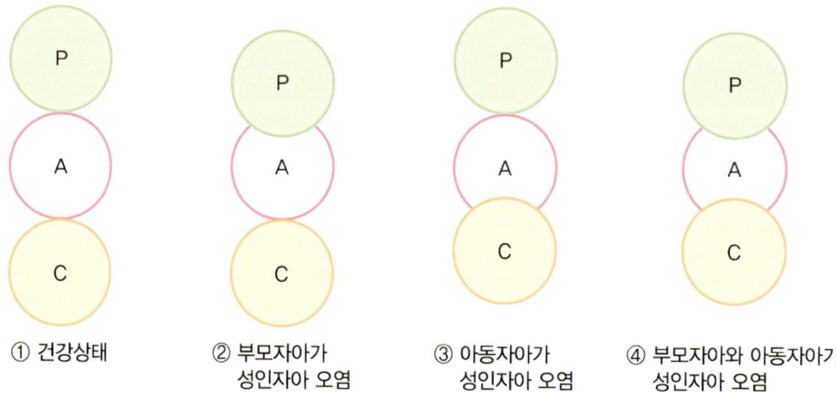

그림 3-3 자아 상태의 오염(contamination)

출처 : 도복늠 외(2016). 인간관계와 커뮤니케이션. 정담미디어. p.157.

오염은 각 자아 상태 간에 경계가 명확하지 못하고 다른 자아 상태가 성인자아를 침범하는 것으로 자아 상태의 개별 특성을 간직하지 못하고 두 가지 자아 상태가 뒤섞인 것을 말한다. **[그림 3-3]**의 ①과 같이 P−A−C가 서로 분리되어 있는 것은 건강한 사람의 구조이며, ②는 부모자아(P)가 성인자아(A)를 오염시킨 것으로 선입관이나 편견이 해당된다. ③은 아동자아(C)가 성인자아(A)를 오염시킨 것으로 과거 어린 시절의 경험이 현재에 영향을 주는 것이다. ④는 부모자아(P)와 아동자아(C)가 성인자아(A)를 중복 오염시킨 것으로 이 경우는 정신질환이나 사회병리적 증상을 나타낼 수도 있다.

[그림 3-4]는 P−A−C의 구조 중 한 요인이 강할 때 다른 두 요인을 지배(domination)하거나 P−A−C 중 어느 한 요인이 배제(exclusion)된 경우이다. ①은 부모자아(P)가 너무 강해서 다

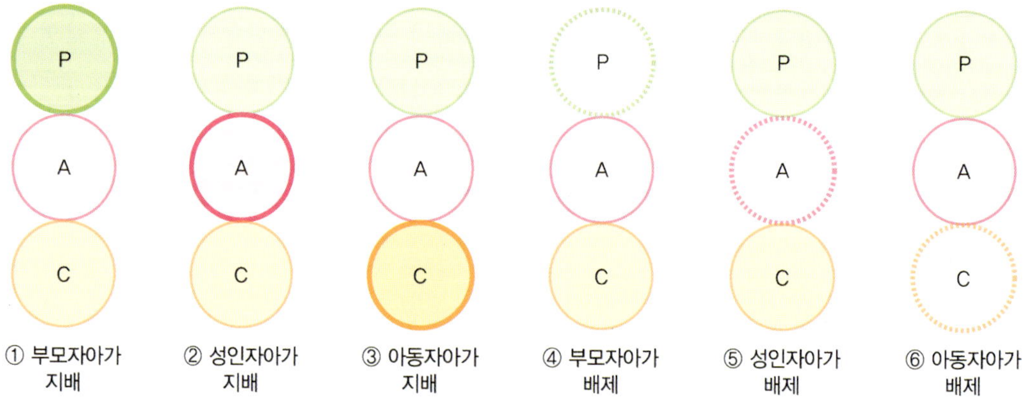

그림 3-4 자아 상태의 지배(domination)와 배제(exclusion)

출처 : 도복늠 외(2016). 인간관계와 커뮤니케이션. 정담미디어. p.158.

른 두 자아를 지배하는 경우로 주로 경찰, 법관과 같은 전문가 집단에서 흔히 나타난다. ②는 성인자아(A)의 기능이 강해서 두 자아를 지배하는 것으로 냉정하고 매사에 논리적으로 따지기를 잘하는 사람에게서 나타난다. ③은 아동자아(C)의 기능이 강해서 합리적인 생각이나 평가보다는 충동적이고 흥분하기 쉬운 사람에게서 나타난다. ④는 부모자아의 기능이 제외된 것으로 양심이 없고 남에 대한 관심이 적으며 남을 조정하려고 한다. ⑤는 성인자아의 기능이 제외된 것으로 현실적인 사고 능력이 부족하여 정신병적 증상이 나타나기 쉽다. ⑥은 아동자아의 기능이 배제된 것으로 감정 표현이 메마르다.

4 부모자아, 성인자아, 아동자아의 교류패턴 분석

교류패턴 분석은 대상자들이 주고받는 말과 행동 등의 의사소통 과정을 분석하는 것이다. 대상자가 자신의 의사소통 패턴에 대해 자각하도록 도움으로써 보다 긍정적인 방향으로 의사소통 과정을 변화시키는데 목적이 있다. 교류패턴은 상보교류, 교차교류, 이면교류의 세 가지 형태로 구분한다.

1) 상보교류(complementary transaction)

상보교류란 한 자아 상태에서 보낸 메시지가 기대했던 자아 상태로부터 반응이 돌아오는 것을 말한다. 기대했던 자아 상태에서 반응이 오기 때문에 서로 원하는 것을 알고 이해하며 지속적인 관계가 유지된다**[그림 3-5]**.

S : 자극(stimulus), R : 반응(response)

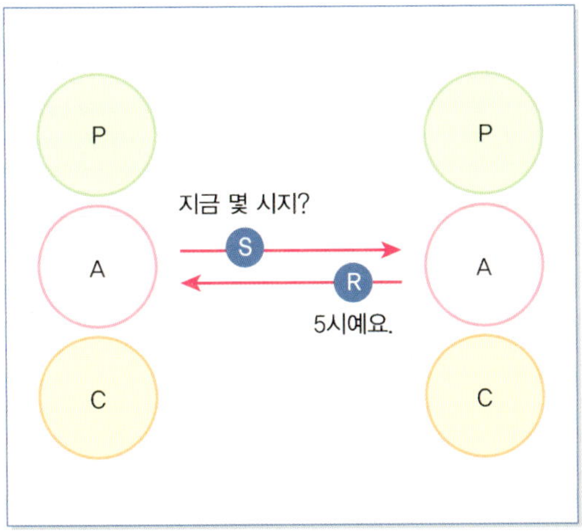

그림 3-5 상보교류

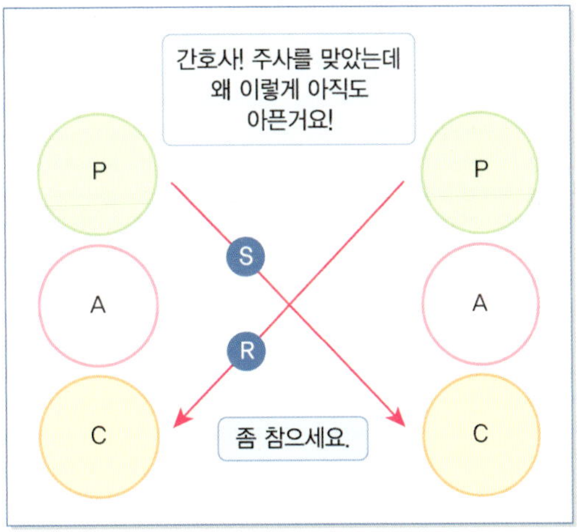

그림 3-6 교차교류

2) 교차교류(crossed transaction)

교차교류란 한 자아 상태에서 보내는 메시지가 기대했던 자아 상태의 반응이 아니거나 예상하지 못했던 기대하지 않은 자아 상태의 반응이 돌아오는 것을 말한다. 대부분 의사소통이 중단되거나 혹은 방어적 공격적인 태도를 보여 갈등을 경험하게 한다**[그림 3-6]**.

3) 이면교류(ulterior transaction)

이면교류란 하나의 언어적 표현 속에 동시에 두 가지 메시지를 전달하는 형태이다. 겉으로는 사회적으로 용인되는 메시지로 보이지만, 그 이면에는 심리적 수준에서 감춰진 욕구나 전혀 다른 의도의 메시지가 담겨 있다. 표면적으로 나타나는 교류는 주로 언어적 메시지로 전달되지만 그 이면에 감춰진 메시지는 얼굴 표정, 목소리, 몸짓 등의 비언어적 메시지를 통해 전달된다**[그림 3-7-1][그림 3-7-2]**. 두 번째 그림을 보면 겉으로는 상보교류의 양상인 것처럼 보이거나, 각진교류(angular transaction)를 나타내 직접 표현된 언어 개념과 다른 의미가 내포되어, 한쪽은 비난으로, 나머지 쪽은 반항적 표현임을 알 수 있다**[그림 3-7-2]**.

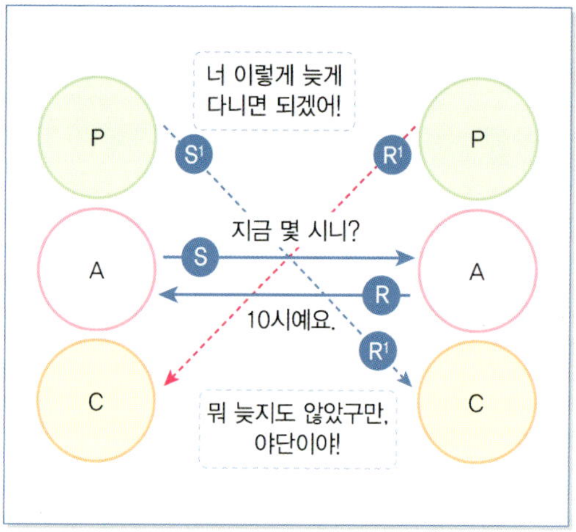

그림 3-7-1 이면교류

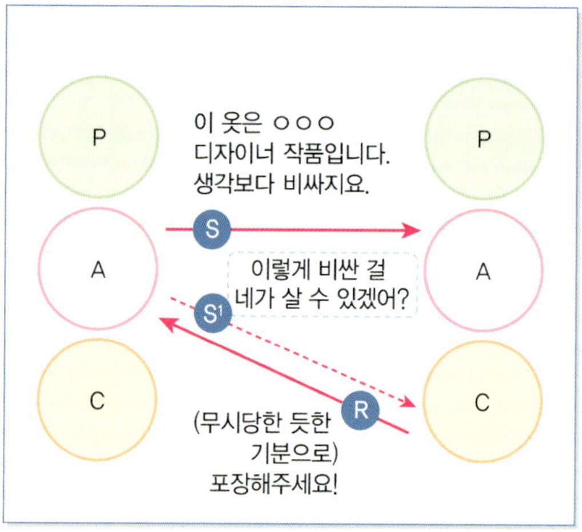

그림 3-7-2 이면교류(각진교류)

REFERENCE

- 김교헌, 한덕웅(1996). 자기 노출의 목표, 자발성 및 분노억제경향이 생리적 각성, 정화 및 평가에 미치는 효과. 한국심리학회지 : 건강, 1(1). 66-88.
- 김수진, 김광순, 강명옥, 권영란 외(2018). 정신건강간호학. 현문사.
- 도복늠, 강미경, 안황란, 김명자 외(2016). 인간관계와 커뮤니케이션. 정담미디어.
- 신완수, 변창진(1980). 자기노출훈련프로그램. 경북대학교 학생지도연구, 13(1). 17-50.
- 양경희 외(2019). 건강한 인간관계를 위한 의사소통 기술. 퍼시픽북스.
- 양경희 외(2021). 건강한 인간관계를 위한 의사소통 기술, 제2판. 퍼시픽북스.
- 이경순, 이미경, 김경희(2006). 인간관계와 의사소통. 현문사.
- 이광자, 고성희, 이숙, 김경희, 민소영, 최윤정, 이경희 외(2014). 인간관계와 의사소통의 실제. 신광출판사.
- 임숙빈, 김덕희, 배정이, 김현숙, 손행미, 박광희, 박영숙(2014). 간호실무 의사소통. 엘스비어코리아.
- 한규석(2013). 사회심리학의 이해. 학지사.
- Ian Stewart, Vann Joines, Trans analysis Today 2nd ed. 제석봉, 최외선, 김갑숙 역(2016). 현대의 교류분석. 학지사.
- http://apps.cfli.wisc.edu/johari/support/JohariExplainChapman2003.pdf
- http://s-f-walker.org.uk/pubsebooks/pdfs/Carl_Rogers_On_Becoming_a_Person.pdf
- http://talkingta.com.au/wp-content/uploads/2013/11/Chart-03.jpg
- Jourard, S. M.(1964). *The Transparent Self : Self-Disclosure and Well-Being*. Princeton, NJ : VanNostrand.
- Miller, N. E.(1980). A Perspective on the effects of stress and coping on disease-health. In S. Levine and H. Ursin(Eds.), *Coping and health*. New York : Plenum Press.
- Pennebaker, J. W.(1989). *Confession, inhibition, and disease*. New York : Academic Press.
- Pennebaker, J. W., & Beall, S. K.(1986). Confronting a traumatic event : Toward and understanding of inhibition and disease. *Journal of Abnormal Psychology*, 95(3). 274-281.
- Reis, H. T., & Shaver, P.(1988). Intimacy as an interpersonal process. In S. Duck(Ed.), *Handbook of Personal Relationships*(pp.367-389). Chichester, England : Wiley.

4-1 조하리 창 진단 항목

1. 다음은 인간관계에서 나타날 수 있는 일반적인 행동양식으로 구성한 진술문입니다. 각 항목마다 자신의 행동양식을 잘 나타낸다고 생각되는 위치에 ○을 넣어주세요. 점수는 1~10점까지이며, 점수가 커질수록 항목의 진술을 더 수용하는 것입니다.

	문 항	그렇지 않다			그저 그렇다				매우 그렇다		
		1	2	3	4	5	6	7	8	9	10
1	나는 잘 몰랐을 경우에는 이를 바로 인정한다.										
2	나는 납득하기 어려운 지시를 받을 경우 지시한 이유를 물어본다.										
3	나는 다른 사람의 잘못을 지적할 필요가 있을 때에는 직접 말한다.										
4	나의 의견에 대해 남들이 어떻게 생각하는지 물어본다.										
5	나의 느낌을 솔직하게 표현한다.										
6	다른 사람의 감정을 존중한다.										
7	나는 걱정거리가 생길 경우, 터놓고 의논한다.										
8	나 혼자 이야기를 계속하여 남을 짜증나게 하지 않는다.										
9	나는 진심으로 남의 이야기를 들어준다.										
10	나는 아이디어를 권장하고 대화를 독단적으로 끌고 가지 않는다.										
11	내 잘못을 숨기거나 남의 탓으로 돌리지 않는다.										
12	나는 다른 사람의 충고를 잘 받아들인다.										
13	달가운 일이 아닐지라도 남들이 알아야 할 사항이라면 알려준다.										
14	남의 의견이 나와 다를 경우, 나의 생각을 말하고 함께 검토해본다.										
15	나는 말하기 거북한 내용을 거리낌 없이 말한다.										
16	나는 변명을 하지 않고 비판에 귀를 기울인다.										
17	나는 있는 그대로를 나타내며 가식이 없는 편이다.										
18	나에게 찬성하지 않는다고 남의 마음을 상하게 하지 않는다.										
19	나는 확신하는 것을 굽히지 않고 말한다.										
20	나는 다른 사람에게 그들의 생각을 발표하도록 권장한다.										

2. 조사표 윗 줄(1, 3, 5…)에 응답한 점수를 합하여 10으로 나누어 가로점수에 적고, 아래 줄(2, 4, 6…)에 응답한 점수를 합하여 10으로 나누어 세로점수에 적는다.

채점표

번호	1	3	5	7	11	13	14	15	17	19	총점(가로)
점수											/10
번호	2	4	6	8	9	10	12	16	18	20	총점(세로)
점수											/10

출처 : 한국교류분석학회 충남중부지회

4-2 교류패턴 분석하기

1. 다음 두 사람의 대화를 듣고 Eric Berne의 의사소통 교류패턴에 따라 의사소통의 방향을 화살표로 줄을 긋고, 교류 유형을 기술하시오.

친구 1 : 당장 이것을 해야 되는데 잘 모르겠어.
친구 2 : 무슨 문제인데, 내게 말해봐.

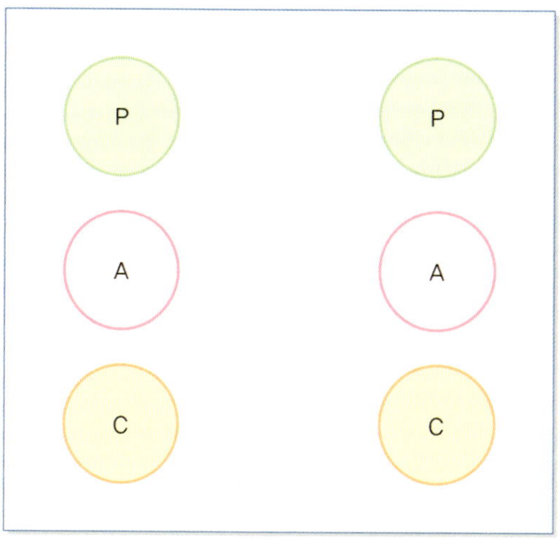

(   ) 교류

친구 1 : 내가 좀 급해서 그래, 이 자료 좀 찾아줄래?
친구 2 : 도와달라고 하지 말고 직접 해봐.

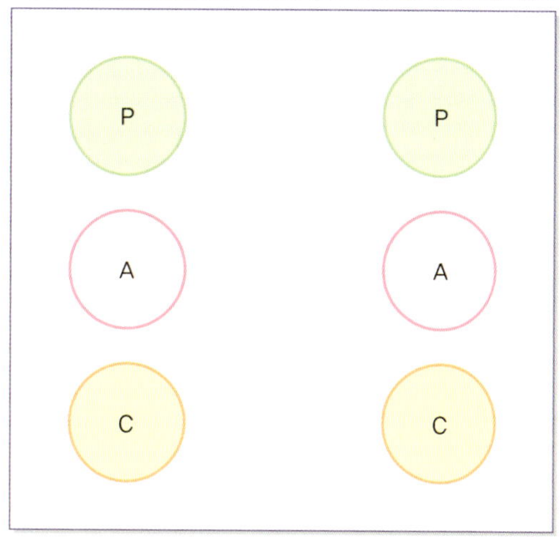

(   ) 교류

친구 1 : 이 문제는 좀 어려운 문제인 것 같아.
친구 2 : 그래? 그렇게 보이네. (속으로는 '쟤가 나를 무시하는구나.'라고 생각한다.)

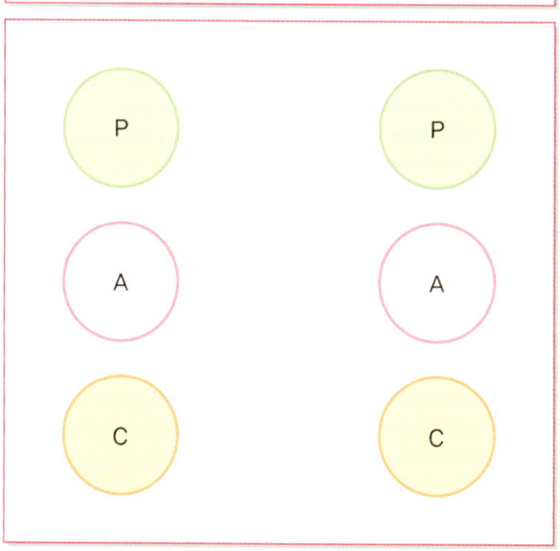

(   ) 교류

2 단원

의사소통 이론

제4장 자아성장과 통합 | 제5장 의사소통의 이해

인간이 다른 사람과 관계를 맺지 않고 살아간다는 것은 무척 어려운 일이다. 그런데 사람들이 자신의 관계를 개선하거나 좋은 만남을 맺고 유지하기 위해서 얼마나 노력하는지에 대해서는 의문이다. 인생을 살면서 원만한 인간관계를 맺지 못한 채 행복한 일상생활이나, 직장생활 그리고 사회생활을 유지한다는 것은 불가능하다. 이렇듯 인간관계는 타인과 세상과의 소통에 대한 성공과 실패의 증거가 된다. 인간 간의 소통을 의사소통이라고 하며, 의사소통(communication)은 기호나 행동 또는 행동체계(핸드폰이나 컴퓨터 등)를 통해 개인 간, 집단 내 또는 대중을 대상으로 감정과 정보 및 지식을 전달하고 교환하는 과정이라고 말할 수 있다. 바람직한 의사소통을 하기 위해서는 소통하기 전에 자신에 대한 이해, 자신에 대한 평가 및 자신이 가지고 있는 신념과 강점을 살펴야 한다. 또한 스스로 자신도 모르게 무의식적으로 억제하고 내면에 품고 있는 약점들을 점검해야 한다. 이러한 약점들은 의사소통 시 자신도 모르게 활성화되어 의사소통을 방해하는 근본적인 원인이 된다. 2단원에서는 이러한 근원을 확인하고, 효율적인 의사소통을 수행하기 위해서 사용하는 의사소통의 표현 전략이나 기법은 3, 4단원에서 다루기로 한다.

04 장

자아성장과 통합

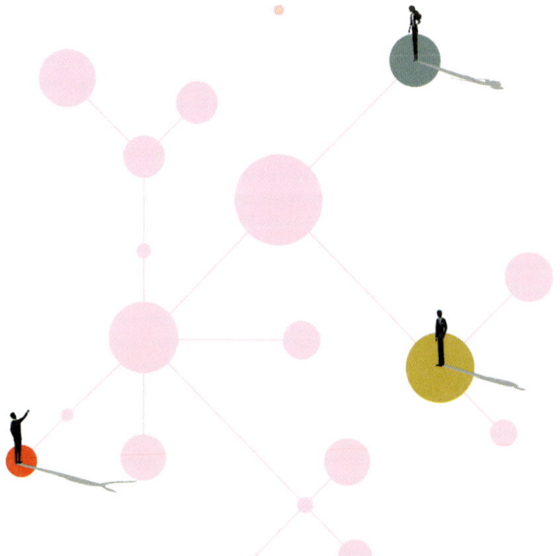

학·습·목·표

1. 인간관계의 중요성을 이해한다.
2. 생활자세를 설명한다.
3. 자신의 신념 중 오류를 발견한다.
4. 자신의 강점과 약점을 수용한다.

주·요·용·어

- 인간관계
- 의사소통
- 생활
- 신념
- 비합리적
- 합리적
- 그림자
- 오류
- 강점
- 약점

04 자아성장과 통합

인간은 다른 동물들과는 달리 인지와 감정이 매우 정교하게 내재되어 있고 이들은 어떤 동기와 상황에 의해서 억압, 억제, 보유, 저장, 혹은 활성화된다. 인간관계에서 인식된 어려움들을 확인하고 잘 경험한다면, 오히려 자아가 성장하고 통합되어 보다 에너지 넘치고 행복한 생활을 할 수 있다. 우리는 자신이 알게 모르게 형성한 자신의 신념과 자신에 대한 평가 및 문제를 해결해가면서 성숙해간다. 그러나 살아가면서 경험하는 많은 어려움이나 갈등 원인을 스스로에게서 찾아보지 않는다면 문제는 더욱 심각해진다.

이 장에서는 인생에 대한 자신의 자세와 비합리적인 신념을 발견하고 이를 수용함으로써 인간관계를 개선하여 성장하는 길을 안내하고자 한다.

1 생활자세(인생태도)

인간이 자신을 이해할 수 있는 능력은 자아인식에서 비롯되며, 인간관계를 형성하는데 가장 중요한 것은 자신을 알고 이해하는 것이다. 자아인식은 성장하면서 변화하고 타인의 영향을 받아 강화되며, 자기 자신이나 다른 사람에 대해 어떻게 느끼는가의 영향을 받아 지속적으로 경험하는 상황에서 일정한 방식으로 자동적으로 생각하고 행동하며 신념이 형성된다. 인생에 대한 자세를 왜곡되게 인도하는 비합리적 신념 및 강점과 약점 등에 대해서 알아본다.

인간은 자신이 살아갈 이야기를 쓰게 되는데, 이 줄거리를 인생각본(life-script)이라고 한다. 4~5세가 되면 기본 줄거리를 쓰고, 그동안의 경험으로 7세경에는 인생 각 부분의 주요 줄거리를 쓰며, 점차 보완과 수정을 통해 구체화한다. 이 줄거리가 일생동안 세상을 살아가는 삶의 방식이 된다. Eric Berne은 인간은 누구나 이런 과정을 겪으며 자신과 타인에 대해서 느끼고 판단하는 기본적인 가치를 부여하는 자세를 가지고 있다고 한다. 이를 생활자세 또는 인생 태도라고 하는데, 유아기 때 부모나 주 양육자로부터 받은 애무와 수용(stroke)의 수준과 양에 따라 자신과 타인에 대한 확신을 갖게 되고 이 확신을 일반화하며**[표 4-1]**, 'I'와 'You'에 대한 믿음이 조합된 다음과 같은 4개의 생활자세(Life position) 유형을 형성한다.

표 4-1 자신과 타인에 대한 확신

• I'm OK	자기긍정
• I'm not OK	자기부정
• You're OK	타인긍정
• You're not OK	타인부정

❶ I'm OK, You're OK(자기긍정, 타인긍정) – 민주형

자신도 좋게 여기며, 타인도 좋게 여기는 생활자세이다. 유아기에 부모나 주 양육자에게서 따뜻한 돌봄과 인정을 받고 자란 어린이는 자신과 타인(대부분 어머니)에 대해 사랑스럽고 좋게 여기는 감정이 형성되며 시간이 경과하면서 확신을 갖게 된다. '나도 좋게 여기고, 다른 사람도 좋게 여기는 생활자세가 형성된다. 매우 이상적이며 타인과의 관계에서 편안한 상호작용을 하면서 함께 잘 해나갈 수 있으며 승리자의 각본을 형성한다.

❷ I'm not OK, You're OK(자기부정, 타인긍정) – 의존형

나는 좋게 여기지 않지만, 타인은 좋다는 생활자세이다. 인생 초기의 어린이가 취하는 태도로 부모에게 의존하는 부모관계에서 형성된다. 어린이는 부모의 보호적인 양육태도에 익숙해져 있고, 항상 충족되기를 원한다. 그러나 부모가 예전 같이 울면 바로 젖을 주고 기저귀를 갈아주는 등의 기대를 충족해주지 않는 상태에서 실패와 좌절을 기대하면서 형성된다. 이런 과정에서 타인에 대한 기본적인 신뢰가 불신으로 바뀌게 되어 패배적인 각본을 형성하고, 정서적으로 우울한 자세와 무력함을 보인다. 이 자세를 가진 사람은 대인관계에서 희생자가 되는 패배자 내지는 평범한 각본을 형성한다.

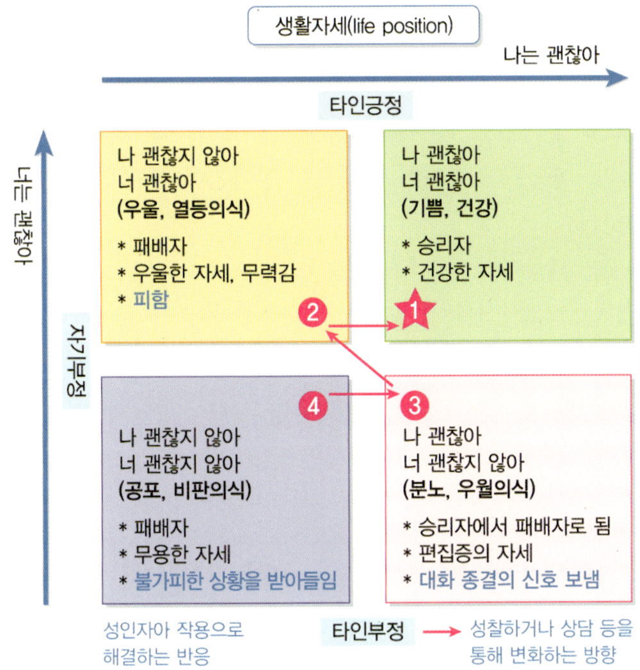

그림 4-1 4가지 생활자세의 심리상태

❸ I'm OK, You're not OK(자기긍정, 타인부정) – 독단형

나는 좋은데 또는 옳은데, 타인은 좋지 않거나, 옳지 않다는 생활자세이다. 유아 초기에는 확실하게 좋게 여기던 부모로부터 기대하지 않은 심한 대우를 받는 일이 일어나고 이런 일을 계속 경험하면 자신을 내세우며 자신의 욕구를 충족하려고 한다. 다른 사람에게 의지할 수 없고 스스로 문제를 풀어가야 한다고 자각하게 된다. 자기를 좋게 여기며, 다른 사람은 잘못되었기 때문에 눌러야 한다는 태도를 갖고 끊임없이 투쟁하게 된다. 이러한 자세를 갖는 사람은 분노와 우월의식을 가지고 자기방어적인 언동을 잘 하며 자기는 항상 옳고, 잘못은 언제나 상대편이라는 식으로 비난한다. 이 자세의 사람들은 게임에서 박해자나 구원자 역할을 하지만, 자신이 억압했던 사람들로부터 배척받으며, 승리자에서 패배자의 각본을 형성하게 된다. 이들은 상대에게 대화 종결의 신호를 보내나 자신을 성찰하고 상담 등을 통해 변화해야 한다.

❹ I'm not OK, You're not OK(자기부정, 타인부정) – 자포자기형

나도 좋지 않고 타인도 좋지 않게 여기는 생활자세이다. 육아 기간이 끝날 무렵에는 독립적으로 걸을 수 있게 되면서 안아주거나 보듬어 주거나 보호하는 것이 적어지며 위험에 빠질 때가 있다. 이때 갑자기 양육자로부터 깜짝 놀라며 소리치게 되는 것을 경험하면서 야단맞고 비판당하는 것으로 지각하여 공포감을 느끼게 된다. 이런 경험을 통해 배척당한다고 생각하고 타인도 배척하는 장면을 통해 자기는 쓸모없다는 패배자의 각본을 형성하며 누구보다도 패배자로 살 확률이 가장 높다. 이들은 불가피한 상황으로 받아들이나, 성인자아의 작용으로 이성적, 합리적으로 해결해가야 한다.

인간은 본래 누구라도 귀한 가치를 가지고 이 세상에 태어난다. 그러나 영아의 시기에는 제1의 태도를 취하고, 일부만이 부모의 마음속으로부터 따뜻한 애무와 포용 속에서 심신이 모두 건강하게 자라서 제4의 태도를 익히게 되며, 많은 경우에는 제2, 제3의 태도를 취하게 된다.

2 융(Jung)의 그림자(Shadow)와 인간의 성장

분석심리학자인 융은 '개인의 인격에는 자아의 일부가 외부의 현실 세계와 연결되어 사회, 집단의 상황에 따라 변할 수 있는 외적 인격인 페르소나(persona)와 의식적인 자아 이면의 인격의 어두운 측면인 그림자(shadow)'의 양면성이 있음을 설명하였다. 그림자는 개인 무의식에 감추어져 있어 자아가 쉽게 알아채지 못하는 특징이 있다[그림 4-2].

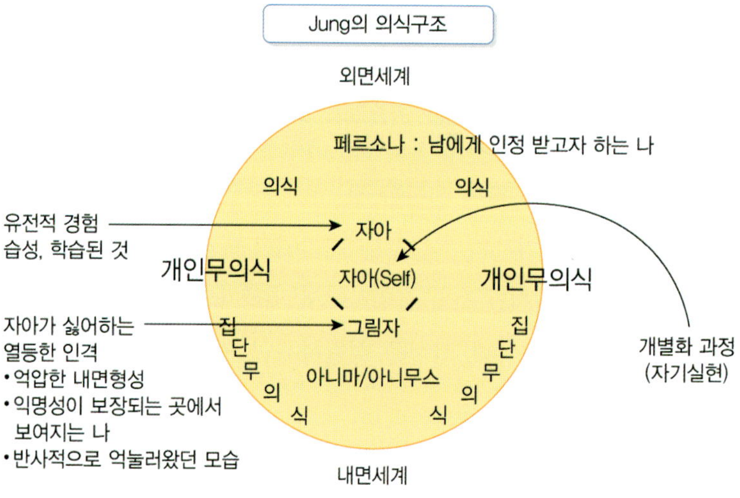

그림 4-2 자아와 의식의 깊이 및 그림자(shadow)의 위치

출처 : 건국대 미래지식교육원 미술치료사 교재

페르소나는 사회에 적응하기 위한 불가피한 외적 적응 수단이라면 그림자는 인격의 열등함, 강함 속에 가려진 약함, 따뜻함 속의 차가움 등으로 표현할 수 있으며, 주로 자신이 가리고 싶어 하는 모습이기 때문에 무의식적으로 드러내지 않고, 인정하려고 하지 않는 특징을 가지고 있다. 그림자는 페르소나 뒤에 숨어 있으며 모든 사람이 가지고 있기 때문에 자신의 참모습(self)을 찾기 위해서는 그림자와 직면하고 통합할 수 있어야 한다.

페르소나가 외부세계와의 중재 요소라면 아니마(Anima) / 아니무스(Animus)는 내면세계를 중재해 주는 요소이다. 아니마는 남성의 내면에 있는 여성성(에로스)을 일컬으며, 반대로 아니무스는 여성의 내면에 있는 남성성(로고스)을 말한다. 성장하면서 반대의 성(性)을 가진 부모에게 영향을 받는 경우가 많다. 남성도 여성도 외적으로는 사회에서 인정받기 위한 이른바 남자답다, 여자답다라고 하는 페르소나(가면)를 갖고 있지만, 내적으로는 그 반대인 아니마 / 아니무스의 작용에 의해서 보상된다. 융은 아니마 / 아니무스에 사로잡혀 있으면 자신의 반대 성의 부정적 특성이 나타나게 되고 자신 본연의 개성을 잃게 되기 때문에 개인의 개별화(자기이해) 과정을 거쳐 자신의 아니마(에로스)나 아니무스(로고스)를 잘 포용하여야 완성된 인간이 된다고 하였다.

자신의 의식 아래에 억압하고 있는 자신의 의식 속에 가둔 그림자인 약점을 발견하고 이를 의식 속으로 드러내고 수용할 수 있을 때 분리된 인격이 회복되며 자아가 성장되고 통합될 수 있다. 따라서 자신의 그림자 찾기 활동을 통해 개인 무의식을 탐색한다면, 자신의 참모습을 찾고 자아인식의 폭을 넓혀 자기성장과 통합에 도움이 될 것이다.

3 비합리적인 신념

인간의 문제 행동이나 정서 장애에 대한 연구들은 문제가 어디부터 오는가를 밝히는 노력을 해왔다. 여러 이론들 중에서도 특히 주목을 받고 있는 인지이론은 특정한 인지적인 요인이 정서 장애의 원인으로, 이미 발생한 정서장애를 지속시키거나 악화시킨다고 하였다. 대표적인 인지이론가로는 엘리스(Ellis), 벡(Beck), 및 마이켄바움(Meichenbaum) 등이 있는데, 여기에서는 Ellis의 이론을 중심으로 설명하고자 한다.

❶ Ellis의 합리적·정서적 치료 이론

합리적·정서적 치료(REBT, Rational Emotive Behavior Therapy)의 배경을 살펴보면, 철학적인 면에서 스토아 철학, 도교, 아들러(Adler)와 같이 인간이 어떻게 생각하는가가 매우 중요하다는 것을 강조한 학파의 영향을 많이 받았다. 또한, 정서는 생각 등의 인지에서 일어나기 때문에 인간이 느끼는 강한 느낌을 통제하거나 변화시키기 위해서는 생각을 변화하는 것이 중요하다. Ellis는 개인의 신념체계는 합리적인 신념들과 비합리적인 신념들로 구성되어 있으며, 인간이 어떤 사실에 대해 합리적으로 생각하면 바람직한 정서와 행동을 경험하게 되지만, 비합리적인 생각을 하면 바람직하지 못한 정서와 행동을 경험하게 된다고 한다.

합리적·정서적 치료의 관점은 인간이 합리적으로 생각할 수도 있고 비합리적으로 생각할 수 있다는 가정에 근거한다. 즉 인간은 생각하며 자신을 보호하고 행복을 누리면서, 다른 사람과 친분을 가지며 성장하고, 자아실현의 경향성을 가졌다. 그러나 스스로를 파괴하고, 일을 뒤로 미루고, 실수를 반복하고, 왜곡된 정보로 상상하며, 인내하지 않으면서도 완벽을 추구하며 자신을 비난하고, 자신의 성장 가능성을 회피하는 경향도 있다.

합리적·정서적 치료의 목표는 대상자가 가진 비합리적인 신념 체계를 내면세계의 분석을 통해 합리적·논리적 신념체계로 바꾸어, 적절한 정서를 체험하게 하며 능률적이고 즐거운 생을 영위하도록 돕는 것이다. 즉 합리적·정서적 접근은 대상자가 부적절하고 자기 파괴적인 행동이 비합리적인 신념에서 나온 것을 자각하여 자기 파괴적인 정서를 버리고 그 신념을 교정하여 행동을 변화하는 것이다.

❷ 비합리적인 신념의 이해

비합리적인 신념에는 기본적으로 당위성 즉, '…해야만 한다', '반드시 …해야 한다', 또는 '…했더라면 더 좋았을 걸' 등의 어휘가 사용된다. REBT는 인간사회에서 가장 보편적으로 나타나는 비합리적인 신념을 다음과 같이 제시하고 있다.

1) 인정에 대한 욕구(Demand for Approval)

인간은 모든 주변 사람들로부터 사랑과 인정을 받는 것이 절대적으로 필요하다고 생각하는 것이다. 인간은 사랑과 인정을 받는 것은 바람직하나, 모든 사람에게서 사랑을 받는다는 소망은 절대로 이루어질 수 없는 일이기 때문에 이러한 생각은 비합리적이다. 비합리적인 생각에 사로잡힌 사람은 인정받지 못한 자신에게 실망하여 더 불안하고 패배감에 빠진다. 합리적인 사람은 정당하게 자신의 욕구나 흥미 등 자신이 하고 싶은 것을 희생하면서까지 다른 사람의 사랑이나 인정을 받으려고 하지 않는다.

2) 개인적인 완벽성(Perfectionism)

인간은 자신이 가치 있다고 여기도록 모든 영역에서 완벽하고 유능하며 능력과 재능이 있고, 적절한 성공을 거두어야 한다고 생각하는 것이다. 그러나 인간은 강점뿐만 아니라, 한계와 약점을 갖고 있어서 모든 면에서 성공한다는 것은 불가능하기 때문에 이러한 생각은 비합리적이다. 모든 영역에서 완벽하려고 강박적으로 노력하는 것은 오히려 열등감, 삶에 대한 무기력감, 실패에 대한 끊임없는 두려움을 낳게 한다. 합리적인 사람은 자기 자신에게 충실하고 결과에 집착하지 않으며 과정 그 자체를 중요시한다.

3) 비난 경향(Blame Proneness)

인간은 자신에게 해를 끼치거나 악행을 저지르는 사람은 나쁘고 야비하며 비열한 사람이기 때문에 반드시 비난과 처벌을 받아야한다고 생각하는 것이다. 그러나 선악에 대한 절대적인 판단 기준이 없으며, 인간의 비합리적인 생각에 의한 경우가 많기 때문에 이러한 생각은 비합리적이다. 일반적으로 비난과 처벌로는 바람직한 행동으로 변화시키지 못하고, 합리적인 사람은 자신은 물론 다른 사람도 비난하지 않는다.

4) 좌절(Frustration)

인간은 어떤 일이 자신이 바라는 대로 되지 않을 때 인생은 끔찍하며 아무런 가치가 없다고 생각하는 것이다. 그러나 현실에서 모든 상황이 자신이 원하는 대로만 될 수 없으며, 장기간 좌절감에 빠져있으면 상황이 더 좋지 않게 되므로 이러한 생각은 비합리적이다. 합리적인 사람은 가능한 한 상황을 개선시키려고 노력하나 다른 대처 방법이 없다면 상황을 그대로 수용한다.

5) 정서적 무책임(Emotional Irresponsibility)

인간은 살면서 슬픔이나 불안정 등의 정서적 혼란을 겪는 것은 어쩔 수 없다고 생각하는 것이다. 그러나 대부분의 정서 문제는 외적인 조건보다는 자신의 내면에서 일어나는 경우가 많기 때문에 이러한 생각은 비합리적이다. 합리적인 사람은 정서적인 혼란은 주로 자신의 내부에서 온다는 것을 알고 자신의 노력으로 장애를 통제하거나 변화시킬 수 있다.

6) 과잉불안염려(Anxious Over Concern)

인간은 위험하고 두려운 일은 언제나 발생할 수 있으므로, 그런 일이 일어날지도 모른다는 가능성을 항상 염두에 두고 신경을 써야 한다고 생각한다. 어떤 위험에 대한 발생 가능성을 계속 반복적으로 생각하게 되면, 그 위험이 실제 이상으로 과장되는 경향이 있어 계속해서 두려움 속에 살게 된다. 이런 상태는 위험에 대처하는데 방해가 되며, 위험을 자초하는 경우가 많기 때문에 이러한 생각은 비합리적이다. 합리적인 사람은 위험이 그렇게 많이 발생하지도 않고, 그렇게 두려워 할 일도 아니며, 불안해하는 것이 발생을 막아주는 것도 아니라는 것을 안다.

7) 문제 회피(Problem Avoidance)

인간은 어려움이나 자기 책임을 직면하는 것보다 회피하는 것이 더 쉽다고 생각하는 것이다. 회피적 사고가 그 순간에는 위안은 줄 수 있으나, 자신감을 상실하고 불안과 다른 문제를 일으킬 수 있기 때문에 이러한 생각은 비합리적이다. 합리적인 사람은 불필요한 고통은 피하지만 자신이 책임져야 할 일은 불평 없이 해낸다.

8) 의존성(Dependency)

인간은 다른 사람에게 의지해야 하며, 자신이 의지할 수 있는 더 강한 누군가가 있어야 한다고 생각하는 것이다. 어느 정도 타인에게 의존을 할 수는 있지만, 의존성이 강하면 독립성, 개체성, 자아 상실 등을 초래할 수 있기 때문에 이러한 생각은 비합리적이다. 합리적인 사람은 독립적이고 자신의 일을 책임지며, 도움이 필요할 때는 타인에게 도움을 요청한다.

9) 무력감(Helplessness)

인간은 개인의 과거 경험이나 사건이 현재의 행동을 결정하기 때문에 사람은 과거의 영향력을 벗어날 수 없다고 생각하는 것이다. 과거의 행동이 현재의 문제와 관련되지 않을 수도 있고, 과거의 문제해결방법이 현재 적합하지 않을 수도 있으므로 이러한 생각은 비합리적이다. 합리적인 사람은 과거가 중요하다는 것을 인정하나 과거의 영향을 분석하고 현재 상황에 적합하도록 변화시킬 수 있다.

10) 완벽한 해결(Perfect Solution)

인간은 모든 문제는 언제나 완전한 해결책이 있으며, 그것을 찾지 못하면 큰일이라고 생각하는 것이다. 어떤 문제에 대해서 완전한 해결책은 없으며, 완전한 해결책을 찾는 일은 끊임없는 고민과 불안을 낳기 때문에 이러한 생각은 비합리적이다. 합리적인 사람은 최선이거나 가장 적절한 해결책을 받아들인다.

11) 지나친 타인 문제에 대한 염려(Overconcern about others)

인간은 다른 사람이 어려움에 처했을 때 이타심을 강조하는 사회에서 다른 사람의 문제를 걱정해주지 않으면 나쁜 사람이라고 믿는 것이다. 타인의 행동에 대해 화를 낸다고 해서 그들의 문제 행동을 변화시킬 수 있는 것도 아니고, 자신의 마음만 불안정하여 자기희생만 초래할 수도 있기 때문에 타인의 문제에 대하여 지나치게 염려하는 것이나 심각하게 생각하는 것은 비합리적이다. 합리적인 사람은 타인을 도울 수 있지만, 만약 대책이 없다면 마음에 두지 않는다.

12) 불행을 외부에 귀인(Attributing Misfortune to the external factors)

인간은 특정 상황을 통제 할 수는 없지만 어떻게 반응할 것인가는 선택할 수 있기 때문에 불행을 외부의 원인으로만 탓하는 것은 비합리적이다. 합리적인 사람은 절대적으로 확실한 것은 없고, 우연한 일도 있으며, 한편으로 어떻게 반응할지는 자신이 결정한다는 것을 안다.

일반적으로 이러한 비합리적인 신념들은 '반드시 …을 해야만 한다' 또는 '반드시 …이어야만 한다'(have to, should, ought, must, always 등)와 같은 절대적인 요구나 명령적인 자기 언어 형태로 진술된다. 그러나 바람직한 것과 바람직하지 않은 것은 있을지라도 절대적인 것은 없으며, 바로 이 절대적인 사고가 자신을 구속하고 파괴적으로 이끌며 우울감, 불안, 적개심, 무가치감 등과 같은 부적절한 정서를 유발한다.

이상의 신념이 갖는 속성은 시대나 문화권에 따라 증가할 수도 있고 적어질 수도 있다.

3 ABCDE이론

합리적·정서적 치료에서 중심이 되는 이론은 ABCDE이론이다(Ellis, 1962). 인간에게 있어 불안이나 공포와 같은 정서적인 결과(emotional consequence : C)는 어떤 사건의 발생(activating events or adversities : A) 그 자체에 의해서라기보다도, 그 사건에 대해 개인이 가지는 신념체계(belief systems : B) 특히 비합리적인 신념체계(irrational belief systems : iB)에 의해서이다.

비합리적 신념체계를 가진 사람은 비합리적 신념체계(iB)를 가운데 두고 사건(A)과 정서적 결과(C)가 계속 이어져 악순환을 하면서 더욱 심한 정서적 혼란을 가져올 수 있다**[그림 4-3]**.

예를 들어 어떤 사람이 자신에게 반말을 했다고 하면(선행사건, A), '버릇이 없구나', '사람은 반드시 예의를 지켜야 한다'(비합리적인 신념, iB)고 생각하며 화가 치밀 것이다. 그런데 '사람은 꼭 예의를 지켜야만 하는가? 그렇지 않아도 되잖아'(논박, D)를 통해 사람은 반드시 예의를 지키지 않아도 된다(합리적 신념, rB)는 신념을 가진다면 건강하지 못한 정서(화가 난다, C)가 건강한 정서(편안하다, 효과, E)로 회복될 것이다. 그런데 만약 합리적 신념으로 회복하지 못하고 계속 화가 나있고 버릇이 없다고 생각하는 그의 행동이 지속된다면 그 때는 부정적인 감정이 강화되어 화가 치밀 것이다. 이 회로는 계속 불행한 사태를 만들어 자기파괴의 길로 가게 만든다.

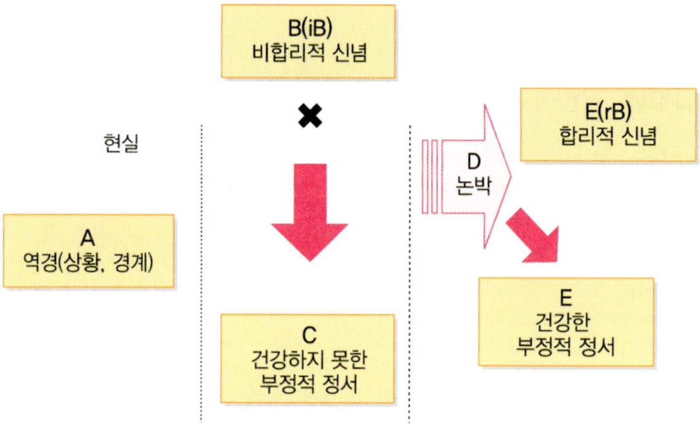

그림 4-3 합리적·정서적 행동치료 모형

출처 : 양경희, 공은숙, 박금숙, 박혜경 외(2011). REBT의 인지-정서 도식도, 학교보건. 현문사. p.311.

따라서 자신의 불행과 비합리적인 신념체계(iB)를 합리적인 신념체계(rB)로 바꾸어야 한다. 비합리적인 신념체계를 합리적인 신념체계로 바꾸기 위해서 Ellis는 비합리적인 신념체계(iB)에 대한 논박(disputing : D)을 강조하고 있으며, 논박은 비합리적인 생각이 타당하지 않음을 밝히는 것이다. 논박에 대한 결과로 효과(Effect, E)가 나타나며 적절한 정서적, 행동적 결과가 나타나게 된다. 이렇게 자신이 가진 비합리적 신념을 점검하는 것은 중요하다.

REFERENCE

- 김미연(2015). 감정지능을 활용한 미술 통합교육프로그램방안 연구. 숙명여자대학교 교육대학원 미술교육전공 석사논문.
- 김현정(2010). REBT를 활용한 진로집단상담이 직업전문학교 훈련생의 비합리적인 신념과 진로 자기효능감 및 진로 장벽에 미치는 효과. 동아대학교 교육학과 박사학위논문.
- 양경희, 공은숙, 박금숙, 박혜경 외(2011). 학교보건. 현문사.
- 양경희 외(2019). 건강한 인간관계를 위한 의사소통 기술. 퍼시픽북스.
- 양경희 외(2021). 건강한 인간관계를 위한 의사소통 기술, 제2판. 퍼시픽북스.
- 윤해상(2009). 의사소통 및 인간관계. 청구문화사.
- 이부영(2010). 우리 마음속의 어두운 반려자 : 그림자. 한길사.
- 이부영(2013). 아니마와 아니무스－이부영 분석심리학 탐구 2－. 한길사.
- 천성문, 이영순, 박명숙 외(2021). 상담심리학의 이론과 실제, 3판. 학지사.
- Corey, G.(2005). Theory and practice of counseling and psychology(7th ed). Pacific Grove. CA : Wads Worth.
- Ellis, A.(1962). Reason and emotion in psychotherapy. Secaucus. New Jersey : Citadel.
- Ellis, A.(1973). Are cognitive behavior therapy and rational therapy synonymous, Rational Living, 8(2). 8-11.
- Ellis, A.(1974). Techniques of disputing irrational beliefs. New York. Book
- Ellis, A.(2005). The Rational emotive behavior theory. In R. J. Corsini & D. Wedding(Eds.), *Current Psychotherapies(7th ed.)*, pp.166-200. Thomson Learning Academic Center.
- Ian Stewart, Vann Joines, Trans analysis Today 2nd ed. 제석봉, 최외선, 김갑숙 역(2016). 현대의 교류분석. 학지사.
- Kim, H. J.(2010). The effect of the career group counseling base on REBT on the irrational beliefs, career self-efficacy and career barriers of trainees in a vocational training institute [dissertation]. Busan : Dong-a university; 2010. pp.1-153.

5-1 오케이 그림그리기

1. 다음은 생활자세에 대한 한국교류분석협회에서 표준화된 척도로 구성된 설문지입니다. 자신이 동의한 정도에 해당하는 아래 숫자(점수)를 빈칸에 써 넣어 주세요.
[거의 그렇지 않다(1점), 가끔 그렇다(2점), 보통이다(3점), 자주 그렇다(4점), 매우 그렇다(5점)]

표 4-2 생활자세 측정

순서	항목	①	②	③	④
1	나는 나 자신을 좋아한다.				
2	나는 타인으로부터 호감을 얻지 못하는 인간이다.				
3	나는 태어나서부터 소중하게 길러졌다고 생각한다.				
4	나의 탄생은 그다지 환영받지 못했다고 생각한다.				
5	나는 근본적으로 인간을 신뢰하지 않고 스스로 한다.				
6	나는 지금 생활에서 필요한 유익한 인간이라고 생각한다.				
7	나는 나 자신을 쓸모없는 인간이라고 생각하는 경우가 있다				
8	다른 사람의 행동방식이나 사고방식이 나와 달리하고 있을지라도 특별히 싫지 않은 기분이다.				
9	상대를 존중하는 것은 그 기분을 이해하는 것이라고 생각하기 때문에 힘써 실행하고 있다.				
10	다른 사람으로부터 신뢰받는 사람이라고 생각한다.				
11	나는 적극적으로 행동을 취하는 편이다.				
12	나는 소극적인 성격이므로 실패가 두려워서 매사에 손을 대지 않으려고 한다.				
13	때때로 상대를 매도하거나 꼼짝 못하게 할 때가 있다.				
14	나는 자신이 한 언행에 대해 곧잘 후회한다.				
15	상대가 기대한대로 해주지 않으면 매우 화가 난다.				
16	다른 사람의 장점보다 단점을 지적하는 편이다.				
17	나는 기본적으로 다른 사람을 믿는다.				
18	아이들을 포함해서 누구에게도 자신의 견해를 가질 권리가 있다고 생각한다.				
19	자신이 결단하여 행동하는 것이 잘 되지 않는다.				

표 4-2 생활자세 측정 (계속)

순서	항목	①	②	③	④
20	자신의 용모에 자신이 없다.				
21	자신의 얼굴이나 모습에 매력이 있다고 생각한다.				
22	매사에 자신이 없기 때문에 대체로 다른 사람들이 하는 대로 따라간다.				
23	다른 사람을 돕는 일은 나쁜 버릇을 키우므로 하지 않는다.				
24	자신의 능력 중 어떤 부분에 대해서는 자신감을 갖고 있다				
25	사람들이 자기 주장을 하거나 경제적으로 풍요하게 되는 것은 좋은 것이라고 생각한다.				
26	생각이나 행동방식을 자신과 달리하고 있는 사람은 가능한 한 무리에서 배제해 버리고 싶다.				
27	나는 대부분이 사람들과의 관계를 훌륭하게 해나가고 있다.				
28	다른 사람의 일이 순조롭게 되고 있을 때 좋은 일이라고 기뻐해 준다.				
29	다른 사람들 앞에서 이야기할 때 그다지 불안하거나 긴장되지 않고 자연스럽게 말한다.				
30	친구나 동료와 함께 있는 것을 좋아하지 않으며 고독을 즐긴다.				
31	싫어하는 사람일지라도 함께 일을 잘 해낼 수 있다.				
32	후배나 부하가 나를 따르는 것은 당연한 일이라고 생각한다.				
33	사람들은 누구나 자신이 의사결정을 할 권리가 있다고 생각한다.				
34	동료가 실패해도 언제까지나 책망하지 않고 격려한다.				
35	나 자신을 그다지 존경할 수가 없다.				
36	동료에 비해 나는 타인에 대한 평가는 엄격하다.				
37	나는 그다지 다른 사람을 칭찬하지 않는 편이다.				
38	나는 대개 다른 사람이 하는 만큼 할 수 있다.				
39	나는 다른 사람을 이용하여 자신의 입장이나 일을 잘 하려고 하는 경향이 있다.				
40	나는 잘못을 하거나 실망을 하는 경우에도 발전적으로 생각할 수 있다.				
합계(각항 : 50점)					
유형구분		타인 부정	타인 긍정	자기 긍정	자기 부정

출처 : 1994 교류분석(TA), 정암사.

5-2 자신의 신념을 발견하고 신념에서 자유롭기

1. 비합리적인 신념 발견하기

(1) 나에게 다음과 같은 상황이 벌어졌다고 가정해 보자.

과제로 인해 아침과 점심식사를 못하고 왔다고 얘기를 해도, 친구들 중 누구도 염려하거나 챙겨주는 이가 없다.

그렇다고 다시 또 챙겨달라고 할 수도 없고……

나를 챙겨주지 않는 친구들이 야속하고 섭섭해서, 괜히 눈물이 난다.

위 상황에서 지니고 있는 비합리적인 신념을 찾아보고, 이를 합리적으로 바꾸어 보자.

① 내가 지니고 있는 비합리적인 신념은?

친구들은 나의 어려움을 알고 꼭 챙겨주어야 한다.

② 대체할 수 있는 합리적인 신념은?

친구들은 나를 꼭 챙겨주지 않아도 된다.

해설) '친구들이 나의 어려움을 알고 꼭 챙겨주어야 한다는 나의 신념은 진실인가?' 하고 논박(반박)해본다. 친구들은 바쁘고 다른 사정이 있을 것이다. 나도 친구들이 필요할 때, 원하는 것을 다 해줄 수 없다. 따라서 '친구들이 나의 어려움을 알고 꼭 챙겨주어야 한다.'는 비합리적인 신념을 '친구들은 나를 꼭 챙겨주지 않아도 된다.'라는 합리적인 신념으로 대체하면 친구들이 야속하고, 섭섭해서 슬프지 않을 것이다. 오히려 친구들도 내가 어려움을 겪는 것처럼 친구들도 애쓰는 것을 느끼게 된다. 친구의 마음이 되고 자신을 잘 들여다보면 친구들에 대해 더 애틋한 마음으로 바뀔 수 있다.

(2) 아래 사례에서 아버지에 대하여 자신이 가지고 있는 비합리적인 신념을 찾아 적어보고, 이를 합리적인 신념으로 바꾸어 보자.

아버지는 대학생인 딸에게 밤 9시까지 들어오라고 하신다. 그런데 한 학기에 한두 번씩 학과 행사나 친구 생일 모임에도 안 된다고 하시니, 대학생활을 이해 못 해주시는 아버지만 보면 답답해진다.

---

① 내가 지니고 있는 비합리적인 신념은?

② 대체할 수 있는 합리적인 신념은?

(3) 아래 사례에서 후배에 대하여 자신이 가지고 있는 비합리적인 신념을 찾아 적어보고, 이를 합리적인 신념으로 바꾸어 보자.

기말시험에 대비하기 위하여 평소에 꼼꼼하게 노트필기를 잘하는 후배에게 노트 좀 빌려달라고 했더니, 싫은 내색을 하며 안 빌려준다. 치사하다.

① 내가 지니고 있는 비합리적인 신념은?

② 대체할 수 있는 합리적인 신념은?

(4) 평소 이해되지 않았던 친구나 가족과의 갈등을 적어보고, 그 상황에서 가족이나 친구에 대하여 자신이 가지고 있는 비합리적인 신념을 찾아 이를 합리적인 신념으로 바꾸어 보자.

① 내가 지니고 있는 비합리적인 신념은?

② 대체할 수 있는 합리적인 신념은?

05

장

의사소통의 이해

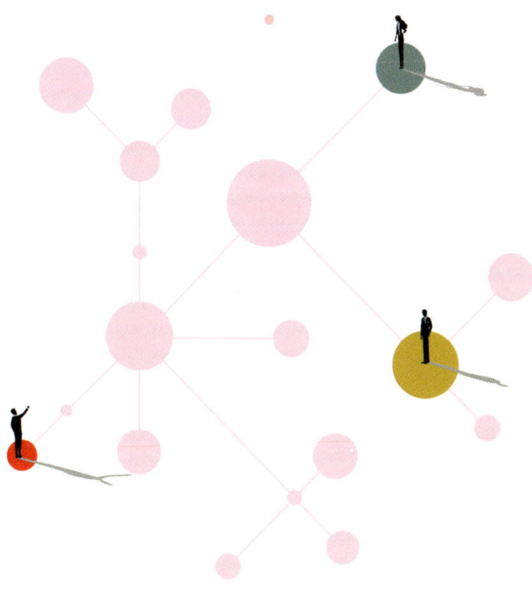

학·습·목·표

1. 의사소통에 영향을 미치는 요인을 설명한다.
2. 의사소통의 경로를 설명한다.
3. 의사소통의 기술을 이해한다.
4. Satir의 의사소통 유형을 설명한다.

주·요·용·어

- 의사소통
- 발신자
- 수신자
- 메시지
- 피드백
- 의사소통 경로
- 의사소통 유형

05 의사소통의 이해

인간은 발달과 성장을 통해 자신의 이해정도에 따라서 표현하고 타인을 이해하고자 하는 욕구가 있다. 원만한 인간관계를 유지하기 위해서는 상호간의 이해를 바탕으로 한 의사소통이 매우 중요하다.

서로의 생각, 말 그리고 행동의 차이점을 이해하는 방법에서 일상적 언어를 통한 표현과 비언어적인 메시지를 개인이 어떻게 해석하는가에 따라 의사소통의 결과가 완전히 달라진다.

따라서 이 장에서는 의사소통의 원리, 경로, 기술 및 유형을 이해하고 자신의 의사소통유형과 자기계발을 유도하고자 한다.

1 의사소통의 개념

'의사소통'이란 용어는 영어의 '커뮤니케이션(Communication)'을 의미하는데, 일반적으로 '의사전달'로도 부른다. 인간은 자신과 타인과의 관계와 공동체 속에서 서로에게 자신의 생각이나 의도를 전달하고, 또한 상대방의 생각, 태도 및 행동에 영향을 미치고자 한다. 이러한 목적으로 두 사람 이상 사이에서 공통적 이해를 위해 정보, 지식, 인식, 생각, 의견, 그리고 감정 등의 메시지를 주고받는 것이 의사소통이다. 따라서 의사소통은 자신이 얼마만큼 알고 있는가 보다 자기 생각을 얼마나 잘 표현하고, 상대방의 의견을 들어주는가가 중요하다.

인간은 사회를 벗어나 존재할 수 없고 사회는 인간과의 상호작용에 의해서 성립되며 고정적이지 않고 진행적이다. 의사소통은 의식과 무의식 속에서 일어나기도 하며, 언어나 행동 또는 표정 등 의사소통법을 사용하며, 긍정적인 감정이 교환되면 원만한 관계가 형성된다. 건강한 사람은 자신의 느낌이나 생각을 분명하고 조화롭게 전달하지만, 정신·심리 및 신체적 건강의 문제는 의사소통을 방해하며, 표현 능력에 결함이 있어도 의사소통에 지장을 받는다. 자신의 의사소통법과 유형을 이해하고 효율적인 표현 능력을 습득하면 대인관계에 있어서 자연스럽고 원만한 상호작용을 할 수 있다.

2 의사소통의 구성요소

의사소통의 구성요소는 발신자(sender, 말하는 사람), 메시지(message), 그리고 수신자(receiver, 듣는 사람)의 3대 요소가 있는데, 발신자가 메시지를 기호화(encoding)해서 송신(transmitting)하면 수신자는 메시지를 수신(receiving)하여 해독(decoding)한 다음 피드백(feedback) 할 메시지를 기호화하여 이를 다시 발신자에게 송신하는 과정이 반복된다.

의사소통 과정에는 3대 요소 외에 메시지를 송·수신하는 과정에서 잡음(noise)이나 여러 심리적인 문제를 일으킬 수 있는 긍정요인과 장애요인이 있다. 긍정적인 요인으로는 승진, 성과급, 시험 합격 등과 같은 기분 좋은 일이 있으며, 장애요인으로는 수면부족, 시간에 쫓김, 과로, 배고픔, 낯선 환경 등과 같은 상황이 있다.

따라서 발신자와 수신자는 긍정적이고 효과적인 의사소통능력을 습득하여 자신의 문제를 바르게 인식하고 감정을 표현하며 행동에 변화를 일으킬 수 있도록 목표지향적인 의사소통을 해야 한다. 또한 의사소통은 발·수신하는 사람들 사이에서 좋은 관계가 형성되어야 메시지가 잘 전달되며, 좋은 관계는 문제해결에 도움을 전달하기 위한 수단으로 작용하게 된다. 의사소통이 잘 이루어지기 위해서는 자신의 생각과 감정을 타인에게 정확하게 전달하고 타인이 표현하는 생각과 감정도 정확하게 파악하는 것이 중요하다.

또한 개인적인 여건이나 환경적 요인에 대해 인식하는 것도 효율적인 의사소통을 유지하는 데 매우 중요하다.

3 의사소통의 원리

인간은 사회·환경적 요인에 적응하면서 인간관계를 형성하기 위해 의사소통을 하고, 의사소통을 어떻게 하느냐에 따라 긍정적인 관계를 형성하기도 하고 부정적인 관계를 형성하기도 한다.

레드필드(Redfield, 1958)가 제시한 의사소통의 원리를 소개하면 다음과 같다(김종두, 2005).

- 명료성 : 의사소통은 간결한 문장과 쉬운 용어를 사용해야 한다. 전달하고자 하는 내용이 분명하고 체계적이어야 하며, 과거·현재·미래를 명확하게 구분할 수 있어야 한다.
- 일관성 : 의사소통은 일관성이 있어야 한다. 의사소통의 내용이 처음부터 끝까지 모순이 없어야 한다. 특히 상사가 제시하는 내용이 앞에서 제시한 내용과 모순되지 않으며, 조직의 목표에 부합되어야 한다.
- 적기·적시성 : 의사소통은 알맞은 시기를 선택하여야 하며 때를 놓쳐서는 안 된다. 예를 들면, 상대방이 기분이 나쁠 때 불필요한 의사소통을 하면 기분이 더 나빠질 수 있다.
- 적절성 : 의사소통의 양을 적절하게 유지한다.
- 분포성 : 정보는 발신자로부터 수신자에게 올바르게 전달되어야 한다. 즉, 수신자가 누구인가를 확실히 정하면 사용할 의사소통의 수단도 달라진다. 의도, 정보 및 지시 등은 발신자로부터 일정한 경로를 거쳐 수신자에게 정보가 정확하게 전달될 수 있도록 적당한 공간에 적절한 인원이 분포하고 있는지 상황에 맞도록 정보를 전달해야 한다.
- 적응성과 통일성 : 의사소통에 있어서 적응성과 통일성을 조화시켜야 한다. 즉, 각각 다른 내용의 의사소통은 수신자에게 맞추는 게 좋지만, 상호 간에 수용될 수 있는 차원에서 전체적으로 통일된 시각으로 표현해야 한다.
- 관심과 수용 : 효과적인 의사소통은 수신자의 관심과 수용 태도에 의해 결정되므로 수신자에 대해 이해와 수용을 높여야 한다.

4 의사소통의 경로

1 의사소통의 세 가지 경로

의사소통 과정에서 구성요소를 연결시키는 메시지가 전달되는 경로 또는 매체의 역할이 중요하다.

의사소통에 투입되는 자극을 의사소통 경로(채널)로 부르며, 시각적 경로, 청각적 경로, 운동지각 경로의 3가지로 분류한다. 이 세 가지 경로 내에는 다양한 통합수준이 있는데, 보고, 듣고, 감지하거나 느끼는 정보는 일차적 통합수준의 의사소통이며, 관찰 측면에서 관찰하여 보고, 집중해서 듣고, 접촉하여 느끼는 것은 이차적 의사소통이고, 이러한 정보를 통합하여 사용하는 전문가는 삼차적 의사소통을 하는 것이다. 모든 경험은 주변 환경에서 나온 정보를 습득함으로써 시작되고, 자신의 감각기관을 통해서 정보가 조직화하면서 주변 세계를 인식한다. 그러나 대부분의 사람들은 개인적으로 선호하는 의사소통 경로를 가지고 있으므로 제한된 양의 정보에 관심을 갖는다. 우리가 보고, 듣고, 관심을 기울이고 느끼며 환경 내의 타인에게 반응하는 방법을 배워야 한다.

1) 시각적 경로(visual channel)

머리를 흔들거나 서성거리거나 눈을 휘둥그레 뜨거나 어깨를 으쓱하거나 안절부절하거나 하는 것 등의 시각적 자료는 신속하게 해석된다. 눈을 휘둥그레 뜨면 매우 놀랐다거나, 어깨를 으쓱하면 뽐내는, 안절부절하면 불안한 마음을 읽을 수 있다.

시각적 경로는 보기, 관찰하기, 신체적 언어 관찰하기 등이 있으며, 무엇을 보는지, 무엇을 관찰하는지, 무엇을 인식하는지 등의 수준으로 구분할 수 있다.

- 보기(seeing) : 가장 낮은 수준의 판단을 갖게 한다. 현실 상황을 보지 않고 지각 정보를 쉽게 판단함으로써 판단 오류를 범하게 할 수 있으므로 주의 깊게 보기연습을 통해 보는 능력을 향상할 필요가 있다.
- 관찰(주의 깊게 보기, observing) : 관찰은 주의 깊게 봄으로써 단순한 보기보다는 좀 더 세밀한 해석을 할 수 있다. 의식적인 관찰을 하지 않고도 호흡이나 피부색 등을 알 수 있지만, 관찰을 통해 호흡의 변화나 안면에 있는 근육의 긴장이나 변화 등으로도 환자가 말

하지 않은 통증의 정도를 알 수 있다.

- 신체적 언어 관찰(observing physical language) : 상대의 신체적인 동작이나 움직임은 자신의 느낌을 전달한다. 신체적 언어나 동작은 비언어적 메시지인 얼굴표정, 눈 동작, 눈 맞추기, 자세 등으로 나타난다.

2) 청각적 경로(auditory channel)

청각적인 경로를 통하는 것은 말의 내용, 목소리의 크기, 억양, 고저, 리듬, 음색, 속도 등의 언어적, 비언어적 형태를 포함한다. 예를 들면, 직장 상사가 무표정한 얼굴로 '고마워'라고 말하면서 성의 없는 목소리 톤에서 느껴지는 것은 비언어적인 단서이며, '고마워'라는 말의 내용은 언어적 단서이다.

(1) 듣기(hearing)

가장 낮은 수준으로 단순히 듣는 것을 말한다. 주로 단어만을 듣는 것을 의미한다.

(2) 경청(listening)

단순히 듣기만 하는 것이 아니라 말의 내용과 함께 그 내면에 깔린 동기나 정서에도 귀를 기울이는 것을 말한다. 따라서 듣는 것이 아닌 경청이 매우 중요하다. 이를 위해서는 능동적, 적극적으로 들어야 하며 언어적, 비언어적 측면을 모두 파악하는 것이 중요하다.

3) 감각 운동지각 경로(kinesthetic channel)

감각 운동지각 경로로서의 운동지각이라는 용어는 지각과 관련된 모든 상황의 의사소통을 의미한다. 환경에 대한 접촉과 생리적 반응, 업무수행 시 접촉 등으로 구분하며, 접촉은 심리적, 정신적 속성을 가지고 있어 돌봄의 접촉이라고 한다.

(1) 접촉(touch)

신체적 접촉은 지각 중 가장 기본적이고 원시적이다. 피부는 인체기관 중 가장 민감하고 숙련된 기관으로 가장 효과적인 의사소통 기관이다. 환자와의 신체적 접촉은 돌봄활동에 필수적이나, 문화적 규범과 가치의 차이가 있으므로 상대의 관습 등에 대한 이해가 필요하다.

(2) 업무 수행 시 접촉(procedural touch)

업무상 접촉은 빈번히 사용되며, 특히 건강관리체계 내에서 보건의료전문직이 대상자에게 업무수행을 하기 위해서는 대상자의 의사를 묻지 않고 개인 공간 침해를 하게 된다. 이러한 업무상의 접촉도 돌봄의 효과에 큰 영향을 준다.

❷ 의사소통의 종류와 향상 기술

1) 언어적 의사소통

언어적 의사소통은 말(oral language)이나 글(written language)로써 표현된다. 언어적 기호로 구성된 사실적인 지식은 정확하게 효율적으로 전달된다.

그러나 언어적 표현은 개인이 의미하는 것과 다른 사람의 관점에서는 의미가 다를 수 있다. 단어들이 갖는 표면적 의미가 수신자와 다르기도 하며, 의미의 뉘앙스를 전달하기에는 효과적이지 못하다.

따라서 언어에 내재하는 한계와 문제점을 알고 정확한 자기표현과 다양한 감정표현에 대해 훈련하는 것이 필요하다.

2) 언어적 의사소통의 향상 기술

언어적 의사소통의 향상 기술은 상대방을 이해하며 욕구를 파악하고 문제를 해결하기 위한 과정에서 핵심적이다. 따라서 발신자와 수신자 간의 의사소통 향상을 위한 언어적 기법은 다음과 같다(Kirst & Hull, 1993; 최경화 외, 2010).

(1) 상대방에 대해 지지적인 언어로 반응한다.

상대방이 말을 할 때는 긍정적인 단어로 반응한다. '아, 그랬군요.', '알겠어요.', '음음, 예.' 등의 반응적 언어를 사용함으로써 상대방으로 하여금 발신자가 자신에게 관심을 갖고 경청하고 있음을 인식하게 한다.

(2) 상대방의 언어로 재구성한다.

상대방의 말을 다른 단어로 재구성하는 방법으로 예를 들어, '아버지가 미워 가출하고 싶었어요.'라고 말한다면 '아버지가 미워 가출까지 하고 싶었군요.'라고 말한다. 상대방의 의도를 정확히 파악하기 위해, 상대방에게 자신의 말을 다시 한 번 생각해 볼 여유를 주기 위해 또는 상대방의 말을 제대로 이해하고 있는지를 알아보기 위해, 그리고 상대방의 말을 경청하고 있다는 것을 보여주기 위한 목적으로 사용한다.

(3) 상대방의 감정을 반영한다.

반영은 상대방의 말과 행동에서 표현된 감정과 생각 및 태도 등을 발신자가 다른 언어로 반영해 주는 것이다. 상대방이 자신의 감정을 자제하지 못하거나 표현력 부족 등으로 자신의 감정을 표현하려다가 중단하는 경우, 발신자는 상대방의 감정을 읽어서 언어로 표현해 줌으로써 상대방과 감정이입 대화를 가능하게 할 수 있는 방법이다. 예를 들어, 남편이 전화를 잘 안 받는 것 때문에 화가 많이 나서 부들부들 떠는 대상자에게 '남편이 전화를 잘 안 받아 화가 나지요.' 라고 반영해준다.

(4) 상대방의 인식을 명료화한다.

명료화는 상대방이 말하는 내용을 확실히 이해하기 위해 사용되는 기술이다. 이 명료화 기법은 상대방에게 자신이 말한 내용을 좀 더 분명하게 인식시키고 발신자 자신의 이해를 분명하게하기 위한 기법이다. '네가 …가 ~라는 말이지?'

(5) 상대방 말을 해석해준다.

해석은 상대방이 대화 중 미처 생각하지 못하고 있는 내용에 발신자가 의미와 관련성을 부여해서 언급하는 것이다. 이러한 기법은 상대방이 새로운 방향에서 문제를 바라볼 수 있도록 행동이나 생각, 감정 등에 새로운 의미와 원인을 설명하고, 말 속에 숨은 메시지에 초점을 둔다. 이러한 해석은 궁극적으로 다른 사람을 비난하기보다는 자신의 행동에 대해서 스스로 책임질 수 있도록 하고 자기통제를 촉진하는 것이다.

(6) 상대방의 간접적 표현을 직접적으로 언어화한다.

사회적 약자로 인식되는 사람들은 심리적으로나 정신적으로 위축되어 있다. 또한 변화에 대한 두려움으로 자기 자신에 대한 의사표현을 정확히 하지 못하고 은유와 비유를 사용하여 간접적으로 표현하는 경우가 있을 수 있다. 이럴 때 발신자는 자신의 판단과 추측으로 간접적으로 반응하여 상대방이 의미하는 것을 직접적으로 언어화하는 기술이 필요한 경우가 있다.

(7) 상대방에게 조언하고 정보를 제공한다.

우리들은 생활하면서 쉽게 상대방에게 조언하고 정보를 제공한다. 그러나, 조언은 꼭 필요한 경우거나 상대방이 원하는 경우가 아니면 하지 않는 것이 좋다. 아무리 좋은 조언을 하더라도 상대방이 수용적으로 받아들이지 않으면 오히려 역효과가 있을 수 있기 때문이다. 조언을 할 경우 신중히 생각하며, 상대방에게 결정권이 있음을 인식시킨다.

정보를 제공할 때에도 상대방의 수준에 맞게 제공되어야 한다. 상대방이 잘못 이해할 것 같으면 상대방과 연관된 사람에게도 같은 정보를 제공하여 정확히 전달될 수 있도록 해야 한다. 또한 상대방이 구체적인 사항에 대해 직접적으로 물어 볼 경우는 정확한 설명이나 정보를 제공하여 상대방이 선택할 수 있도록 지원하는 것이 좋다.

(8) 상대방의 강점을 강조한다.

일반적으로 대부분의 사람들은 일상생활을 하면서 많은 문제를 지니고 있기 때문에 자신의 삶에 대해서 비관적으로 생각하고 의기소침해 있는 경우가 많다. 이러한 경우 상대방 스스로가 자신의 능력과 잠재력을 믿지 않는 한 중재의 효과를 기대하기 어렵다. 따라서 상대방의 강점을 찾아내어 강조해 주는 것은 자존감과 가치를 회복시킬 수 있고 일상생활을 잘 해나가도록 도와주는 것이다.

(9) 요약해준다.

상대방과 대화한 내용과 그 속에 담아 있는 감정들을 전체적으로 묶어 정리하는 것이다. 요약을 통해 대화하는 동안 진행 사항을 파악하게 할 수 있고 중요 내용이나 요점을 다시 한 번 생각할 수 있는 기회를 갖게 한다. 예를 들어, '지금까지 우리가 대화한 내용을 간단히 정리해 보겠습니다.'라고 말하면서 중요한 내용을 간단히 정리할 수 있다.

3) 비언어적 의사소통

비언어적 의사소통은 말과 글을 제외한 의사소통이다. 의사소통을 할 때 언어적 의사소통은 1/3을 차지하고, 비언어적 표현은 2/3를 차지하고 있다(Brill, 1997; 엄명용 외, 2009). 특히, 비언어적 의사소통은 상대방과 언어적 표현이 제한되어 있을 때 매우 중요한 의사소통의 수단이 된다. 이러한 비언어적 의사소통은 인지적 차원보다 주로 감정적 차원에서 더 많이 표현된다. 비언어적 의사소통에는 눈 맞춤, 목소리의 어조, 얼굴 표정, 손과 팔 등의 몸동작, 그리고 신체적 자세 등이 포함된다.

4) 비언어적 의사소통의 향상 기술

비언어적 의사소통은 언어적 표현이 갖지 않는 숨겨진 메시지가 전달된다. 비언어적 의사소통을 잘 활용하여 따뜻하고 신뢰받는 대화 환경이 조성되면 의사소통의 효과를 높일 수 있다. 비언어적인 의사소통 능력의 향상 기술은 다음과 같다(Krist & Hull, 1993; 이영호, 2009; 최경화 외, 2010).

(1) 눈 맞춤(eye contact)

의사소통에서 중요한 수단으로 의사소통에 함께 하고 있음을 알리거나 나아가 공감을 의미하기도 한다. 대화를 할 때 눈을 맞추지 않는 경우, 진실성이나 흥미가 없다고 해석할 수 있고 상대방은 무시 받는다고 생각할 수 있기 때문에 발신자는 상대방과 적절한 눈 맞춤이 필요하다.

(2) 목소리의 어조(tone of voice)

목소리의 어조는 감정을 나타내는데, 크고 힘 있는 어조는 공격성과 통제력 및 강함을 나타내고, 약하고 잘 들리지 않는 어조는 움츠림, 두려움, 위축감, 약함 등을 나타낸다. 또한 높게 들떠있는 목소리는 자신감이 없거나 우울한 느낌을 나타낸다. 목소리를 바꿀 수 없지만, 말의 속도, 간격, 크기 등을 변화하면 긍정적인 효과를 얻을 수 있다. 또한 편안한 음정과 따뜻한 음색으로 자연스러운 목소리를 낸다면 상대방에게 편안감을 줄 수 있다.

(3) 얼굴표정(facial expression)

대화 전이나 대화중에 나타난 얼굴표정은 상대방에게 감정을 보여주게 되는 것이다. 찌푸리거나 냉담한 표정은 상대방과 대화하고 싶은 생각이 없다거나 지루하다거나 다른 생각을 하고 있는 상태로 보이며 상대방은 무시당한다고 느낀다. 따라서 상대방과 의사소통할 때는 가능하면 밝은 표정으로 대화하려는 자세가 필요하다.

(4) 손과 팔 등의 몸동작(gesture)

전달하는 메시지 내용에 따라 몸동작이 달라진다. 듣기 싫을 때는 손으로 무의식적으로 귀를 막고, 턱을 고이거나 머리를 만지는 동작으로 지루함이 표현된다. 다리를 꼬거나 팔짱을 끼는 경우는 개인의 습관일 수도 있지만 방어적인 태도로 보일 수 있다. 따라서 대화할 때 상대방의 몸동작을 살피고 자신의 습관적인 불필요한 몸동작에 유의하도록 한다.

(5) 신체적 자세(body posture)

대화할 때 신체적 자세는 상황에 따라 여러 가지 의도를 나타내 보여준다. 일반적으로 자세는 어깨가 상대방의 어깨와 90°로 L자 모형으로 마주보고 앉으면 서로에게 개방성과 안정감을 준다. 아울러 상대방 쪽으로 자세를 약간 기울이는 자세를 취하면 상대의 말에 관심을 갖고 듣고 있으며 함께하고 있다는 것을 느끼게 해준다.

(6) 접촉(touch)

비언어적 메시지 중 접촉은 가장 개인적인 측면의 소통 방식이다. 일반적인 대인관계에서 악수, 포옹, 머리 쓰다듬기, 팔을 끼는 것, 어깨나 등을 토닥거려주는 것 등 다양한 방식으로 메시지를 전달하며 친밀감과 애정을 표현하는 방식이기도 하다. 정신적, 신체적 어려움이 있는 대상자에게 사용하는 것은 도움이 된다. 그러나 내담자의 성별, 연령, 기대, 문화적 배경과 개인적 관계, 또는 개인적인 성향에 따라 지각과 반응에는 차이가 있으므로 사용시 유의해야 한다.

또한 상대방을 대할 때 첫인상이나 예전에 가졌던 인상 등과 같은 선입견을 갖고 상대방을 대하지 않는다. 상대방의 문화적·개인적 특성 때문에 나와 다른 행동이 나타날 수 있으므로 내 기준 내 관점에서 속단하지 않는 것이 좋다(이윤로, 2009). 또한 경청과 공감의 기본적인 태도를 가지고 상대방이 신뢰감을 가지고 자신에 대해 개방할 수 있도록 하며, 상대방이 무엇을 말하는지, 어떤 느낌과 생각을 하고 있는지, 어떠한 목적이 있는지 등을 잘 파악해야 한다.

5 의사소통의 유형

인간은 자신의 특성과 경험에 따른 의사소통 방식을 가지고 있으며, 내면의 감정, 지각 및 기대 등으로 무조건 억제하지 않고 상황과 맥락에 일치하게 표현하는 건강한 의사소통인 기능적 의사소통이 있는가하면, 스트레스나 긴장 상황에서 단순히 긴장을 제거하기 위해서 무의식적으로 나타내는 역기능적인 의사소통이 있다.

사티어(Satir)의 의사소통은 자신과 타인 그리고 상황이 작용하여 의사소통 유형이 나타난다. 기능적 의사소통으로는 일치형, 역기능적 의사소통으로는 회유형, 비난형, 초이성형 및 산만형으로 구분한다. 다음은 사티어가 제시한 의사소통 유형의 균형성과 초점 그리고 정서, 인지 및 행위특성과 자기계발 방향을 다루고자 한다.

❶ Satir의 가족치료 의사소통 유형

1) 회유형

회유형은 의사소통의 세 가지 구성요소인 자신, 상대방, 상황 중에서 자기 자신을 무시하는 형태이다. 즉 자기 감정과 가치를 돌보지 않고, 자신의 마음이 편하지 않아도 다른 사람의 의견이나 감정 또는 상황을 따른다. 자기 자신을 가치가 없고 무력한 존재로 여기며 상대방의 어떤 비판도 무조건 수용하며 소극적이다. 회유형의 의사소통은 다른 사람을 회유하며 화를 내지 못하고 상대방의 비위를 맞춘다. 이들은 자신을 억압하여 참고 자기 자신을 희생하고 살며, 어떤 상황에서도 반대하지 않고 동의를 나타내는 언어를 사용한다. 자존감이 낮고 신경과민, 우울증, 중독, 자살의 경향이 높다. 자주 사용하는 행동과 언어는 **[표 5-1][그림 5-1]**과 같다.

회유형은 다른 사람은 배려하는 능력은 있으나, 자신을 돌볼 수 있는 마음자세와 힘을 길러야 한다.

표 5-1 회유형이 자주 사용하는 행동과 단어

자주 사용하는 행동	자주 사용하는 언어	내재된 감정
• 사과하기 • 간청하는 표정 짓기 • 순교적 • 우는소리, 변명, 애원하기 • 의존적인 태도 • 지나치게 상냥함 • 지나치게 쾌활함	• 모두 내 잘못이야. • 네가 없으면 난 아무것도 아니야. • 아무거나. • 나는 다 좋아. • 당신이 옳아, 내가 잘못했어.	• 우울 • 억압 • 억압되었던 경험 • 자존감 낮음

그림 5-1 회유형의 균형성과 이미지

2) 비난형

비난형은 의사소통의 세 가지 구성요소 중 자신과 상황을 중시하고 타인을 무시하고 비난한다. 상대보다 우월감을 가지고 있으며 상대의 단점을 지적하며 겉으로는 공격적이고 지시적이어서 우월하게 보인다. 심리적 상태는 소외감, 열등감과 우월의식의 반복, 근육긴장, 고혈압, 관절염, 천식 등의 건강 문제를 가질 수 있다. 비난형은 목소리가 크고 상대를 얕잡아보고 '모두 네 잘못이다.'는 식으로 말하는 형이다. 자주 사용하는 행동과 언어는 **[표 5-2][그림 5-2]**와 같다.

비난형은 자기주장을 잘 하지만 타인을 배려하는 마음을 갖도록 하는 자기계발이 필요하다.

표 5-2 비난형이 자주 사용하는 행동과 언어

자주 사용하는 행동	자주 사용하는 언어	내재된 감정
• 탓하기 • 소리치기 • 화난 표정으로 위협하기 • 판단 및 명령하기 • 단점잡기 • 조종하기	• 네 잘못이야. • 너는 뭐가 문제야? • 넌 제대로 하는 것이 하나도 없구나. • 네가 그렇게만 하지 않았어도 안 좋았겠니? • 나의 잘못은 하나도 없어.	• 화, 분노 • 소외감, 실패감

그림 5-2 비난형의 균형성과 이미지

3) 초이성형

초이성형은 의사소통의 세 가지 구성요소 중 자신과 타인을 배제하고 상황만 중시해 객관성을 유지한다. 매우 객관적이고, 추상적인 언어를 사용하고, 이성적이며 쉽게 감정을 드러내지 않는다. 이 유형은 차분하고 문제해결 능력이 좋고 충고를 잘 하며, 권위적인 행동을 보여 냉정해 보인다. 초이성형은 지나치게 합리적이고 강박적이며, 무미건조하며 외로움과 고립감을 느끼고 긴장과 위축을 느낀다. 건강 문제로는 스트레스질환, 임파조직의 질병이나 암에 취약하다. 자주 사용하는 행동과 언어는 **[표 5-3][그림 5-3]**과 같다.

초이성형은 매우 합리적이다. 그러나 자기와 타인을 배려할 줄 아는 사람이 되도록 자기계발이 필요하다.

표 5-3 초이성형이 자주 사용하는 행동과 언어

자주 사용하는 행동	자주 사용하는 언어	내제된 감정
• 딱딱하고 경직된 자세 • 냉담함 • 진실하고 우월한 척하는 표정 • 교묘히 조종함 • 충고를 많이 함 • 객관적이고 지루함	• 논리적이고 객관적인 규칙 • 추상적인 개념 언급 • 긴 설명, 규칙 언급 • 개인적이고 감정적인 주제를 피함 • 복잡하게 횡설수설 말하기	• 외로움 • 상처받기 쉬움 • 자신의 감정 표현 어려움

그림 5-3 초이성형의 균형성과 이미지

4) 산만형

산만형은 의사소통의 구성요소인 자신, 상대방, 상황 세 가지 구성요소가 모두 배제되어 있다. 주위를 혼란시키고 그가 하는 어떠한 행동이나 말은 산만하고 일관성이 없고 주제에서 벗어난다. 상대방에게서 오는 자극에 적절하게 반응을 보이지 못하고, 빗나가기 쉬우며 상대의 말이나 현재 진행되고 있는 과정에 초점을 맞추지 않아 주의를 집중하지 못하기 때문에 산만하다.

산만형의 행동은 수선스럽고 과다활동 또는 활동 저하를 보이며, 자신의 내면을 보기 어렵다. 현실 생활에서 심각한 상황을 잘 못 버티므로 유머나 어릿광대의 형태를 보이며 주위를 즐겁게 하기도 한다. 건강 문제로는 불규칙한 호흡, 신경증상, 위장장애, 당뇨병에 취약하다.

산만형이 자주 사용하는 행동과 언어는 **[표 5-4][그림 5-4]**와 같다. 산만형은 유머가 있어 재미있으며, 창조성, 자발성, 융통성이 있으므로 주위 사람들에게 웃음을 준다. 그러나 주제에 집중하고 현실적인 생각을 하도록 노력하는 것이 필요하다.

표 5-4 산만형이 자주 사용하는 행동과 언어

자주 사용하는 행동	자주 사용하는 언어	내제된 감정
• 지나치게 활동적이나 처짐 • 항상 움직이고 부적절한 유머가 풍부함 • 둔감한 듯이 행동함 • 바보스럽거나 피상적임 • 주의 끌기	• 주위를 흩트리기 위해 주제를 빠르게 바꿈 • 한 가지에 집중하지 않는 대화 • 농담, 난센스인 언어를 많이 사용 • 말할 때 끼어들기 • 개인적이며 감정적 주제를 피하여 말을 함	• 두려움 • 불안, 외로움, 허무감

그림 5-4 산만형의 균형성과 이미지

5) 일치형

순기능적 의사소통의 유형인 일치형은 사티어가 말하는 가장 이상적인 의사소통 유형이다. 일치형 의사소통의 4가지 요소는 사실을 있는 그대로 말하고 자신의 신념, 의견, 생각 등을 표현하며, 자신의 감정을 솔직히 표현하고 기대나 열망을 표현한다. 부부 문제를 치료하거나 해결할 수 있으며, 부부간의 성장과 성숙을 촉진할 수 있다. 일치형 의사소통은 자신, 상대방, 상황이라는 3가지 요소가 모두 관련을 맺고 언어적·비언어적 모든 메시지가 일치를 이룬다. 일치형의 의사소통방법은 목소리 톤과 얼굴표정, 몸의 자세가 일치하며, 편안하고 자유롭게 정직하게 표현하는 것이다. 나와 타인을 수용하는 일치형이 자주 사용하는 행동과 언어는 **[표 5-5][그림 5-5]**와 같다.

표 5-5 일치형이 자주 사용하는 행동과 언어

자주 사용하는 행동	자주 사용하는 언어	내재된 감정
• 에너지 넘치는 행동 • 자신감, 균형적, 창의적인 활동 • 책임감, 능력, 경쟁력 있는 행동	• 감정과 사고, 기대, 원하는 것, 싫어하는 것들에 대해서 정직함 • 배려, 격려, 인정, 공감하고 이해할 수 있는 언어 사용	• 편안한 • 충족된

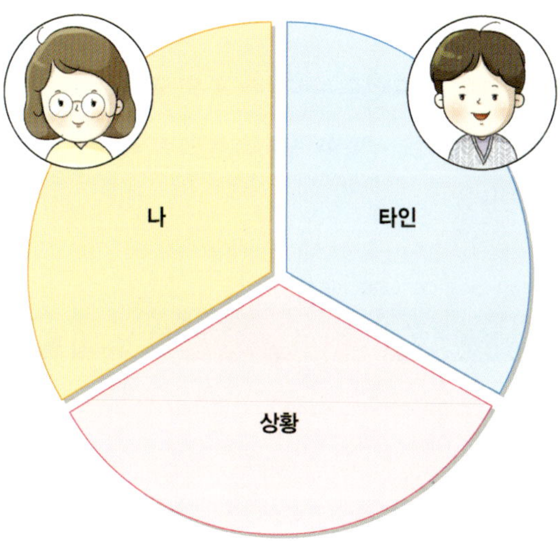

그림 5-5 일치형의 균형성

역기능적 의사소통	회유형	비난형	초이성형	산만형
	타인중심	자기 중심	감정 건조	초점 없음
자원	배려 능력 친절, 겸손	자기주장성 지도력	합리적 지성, 집중	유머, 창조성 자발성, 융통성
조화를 이루는 노력	자신 돌봄 연습	타인 배려 연습	자신과 타인에 대한 배려	현실인식 능력 배양

그림 5-6 사티어의 의사소통 특징과 계발 방향

비일치형 의사소통이 일치형으로 변화하기 위해 보완할 점은 나를 중심에 두고 나 자신의 감정과 행동을 자각하고 선택과 책임을 지며, 자신과 상대방을 배려하는 마음을 갖고 문화적 맥락에서 조화롭게 나와 상대편 양자의 문화적 맥락과 상황이 조화를 이루어야 한다**[그림 5-6]**. 일치형으로 변화시킬 때 어떤 것을 제거하는 것이 아니라, 이미 지각하고 인식하고 있는 내면의 경험에 새로운 경험을 추가한다. 자신이 지각한 사실을 있는 그대로 말하고, 신념, 의견, 사고, 감정 및 기대나 열망을 솔직히 표현해보도록 노력한다.

② Satir의 의사소통 유형검사

사티어의 의사소통 유형은 다음의 측정도구를 활용하여 확인할 수 있다**[표 5-6]**. 내용을 읽어보고 자신에게 해당하는 문항에 ○를 하여 각각에 해당하는 A, B, C, D, E형의 개수를 (　) 안에 기록한다(가장 숫자가 큰 값이 자신의 유형이다).

표 5-6 Satir의 의사소통 유형 측정 도구(Communication Stance Checklist)

번호	내용	구분
1	나는 상대방이 불편하게 보이면 비위를 맞추려고 한다.	A
2	나는 일이 잘못되었을 때 자주 상대방의 탓으로 돌린다.	B
3	나는 무슨 일이든지 조목조목 따지는 편이다.	C
4	나는 생각이 자주 바뀌고 동시에 여러 가지 행동을 하는 편이다.	D
5	나는 타인의 평가에 구애받지 않고 내 의견을 말한다.	E
6	나는 관계나 일이 잘못되었을 때 자주 내 탓으로 돌린다.	A
7	나는 다른 사람의 의견을 무시하고 내 의견을 주장하는 편이다.	B
8	나는 이성적이고 차분하며 냉정하게 생각한다.	C

표 5-6 Satir의 의사소통 유형 측정 도구(Communication Stance Checklist) (계속)

번호	내용	구분
9	나는 다른 사람들로부터 정신이 없거나 산만하다는 소리를 듣는다.	D
10	나는 부정적인 감정도 솔직하게 표현한다.	E
11	나는 지나치게 상대방을 의식해서 나의 생각이나 감정을 표현하는 것을 두려워한다.	A
12	나는 내 의견이 받아들여지지 않으면 화가 나서 언성을 높인다.	B
13	나는 나의 견해를 분명하게 표현하기 위해 객관적인 자료를 자주 인용한다.	C
14	나는 상황에 적절하지 못한 말이나 행동을 자주 하고 딴청을 피우는 편이다.	D
15	나는 다른 사람이 내게 부탁을 할 때 내가 원하지 않으면 거절한다.	E
16	나는 사람들의 얼굴 표정, 감정, 말투에 신경을 많이 쓴다.	A
17	나는 타인의 결점이나 잘못을 잘 찾아내어 비판한다.	B
18	나는 실수하지 않으려고 애를 쓰는 편이다.	C
19	나는 곤란하거나 난처할 때는 농담이나 유머로 그 상황을 바꾸려는 편이다.	D
20	나는 나 자신에 대해 편안하게 느낀다.	E
21	나는 타인을 배려하고 잘 돌봐주는 편이다.	A
22	나는 명령적이고 지시적인 말투를 자주 사용하기 때문에 상대가 공격받는 느낌을 받을 때가 있다.	B
23	나는 불편한 상황을 그대로 넘기지 못하고 시시비비를 따지는 편이다.	C
24	나는 불편한 상황에서는 안절부절못하거나 가만히 있지를 못한다.	D
25	나는 모험하는 것을 두려워하지 않는다.	E
26	나는 다른 사람들이 나를 싫어할까 두려워서 위축되거나 불안을 느낄 때가 많다.	A
27	나는 사소한 일에도 잘 흥분하거나 화를 낸다.	B
28	나는 현명하고 침착하지만 냉정하다는 말을 자주 듣는다.	C
29	나는 한 주제에 집중하기보다는 화제를 자주 바꾼다.	D
30	나는 다양한 경험에 개방적이다.	E
31	나는 타인의 요청을 거절하지 못하는 편이다.	A
32	나는 자주 근육이 긴장되고 목이 뻣뻣하며 혈압이 오르는 것을 느끼곤 한다.	B
33	나는 나의 감정을 표현하는 것이 힘들고 혼자인 느낌이 들 때가 많다.	C
34	나는 분위기가 침체되거나 지루해지면 분위기를 바꾸려 한다.	D
35	나는 나만의 독특한 개성을 존중한다.	E
36	나는 나 자신이 가치가 없는 것 같아 우울하게 느껴질 때가 많다.	A

표 5-6 Satir의 의사소통 유형 측정 도구(Communication Stance Checklist) (계속)

번호	내용	구분
37	나는 타인으로부터 비판적이거나 융통성이 없다는 말을 자주 듣기도 한다.	B
38	나는 목소리가 단조롭고 무표정하며 경직된 자세를 취하는 편이다.	C
39	나는 불안하면 호흡이 고르지 못하고 머리가 어지러운 경험을 하기도 한다.	D
40	나는 누가 나의 의견에 반대해도 감정이 상하지 않는다.	E

A형 : 회유형(　　), B형 : 비난형(　　), C형 : 초이성형(　　), D형 : 산만형(　　), E형 : 일치형(　　)

출처 : 김영애(2006). Satir 의사소통 훈련프로그램, 김영애 가족치료연구소,
주순화(2014). Satir의 의사소통 유형에 따른 아동의 사회성, 동아대학교 대학원 석사논문에서 재인용.

6 의사소통 방해 요인(메시지 내용과 발신자의 반응)

의사소통은 발신자와 수신자가 상호작용을 하면서 공감과 신뢰를 갖고 의사소통을 해야 하는데, 메시지의 내용이나 발신자의 반응에 의해 방해받을 수 있다. 의사소통과정에서 의사소통에 방해가 되는 메시지 요인은 다음과 같다.

- 이중적인 메시지 : 상반된 두 가지의 메시지가 동시에 전달되는 경우
- 애매모호한 메시지 : 수신자에게 의미가 없거나 여러 가지로 추측할 수 있게 만드는 메시지 경우
- 선택적 주의와 해석 : 메시지의 왜곡과 의미의 혼란을 가져올 수 있는 경우
- 과잉 메시지 : 수신자가 해석하고 반응할 수 있는 수준이나 양을 넘어선 경우
- 의식적 또는 순서의 부조화 : 습관적 행동양식에서 벗어난 메시지를 전달하거나 순서를 왜곡하는 경우
- 호환성의 부재 : 발신자의 눈 맞춤, 말씨 또는 잘 듣고 있다는 것이 수신자에 전달되지 않거나 이해가 안 되어 상호 교환이 안 되는 경우

다음은 수신자가 발신자가 강요하는 것으로 인식하거나, 발신자를 불신하게 되거나, 수신자가 수동적이 되거나, 이해하지 못하게 하는 발신자의 반응 요인은 다음과 같다.

- 도덕적 반응 : '네가 책임을 회피하고 있지 않니?'와 같은 도덕적이며 규범적인 반응은 상대방이 자기방어를 강화시킬 수 있다.
- 논리적 설득·지적·논쟁 : '이 문제를 한번 이성적으로 생각해봅시다.' 등과 같이 이성적으로 생각하도록 설득하거나 지적하는 것은 상대방으로부터 자기방어의 강화와 논쟁을 유발시킬 수 있다.
- 비판과 비난적 반응 : '왜 그렇게 했어요?'라고 표현하여 비판하는 것 같이 보이는 반응은 상대방의 저항과 공격을 유발시킬 수도 있다.
- 위협, 경고, 역공격적 반응 : '이렇게 하는 것이 좋을 겁니다. 그렇지 않으면 평생 후회할 겁니다.'와 같은 반응은 상대방에게 저항, 공격, 적개심 등을 유발시킬 수 있다.
- 성급한 조언과 해결책 제시 : 대상자에게 성급한 지시를 내리거나 판정을 해주면 상대방이 권위적으로 받아들이거나 수동적이 된다.
- 부적절한 질문유형 : '예'나 '아니요'로 답하는 폐쇄형 질문을 자주하거나, 여러 질문을 한꺼번에 많이 하는 중첩형 질문, 일정한 답을 유도하는 유도질문 등은 의사소통에 부정적인 요인이 될 수 있다.
- 겉치레적인 지지반응 : '모든 것이 잘 될 겁니다.', '정말 안됐군요.'와 같은 반응은 진심이 느껴지지 못하는 상황이라면 상대방이 절망하고, 자포자기 또는 무기력하게 만들 수도 있다.
- 추리적 해석 : 발신자가 상대방의 인식 범주를 넘어서거나 빗나가게 해석하는 것은 상대방의 저항을 유발시킬 수 있다.
- 라벨링(Labelling) : '주의집중결핍'과 같이 전문적인 처방을 내리거나 라벨링(딱지를 매기는 것)은 상대방이 당황하거나 자신을 병적이라고 받아들이게 된다.
- 지배적이고 명령적 태도 : 지배적이고 명령적인 언어적 반응은 상대방과의 대화와 관계형성에 부정적이고 부작용을 초래할 수 있다.
- 소극적 반응 : 소극적 반응 및 태도는 상대방의 신뢰감을 떨어뜨릴 수도 있다.
- 심한 자기노출 : 지나치게 자신에 대해서만 이야기하는 것은 상대방을 위한 의사소통이 될 수 없다. 또한 상대방에게 신뢰감을 얻지 못 하게 되어 실패할 수도 있다.
- 단순 반복과 어려운 말 남용 : 상대방으로부터 '그거 내가 한 말인데요.'라는 반응이 나올 정도로 상대방의 말을 단순히 반복하는 것은 수신자로부터 신뢰감을 상실할 수 있다.

- 사교적 대화 : 날씨, 뉴스, 그리고 취미 등 주제 내용이 가볍고 분산된 일반적인 대화는 처음 접하는 단계에서 서로 긴장을 완화하거나 개방을 유도할 때에 사용할 수도 있지만, 계속되어서는 안 된다.
- 지나친 풍자와 유머 : 상대방에게 긴장을 풀기 위해 유머는 필요하나 너무 지나치면 부정적인 관계가 형성될 수 있다.
- 어려운 용어나 문구 사용 : 상대방이 이해할 수 없는 어려운 문구나 필요하지 않은 용어는 되도록 사용하지 않고 정확하며 간결한 문장을 사용하는 것이 좋다.
- 부적절하거나 과도한 끼어들기 : 메시지의 내용을 명확히 하기 위해 적절하게 개입하는 것은 필요하지만, 시점이 적절하지 않거나 과도하게 끼어들면 상대방이 자신의 문제를 표출하는 것을 방해할 수도 있다.
- 지금-여기를 벗어난 반응 : 의사소통과정에서 발신자나 수신자는 서로의 과거나 미래 상황에 집착하지 않고 현재 상황의 문제나 행동 등에 초점을 맞추어 의사소통을 진행하는 것이 바람직하다.

REFERENCE

- 김영애(2006). Satir 의사소통 훈련프로그램. 김영애 가족치료연구소, 주순화(2014). Satir의 의사소통 유형에 따른 아동의 사회성. 동아대학교 대학원 석사논문에서 재인용.
- 김영애(2015). 사티어 빙상의사소통, 개정증보판. 김영애 가족치료연구소.
- 김현호, 공경배, 신종우, 이만수, 최인희(2016). NCS직업기초능력에 따른 의사소통능력. 양성원.
- 안효자, 이영내, 김명자, 김현미 외(2015). 인간관계와 의사소통, 제2판. 수문사.
- 양경희 외(2019). 건강한 인간관계를 위한 의사소통 기술. 퍼시픽북스.
- 양경희 외(2021). 건강한 인간관계를 위한 의사소통 기술, 제2판. 퍼시픽북스.
- 윤혜상(2009). 의료환경에서의 의사소통 및 인간관계, 개정3판. 청구문화사.
- 이경순, 이미경, 김경희(2014). 인간관계와 의사소통, 수정판. 현문사.
- 이광자, 고성희, 이숙, 김경희, 민소영, 최윤정, 이경희 외(2008). 인간관계와 의사소통의 실제. 신광출판사.
- Satir. V.(2000). Satir Model : Family Therapy and Beyond. 한국버지니아사티어 연구회 역. 김영애 가족치료연구소.

1. 보기 연습

- 짝을 정한다.
- 짝과 마주 보고 앉는다. 서로 짝을 주의 깊게 관찰한다.
- 차례로 상대방의 특징을 설명하도록 한다.
- 눈을 감고 상대방의 얼굴, 목, 몸, 의복, 악세사리 등에 대해 설명하도록 한다.
- 짝이 자신의 특징을 말하는 것을 주의 깊게 듣는다.
- 짝이 자신에게 볼 때의 느낌을 말하게 하며, 주의 깊게 볼 때는 어떤 느낌이었는지에 대해 말하게 한다.
- 관찰한 정보가 상대를 인식하거나 문제를 사정할 때 어떻게 사용되었는지를 토의한다.

2. Satir의 의사소통 유형 및 유형에 따른 자기계발 확인하기(워크북)

3 단원

의사소통의 전략과 기술

제6장 효율적 의사소통 | 제7장 비효율적 의사소통 | 제8장 비폭력대화

자신과 상대방의 의도, 생각, 감정들을 있는 그대로 전달하여 건강하고 바람직한 인간관계를 형성하고 유지하기 위해서 효율적 의사소통 기법을 활용하고 비효율적 대화 기법을 피하는 노력이 필요하다. 또한 수평적, 수직적 또는 전문인력 간에 개인적 또는 공적인 인간관계를 유지하는 데에는 비폭력적인 대화를 나누는 것이 매우 중요하다.

이 단원에서는 이러한 인간관계 향상을 위해 필요한 효율적 의사소통, 비효율적 의사소통 및 비폭력적 대화를 활용하도록 안내할 의사소통 전략과 기법을 소개한다.

Communication Skills for Healthy Relationships

06 장

효율적 의사소통

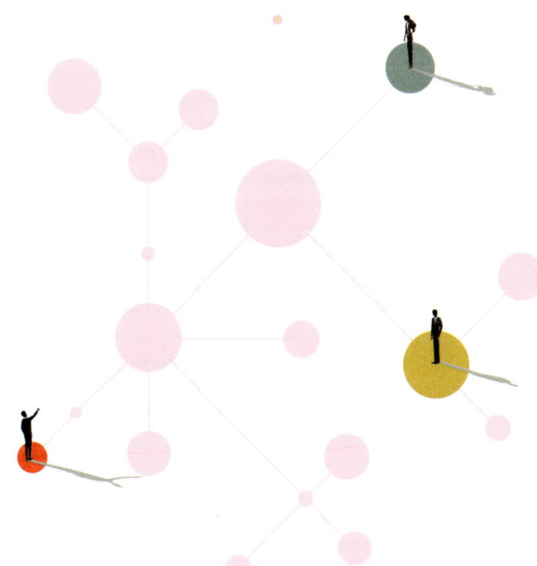

학·습·목·표

1. 효율적 의사소통의 종류를 설명한다.
2. 효율적 의사소통의 기법을 설명한다.

주·요·용·어

- 경청
- 공감
- 반영
- 명료화
- 직면
- 침묵
- 개방적 질문
- 정보제공
- 유머
- 자기노출하기

06 효율적 의사소통

효율적 의사소통은 대상자가 대화를 통해 자신을 이해하고 성숙을 향해 변화해 가도록 지지하고 돕는다. 효율적 의사소통을 위해 면담자는 기본적으로 경청과 공감 등의 대화 기법을 사용한다. 효율적 의사소통 기법을 이해하는 것은 정신·심리적인 치료에서 필수적 요소일 뿐만이 아니라 건강한 인간관계를 맺고 유지하는 데도 매우 중요하다.

1 경청(Active listening)

경청의 사전적 의미는 '귀를 기울여 듣는 것'이다. 단순히 상대방의 말을 귀로 듣는다는 것 이상을 의미한다. 경청(傾聽)의 한자를 풀이하면, 경(傾)은 마음을 기울이는 의미이고, 청(聽)은 '말을 귀(耳)로 듣고, 눈(目)으로 듣고, 느끼는(心) 사람(王)이라는 의미를 나타내는 것으로서, 경청은 단순히 귀로 듣는 것이 아닌, 마음을 기울여 느끼고 살펴 듣는다는 의미를 표현하고 있다. 진정한 경청은 상대방의 말을 귀가 아닌 가슴으로 듣고, 머리가 아닌 마음으로 이해하려고 노력하는 것이다. 경청은 상대방에게 자신이 가치 있는 존재이며 이해받고 존중받고 있다는 느낌을 전달한다. 시카고 대학교 제라드 에간(Gerard Egan, 1986) 교수는 건강과 사회복지분야의 전문가들이 대상자를 조력할 때 사용하는 비언어적 청취 과정에서의 핵심기술을 SOLER라는 약어로 소개하였다. S(sit squarely)는 대상자에게 정면 응시를 피하여 비스듬히 앉는다. O(maintain an open posture)는 열린 마음의 자세를 유지하는 것으로 팔이나 다리를 꼬지 않는다. L(lean forwards)은 대상자편으로 약간 몸을 기울여 관심이 있다는 것을 보인다. E(maintain eye contact)는 대상자와 눈을 맞춘다. R(relax)은 면담자가 편안한 몸동작으로 대상자의 말을 들어주고 있음을 알게 하여 긴장하지 않고 편안하게 말하도록 한다.

효율적 의사소통을 하는데 필요한 경청의 자세를 간단히 다음과 같이 정리한다[표 6-1].

표 6-1 경청을 위한 팁

- 개방적인 태도를 취한다.
- 상대방을 바라본다.
- 상대방 쪽으로 몸을 기울인다.
- 자연스러운 시선 접촉을 유지한다.
- 편안하고 자연스러운 자세를 유지한다. 팔짱을 끼거나 다리를 꼬지 않는다.
- 자연스러운 목소리의 어조와 속도를 유지한다.
- 상대방을 수용하고 있다는 것을 표현하기 위해 고개를 끄덕이거나 미소를 짓는다.
- "그렇군요", "아~", "그래서…" 같은 수용반응을 한다.

1 경청 기법

1) 주의 집중하여 듣기(listen attentively)

관심을 기울이며 듣는 것은 가장 기본적인 단계이다. 방관적, 평가적, 비판적, 설교적인 태도를 지양하며, 상대방에게 주의를 집중하여 그에게 초점을 맞추어 듣는다.

2) 침묵으로 경청하기(to listen in silence)

대상자가 침묵하는 상황에서도 당황하거나 끼어들지 않는다. 무슨 말을 해 주어야 된다는 생각을 버리고, 그의 말을 잘 듣고 있다는 마음만 전해지도록 조용히 기다려 준다. 대상자가 생각을 정리할 시간을 주어 스스로 이야기하도록 한다.

3) 수용하기(to accept)

상대방을 '옳다, 그르다'의 판단이 아닌, 현재 상황 그대로의 인간으로 받아들이며 어떤 말을 어떻게 표현한다고 해도 비평하지 않는다.

4) 주제에 대해 계속 말하도록 반응하기(encourage the story to continue)

'아, 네.', '그랬었군요.'라고 반응하고, 이야기 중단되는 상황에서는 '네, 그래서 어떻게 되었지요.' 라고 말하며, 주제에 대해 계속 이야기 하도록 유도한다.

2 소극적 경청, 적극적 경청

소극적 경청은 일방적으로 음악을 듣거나 설교를 듣는다든가 할 때이다. 적극적인 경청은 듣는 사람이 말하는 사람의 메시지를 이해하고 신중하게 응답하며 말한 내용을 기억하며 말하는 사람의 행동과 몸짓을 관찰하여 좀 더 깊이 있게 만나는 것이다. 적극적 경청은 상담과 교육, 갈등해결에 사용되는 중요한 기술이다.

적극적 경청의 단계는 다음과 같다. 첫째, 상대방이 말한 내용을 넘겨짚거나 선택적으로 듣지 않고 사실적으로 듣는다(내용 수용). 둘째, 상대방의 성격 수준으로 듣는다. 셋째, 상대방이 지각한 현실을 파악한다. 넷째, 상대방의 감정을 공감한다. 마지막으로 상대방이 말하는 내용에서 긍정적 의도를 파악하여 표현한다. 다섯째, 상대방의 긍정적인 숨은 의도를 파악한다. 또한, 면담자가 평가적, 해석적, 지나친 감정적 지지나 캐묻기 또는 조언할 경우 대상자는 대화를 은폐하거나, 면담자에게 반항 또는 적대감을 가지게 되어 부정적 방어기제를 사용할 수 있으므로 유의한다.

2 공감(Empathy)

공감(empathy)의 사전적 의미는 안을 뜻하는 'en'과 고통이나 감정을 뜻하는 'pathos'의 합성어이다. 공감은 상대방의 느낌, 감정, 사고 등을 정확히 이해하고, 이해된 바를 정확하게 상대방과 소통하는 것이다.

공감과 동정은 일상생활에서 종종 같은 의미로 사용된다. 그러나 동정(sympathy)은 객관성을 잃고 다른 사람의 요구와 문제를 자신의 것처럼 느껴 상대방을 불쌍히 여기는 등 면담자의 관점에서 느낀 감정을 말하는 것인 반면, 공감은 객관성을 유지하면서도 상대방 관점에서 느낌과 감정, 사고를 파악하여 표현하는 것이라는 점에 있어서 차이가 있다. 즉, 공감은 자신의 입장을 버리고 다른 사람의 입장으로 완전히 이동하는 것이 아니라, 대상자가 경험한 내용을 그 대상자와 같은 수준으로 감정 이입을 통하여 경험해 본 후 객관적으로 대상자의 느낌과 감정을 말하여 주는 것이다.

공감에는 유연한 자아경계가 필요하며, 상대방이 말한 내용을 가감하지 않고 정확하고 구체적으로 표현하며 공감한다. 감정이입으로 상대방의 관점과 입장에서 상황을 충분히 이해하고, 언어적 공감을 표현할 때는 언어 뿐 아니라, 언어 이면에 내포된 감정적 의미를 포착하여 이와 관련된 자신의 느낌을 자세, 어조, 표정, 제스처 등에서 진실성을 느낄 수 있도록 한다. 따뜻하고 진정한 관심과 배려하는 마음이 실려야 한다. 즉, 공감을 표현하기 전에 다른 사람의 입장에서 지각하며 언어적 공감표현시 명확하고 구체적인 언어로 반영하는 것이 중요하다. 공감표현으로는 감정을 확인하기, 공감표현하기, 존중하기, 정당성 확인, 특이성 추인과 같은 방법이 일반적으로 사용되고, 지지하기, 덮어주기, 요약하기 등이 사용된다.

공감은 적극적인 경청을 통해 이해하고 반영함으로써 신뢰관계가 형성되어 대상자가 자신을 드러내 보이고 과정이 촉진되어 문제해결적인 변화와 성장적인 변화를 가져온다. 가장 높은 수준의 공감적 이해는 가능성 있는 내면의 동기를 찾게 하여 긍정적인 성장 동기를 외현화시키는 반응을 일으킨다.

공감적 반응에는 아래와 같이 5가지 수준으로 구분하면 적용하는 데 도움이 된다**[표 6-2]**.

표 6-2 공감적 반응의 수준

상황 : 친구와 며칠 전 사소한 문제 때문에 말다툼을 해서 서로 말도 안 하고 지내요. 그 후 먼저 화해하려고 하는데 그게 잘 안돼요.	
1수준	상대방이 명백하게 표현한 표면적인 감정조차도 제대로 인식하지 못하는 의사소통 수준으로 상대방의 말에 주의를 기울이지 않고 응답이 부적절하거나 어긋난다. "너는 적극성이 부족해, 그러니 친구가 있겠니?"
2수준	상대방이 표현한 감정에 반응은 하지만 상대방이 표현한 것 중에서 주목할 만한 감정을 제외시키고 의사소통하는 수준이다. "친구하고 사이가 안 좋은가 보네."
3수준	상대방이 표현한 것과 본질적으로 같은 정서와 의미를 표현하여 상호교류적인 의사소통을 하는 수준이다. "친구하고 말다툼을 하고 나니 마음이 편치 않은가 보구나."
4수준	상대방의 암묵적인 기본 감정이나 문제의 측면을 정확하게 구별한다. 대상자가 심층적 감정과 비합리적인 의미와 행동 목적을 접하도록 해준다. "사소한 문제로 친구와 다투고 화가 났었구나. 말도 안하고 지내려니 후회가 되는구나."
5수준	현재 상대방의 감정, 경험 및 느낌을 이전에 표현한 것과 연결하여 묵시적인 패턴이나 주제 또는 목적을 정확하게 구분하여 상대방의 긍정적 동기를 찾아서 반영한다. 또한 대화의 맥락에 적합한 목소리와 강도를 사용하여 정확하게 반응한다. 상대방의 적극적인 성장 동기를 파악하여 표현한다. "사소한 문제로 화가 나서 말다툼을 했지만 지나고 보니 후회가 되고, 그 친구와 화해하고 그 전처럼 친하게 지내고 싶구나."

출처 : Truax and Carkhuff(1967). Communication Scale에서 적용함.

3 반영(Reflecting)

반영은 면담자가 대상자의 말을 다시 말해주거나(mirroring) 바꾸어 말해주는 것(paraphrasing)이다. 이를 통해 면담자가 대상자 자신의 말을 잘 듣고 있다는 것을 보여주고 상대방이 자신의 생각과 느낌에 집중하도록 돕는다. 바꾸어 말해주는 것은 다른 단어를 사용할 수도 있으며, 대상자가 자신의 말을 잘 들어주고 있다는 것을 보여주는 것 외에도 자신의 말을 잘 이해하려고 노력하고 있다는 것을 보여주는 장점이 있다.

반영은 면담자가 대상자가 말하지 않은 새로운 주제를 소개하거나 질문하지 않는다. "당신은 ~라고 말하셨지요?", 또는 "당신의 말은 ~ 의미로 들립니다." 또는 "당신은 ~하시군요." 라고 표현한다. 반영은 단순히 내용을 반영하기도 하고 내용에 따른 감정 또는 느낌을 결합하는 게 필요하다.

내용 반영(Reflecting content)은 상대방이 말하고자 하는 내용을 간결하고 분명하게 말해주는 것으로, 상대방이 말한 내용을 서술적이고 인지적인 단어를 사용하여 말하는 것이다.

- 대상자 : "우리 아버지는 대장암으로 고생하다 돌아가셨거든요. 우리 형제들은 그 유전자를 누가 물려받았을까 탐색하는 중입니다."
- 면담자 : "아버지가 대장암으로 돌아가셔서 형제들 중 유전자를 물려받았을까 탐색 중이시군요."

다음은 감정반영(reflecting feeling or emotion)을 포함한 사례이다.

- 대상자 : "우리 아버지는 대장암으로 고생하다 돌아가셨거든요. 우리 형제들은 그 유전자를 누가 물려받았을까 탐색하는 중입니다."
- 면담자 : "아버지가 대장암으로 돌아가셔서 형제들 중 유전자를 물려받았을까 탐색 중이시군요. 당신은 걱정이 되시군요."

내용반영과 감정반영의 다른 사례를 다음과 같이 든다.

- 대상자 : "아버지는 내가 어떤 제안을 하기만 하면 틀렸다고 반대만 해요."
- 면담자 : "아, 당신의 아버지는 당신이 어떤 제안만 하면 틀렸다고 반대만 한다고 생각하시는군요. 당신은 화가 나겠네요?"

이런 상황에서 다음과 같이 감정의 정도나 강도를 포함하는 것이 의미의 이해를 더 분명하게 해줄 수 있다.

- 대상자 : "아버지는 내가 어떤 제안을 하기만 하면 틀렸다고 반대만 해요."
- 면담자 : "아, 당신의 아버지는 당신이 어떤 제안만 하면 틀렸다고 반대만 한다고 생각하는군요. 당신은 매우 화가 나겠네요?"

4 명료화(Clarification)

명료화는 상대방이 말한 내용이나 느낌이 모호할 때 명확히 하도록 유도하는 것이다. 사람들은 각기 생각과 경험이 다르기 때문에 같은 말이라도 다른 의미로 해석할 수 있다. 또한 말하기 곤란한 내용이나 감정을 직접적으로 표현하기보다는 비유적이고 은유적으로 표현할 때가 있다. 명료화 기법을 사용할 때 서로의 생각과 감정을 일치시킴으로써 불필요한 오해를 방지할 수 있으며, 상대방의 말에 관심을 가지고 있음을 간접적으로 전달하게 된다.

- 대상자 : "나는 우리 학교가 너무 싫어요. 마치 '죽은 시인의 사회' 같아요."
- 면담자 : "제가 확실히 이해를 못했는데 다시 한 번 말해주시겠어요? '죽은 시인의 사회' 같다는 말이 무슨 뜻입니까?"

5 바꾸어 말하기(Paraphrasing)와 반복해서 말하기(Restating)

바꾸어 말하기는 상대방의 말을 같은 의미로 쓰이는 다른 단어와 문장으로 표현하는 것이다. 특히, 다소 긴 문장이나 전체적인 내용을 확인할 때 사용한다.

- 대상자 : "감기 때문에 약을 먹었는데, 약 때문인지 자꾸 잠이 와요. 수업시간에도 교수님 말씀이 하나도 안 들리고, 자꾸 졸리고, 노트필기를 하나도 하지 못했어요. 이번 시험은 정말 자신이 없어요."
- 면담자 : "감기약 부작용 때문에 졸려서 수업에 집중하지 못했구나."

반복해서 말하기는 상대방의 말 중에서 핵심적인 단어들을 반복해서 말하는 것이다. 비교적 짧은 한두 문장에 사용한다. 상대방의 말을 반복해서 말해줄 때 자신의 말을 잘 듣고 있다는 느낌을 전달함으로써 존중과 인정의 욕구를 충족시켜 줄 수 있다.

- 대상자 : "어제 밤늦게 커피를 마셨더니 잠이 안 와서 밤을 꼬박 새웠어요."
- 면담자 : "밤늦게 커피를 마셔서 밤을 새웠구나!"

6 침묵(Silence)

침묵은 가장 어려우면서도 종종 효율적인 의사소통 기술이 되기도 한다. 상호작용을 하는 동안 대상자가 생각하는 여유를 주고 말을 시작하도록 그들의 침묵을 의도적으로 중단시키지 않는 것이다. 대상자들이 침묵을 할 때에는 경청하며 기다리는 시간이 필요하다. 즉, 상대방에게 생각을 정리할 시간을 주어 통찰력을 얻도록 도와주며, 대상자가 자신의 속도로 차근차근 말할 수 있게 한다.

침묵으로 상호작용하는 동안 상대방에게 시선을 유지하면서 비언어적으로 관심을 표현할 수 있다. 침묵하는 동안에도 주의를 집중하는 모습을 보이는 것은 상대방이 자신의 말을 경청하고 있다는 것을 알도록 하는데 특히 효과적이다.

7 수용(Accepting)

수용은 판단하지 않고 관심 있는 태도로 대상자를 있는 그대로의 모습으로 받아들임으로써 대상자를 지지하는 것이다. 면담자 판단으로 '옳다거나', '그르다거나' 하는 데에서 나오는 태도가 아니라 대상자의 입장을 있는 그대로 받아들이는 것으로 단순한 동의나 칭찬과는 다르다.

면담자는 대상자에게 주의를 기울이고 있으며, 대상자의 말을 받아들이고 있다는 것을 언어적 또는 비언어적으로 표현하는 것이다. 온화한 시선과 얼굴 표정으로 고개를 끄덕이며, "아, 네, 그렇군요.", "음, 계속하세요." 같이 짧은 문구로 표현하는 반응을 한다.

수용적 태도는 대상자가 이야기하고자 하는 것을 자유롭게 말할 수 있게 함으로써 대상자의 자신감을 증진시키고 긴장감을 해소시켜 준다. 특히 수용은 상담 초기에 면담자와 대상자 간의 관계에서 신뢰를 형성하고 공감으로 발전시키는데 매우 큰 역할을 한다.

- 대상자 : "어제는 하루 종일 우울한 기분이었어요. 그래서 아들에게 화를 내고 말았어요."
- 면담자 : "아. 그러셨군요. 음…"

8 개방적 질문(Open-ended question)

질문은 대상자의 자기탐색과 이해를 돕는 유용한 기법이다. 그러나 폐쇄적 질문을 사용한다면 오히려 대상자를 혼란시키거나 위축시키기도 한다. 예를 들면, "친구가 도움을 줄 수 없을 것 같다는 그 말을 하였을 때 당혹스러웠나요?"라는 폐쇄적 질문은 '예' 또는 '아니오'로 대상자에게 특정한 답변만 요구하게 되며, 대화를 쉽게 중단시키거나 대상자의 성격이나 습관에 따라 반응이 표현될 수 있다.

반면, 개방적인 질문은 대상자의 관점, 사고, 의견, 감정을 이끌어 낼 수 있으며, 대상자 스스로 자신의 반응을 되돌아보고 표현할 수 있는 기회를 제공한다. 개방적 질문은 대상자에게 말할 수 있는 기회를 주는 방법으로 특정한 주제에 대한 것이 아닌 상대방과의 대화를 이끌기 위하여 일반적인 질문을 하는 것이다. 개방적 질문은 폐쇄적 질문에 비해 더 길고 더 깊은 반응을 이끌어내도록 하여 강력하고 생산적으로 활용된다. 개방적 질문은 가급적이면 한 번에 한 가지씩 단일 질문을 하는 것이 좋다.

- 면담자 : "친구가 도움이 줄 수 없을 것 같다는 말을 들었을 때 느낌이 어땠나요?"
- 대상자 : "너무 슬펐어요."
- 면담자 : "지금 당신은 어떻게 느끼시나요?"
- 대상자 : "말하고 나니까 많이 풀렸어요. 그런데 저는 가망이 없는 것 같아요."
- 면담자 : "당신이 가망이 없다고 생각하시는 이유는 무엇인가요?"
- 대상자 : "아무도 도와주지 않으면 저는 아무 것도 혼자 할 수 없을 것 같아요."

9 초점 맞추기(Focusing)

초점 맞추기는 대상자가 산만하게 얘기하는 경우 한 가지 주제에만 집중하게 하는 것으로 중요한 주제에 관한 이야기를 좀 더 진행되도록 도와주는 방법이다. 이 기법은 여러 문제가 있지만 어디서부터 해결해야 할지 모르는 대상자에게 유용하며, 대상자로 하여금 문제를 확인하고 상대적으로 중요한 것부터 순서를 정하여 처리하도록 도와준다.

- 면담자 : "당신이 말씀하셨던 고민 중에 어느 것이 가장 곤란한가요?"
- 면담자 : "지금 무슨 일이 가장 중요하다고 생각되시나요?"

10 직면(Confrontation)

직면은 대상자의 말과 행동 사이에 모순점이 보일 때, 주의를 환기시킬 목적으로 대상자에게 직접적으로 현실을 자각하게 하는 것이다. 사람은 누구나 의식적으로나 무의식적으로 자신을 은폐하고 포장하려는 심리가 있어서 모순된 대화로 나타난다.

대상자의 대화 내용 속에서 발견되는 모순, 왜곡, 변명이나 언행의 불일치, 부정적 방어기제 등은 직면의 대상이 된다. 직면이 적용되는 상황으로는 대상자의 말과 행동이 일치하지 않거나, 앞에서 한 말과 뒤에서 한 말 사이에 불일치가 있을 때 적용하여 대상자가 스스로 자신을 통찰하고 긍정적으로 변화할 수 있는 계기를 제공한다.

직면은 대상자를 무조건적으로 이해해 주고 공감을 표현해 주는 것과는 느낌이 다르다. 공감은 대상자를 편안하게 만들어 주지만, 직면은 지적당하고 비판받고 도전받는다고 느끼게 할 수도 있어 불쾌감을 주거나 당황하게 하거나 분노를 일으킬 수 있는 모험이 따른다. 직면을 적절하게 사용하지 못하면 대상자와의 관계가 소원해질 수 있다.

따라서 직면 전에 면담자가 충분한 공감과 존중이 선행되는 것이 무엇보다 중요하며, 직면을 사용하는 시기와 대상자의 준비성 여부를 고려해야 한다. 그렇다고 에둘러 말하거나 빙빙 돌려 말하거나 비유법을 사용하는 것은 대상자가 잘 알아차리지 못하여 효과가 없는 경우가 발생한다.

직면 반응에서 중요한 방법은 대상에게 문제 상황을 사실대로 진술하면서도 상대방이 존중 받는다는 느낌이 들도록 상대를 배려하는 것이 중요하다.

직면 반응에 대한 방법은 다음과 같다.

첫째, 상대방의 비효과적인 문제 행동에 초점을 맞추어 변화해야 하는 행동을 명확하게 표현한다. 개인의 인격이 아닌 행동 자체에 초점을 맞추므로 인격에 손상을 주려는 의도가 아님을 잘 전달하도록 표현한다.

둘째, 상대방의 행동이 무엇 때문에 문제가 되는지를 '나 진술' 하기로 명확하게 진술한다. 그 자신의 행동이 다른 사람을 어떠한 이유로 자극하며, 그러한 행동이 자신이나 타인에게 어떠한 해를 끼치는지에 대하여 표현하는 것이다.

셋째, 상대방으로 하여금 문제가 일어나게 된 행동을 변화하도록 정중하게 부탁한다.

넷째, 상대방이 문제 행동을 변화했을 경우에 일어날 수 있는 긍정적인 결과에 대하여 이야기하여 행동이 변화할 수 있도록 격려한다. 행동 변화가 일어나지 않았을 경우 초래될 수 있는 부정적인 영향에 대해서 강조한다.

사례 1

지연이는 강의시간에 자주 지각을 한다. 지연이는 강의가 시작되어서 강의실에 들어와 내 옆구리를 건드리며, 책 몇 페이지, 프린트 어디 나가? 이렇게 물어본다. 오늘 생리학 시간에 교수님이 호르몬 기전에 대해 설명하시는데도 집중할 수가 없었다. 가뜩이나 이해하기 어려운 과목인데 집중을 못하게 되어 강의내용을 놓치게 되니까 짜증나고 속상하다. 지연이에게 직면하기를 사용해보기로 한다.

1. 비효과적인 문제행동에 초점 두기

"지연아! 네가 생리학 시간에 늦게 들어와 나한테 '교재 몇 페이지 나가냐', '프린트는 어디 하는 중이냐'라고 물으니 내가 강의에 집중이 안 돼."

2. '나' 진술하기

"네가 그렇게 나를 건드리며 물어보니 내가 강의에 집중할 수 없고 이해가 잘 안되어서 속상하고 짜증나."

3. **부탁하기**

"다음부터는 강의시간에 미리 와서 내가 어려움을 겪지 않도록 하면 좋겠어. 아니면 쉬는 시간에 내가 도와줄게."

4. **격려하기**

"그렇게 하면 우리 둘 다 공부하는데 훨씬 편안하고 도움이 될 거 같아."

▌사례 2▐

조별 과제를 하는데 민서는 의견 제시는 안 하면서 다른 친구들이 의견을 내면 "그것은 말이 안 돼.", "그것은 곤란하지.' 등의 반응을 하여 열심히 의논을 하는 친구들의 사기를 떨어뜨린다. 몇 번인가 자신의 의견을 묵살 당했다고 생각한 나경이는 드디어 화가 난 상황이다.

1. **비효과적인 문제행동에 초점 두기**

"민서야, 네가 자기 의견은 내지 않으면서 다른 사람 의견에 대해 반대만 하네."

2. **'나' 진술하기**

"나는 네가 의견을 제시하지 않고 우리 의견만 반대하니 마음이 불편하고 화가 난다."

3. **행동 변화 부탁하기**

"너도 우리와 같이 자기 의견도 제시하면서 함께 논의하면 좋겠어. 부탁한다."

4. **격려하기**

"그러면 우리 조가 더 멋지고 훌륭한 과제를 수행할 수 있지 않겠니."

11 정보제공(Providing information)

정보제공은 대상자가 원하거나 꼭 필요한 경우에 전문가로서 대상자에게 필요한 지식을 알려주고, 질문에 답해주는 것이다. 정보를 제공하는 것과 충고는 중요한 차이가 있다. 충고는 자기가 판단한 어떤 의견을 주는 것이지만, 정보제공은 대상자가 어떤 선택을 하거나 결정을 내릴 때 필요한 경우나 그것을 대상자가 따르지 않으면 곤란할 경우에 면담자가 정보를 제공하는 것이다. 병원에서 환자에게 정보를 제공하는 것은 병원의 시설과 지켜야 할 병원규칙이나 치료를 위해 실천해야 할 식이요법, 투약 및 검사를 위한 지시사항 등이 포함된다.

- 면담자(충고) : "당신은 고혈압인데 약을 잘 드시나요? 김○○님처럼 규칙적으로 드시지 않으면 소용이 없어요."
- 면담자(정보제공) : "약을 규칙적으로 드시는 것이 중요합니다. 왜냐하면~~."

12 요약하기(Summarizing)

요약하기는 대상자가 표현한 말의 내용, 사실적 정보와 그에 대한 감정과 의미를 한데 묶어 간추려서 간략하게 정리해서 표현하여 주제를 명확하게 전달하는 기법이다. 요약하기는 때때로 대상자의 진술과정에 대해서 언급함으로써 현재의 대화나 관계가 어떻게 진행되고 있으며, 현재 어느 수준이나 어느 단계에 있는지를 파악하는 데 도움을 준다.

보통 매회 상담이 시작과 끝나는 시점에 하며, 상담하는 시간 중에 대상자가 말하는 주제가 모호하게 말하여 핵심이 벗어난 것처럼 느껴질 때, 또는 대상자가 어떤 주제에 대해 하고자 했던 말을 다 마친 것처럼 보일 때 요약하여 정리해준다. 면담자는 중요한 문제를 강조하여 대화 내용을 요약해줌으로써 대상자에게 자신이 이해받고 있다는 느낌을 갖게 한다.

- 면담자 : "지난 시간에 우리는 …에 대해 얘기를 나누었습니다."
- 면담자 : "○○○님은 지금까지 …을 말씀하셨습니다."

13 유머(Humor)

유머는 자신이나 타인에게 불쾌한 감정을 느끼지 않게 하면서 자기 느낌을 공개적으로 표현하는 것으로 건설적인 유머는 의사소통의 장벽을 깨는 효율적 의사소통 기법이다. 유머는 사람들을 기분 좋고 가깝게 해주어 부담스러운 인간관계를 완화시켜 줄 뿐만 아니라 스트레스나 두려움, 걱정을 일시적으로 완화시켜 주는 기능을 한다. 그러나 유머는 문화가 다르거나 제대로 이해하지 못하거나 의심이 많고 망상이 있는 대상자나 아직 신뢰관계에 확신이 없는 관계에서는 개인적인 공격으로 오해할 수 있으므로 사용할 때 유의하여야 한다.

14 자기노출하기(Self-disclosure)

자기노출이란 면담자가 대상자의 문제 상황과 유사한 상황에 대한 경험을 노출하는 것으로 대상자와 치료적 관계 형성을 위해서 효율적으로 사용할 수 있는 의사소통 기법이다.

대상자는 면담자가 자기와 비슷한 경험을 한 사람으로 알게 되어 인간적인 친밀감을 느껴 안심하고, 때로는 면담자가 노출한 상황이 자신의 문제해결을 위한 롤모델이 될 때, 보다 신뢰적인 조력 관계가 될 수 있다. 그러나 지나친 노출이나 허물없는 관계는 조력관계 또는 치료적 관계에서 사적인 관계로 전락하여 면담자와 대상자의 경계가 손상당할 수 있어 유의하여야 한다.

- 대상자 : "전 가끔 다른 사람이 자기 자랑을 하는 것을 들으면 내가 초라해 보이는 경우가 있어요."
- 면담자 : "아, 저도 그런 경우가 있어요. 내가 가지고 있지 않은 어떤 것을 남이 가지고 있다고 자랑할 때 그가 부럽고 내가 초라하게 느껴지기도 하더라구요."

REFERENCE

- 도복늠, 김영숙, 김태경, 김현미 외(2016). 인간관계와 커뮤니케이션, 넷째판. 정담미디어.
- 안효자, 이영내, 김명자, 김현미 외(2018). 인간관계와 의사소통. 수문사.
- 양경희 외(2019). 건강한 인간관계를 위한 의사소통 기술. 퍼시픽북스.
- 양경희 외(2021). 건강한 인간관계를 위한 의사소통 기술, 제2판. 퍼시픽북스.
- 양수, 이경순, 이정섭, 권혜진 외(2018). 정신간호학, 제5판. 현문사.
- 이경순, 이미경, 김경희(2014). A To Z 인간관계와 의사소통, 수정판. 현문사.
- 이광자(2011). 의사소통과 간호. 신광출판사.
- 이숙, 권명진, 김순오, 박명희 외(2017). 인간관계와 의사소통. 대한나래출판사.
- 한금선, 양승희, 손정남, 박정원 외(2018). 의사소통과 인간관계론, 제4판. 고문사.
- C. B. Truax & R. R. Carkhuff(1967). Toward effective counseling and psychotherapy. Chicago : Aldine.
- Truax and Carkhuff(1967). Communication Scale, https://www.counsellingtrainingliverpool.org.uk/blog/exploring-the-five-levels-of-empathy.
- Gerard Egan-The Skilled Helper-SOLER, https://www.youtube.com/watch?v=ZBjhUJ0qzyU
- What is the SOLER theory, https://prezi.com/cxqj6cwh7uv7/copy-of-egans-soler-principles

07장

비효율적 의사소통

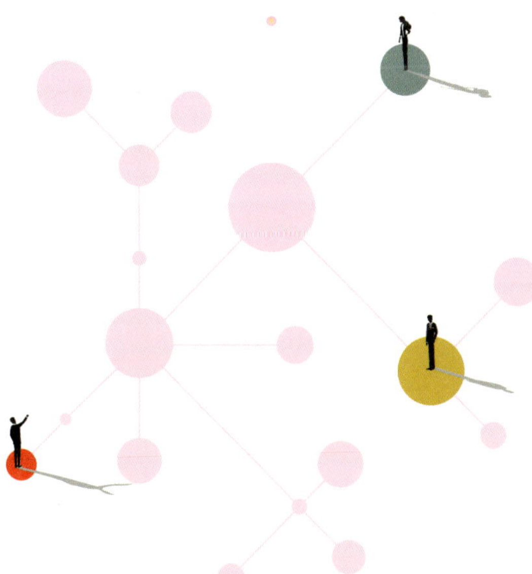

학·습·목·표

1. 비효율적 의사소통의 기법을 설명한다.
2. 치료에 방해되는 면담자의 방해요인에 대하여 설명한다.
3. 치료에 방해되는 대상자의 방해요인에 대하여 설명한다.
4. 치료에 방해되는 환경적인 방해요인에 대하여 설명한다.

주·요·용·어

- 안심시키기
- 과도하게 칭찬하기
- 거부하기
- 비난하기
- 동의하기
- 충고하기
- 시험하기
- 도전하기
- 방어하기
- 설명요구하기
- 상투적
- 부정하기
- 논쟁하기
- 판단하기

07 비효율적 의사소통

인간관계에서 긍정적인 의사소통으로 안내하는 효율적인 의사소통과는 달리 인간관계를 어렵게 하거나 악화시키는 방해요인들이 있다. 의사소통의 방해요인들은 면담자와 대상자의 입장에서도 존재하며, 물리적 환경요인도 포함된다. 또한 약간의 경우에 순기능의 효과도 있을 수 있으나, 대부분이 부정적인 결과를 초래하게 되는 기법들도 있어 이러한 것들을 비효율적 의사소통 기법이라고 한다. 이러한 의사소통 방식을 통칭하여 비효율적 의사소통으로 기술한다.

1 일시적으로 안심시키기

대상자가 불안하고 걱정될 때, 긴장을 하지 않고 안심하도록 지지하는 것은 매우 중요하다. 그러나 대상자에게 현실적인 문제가 있음에도 불구하고 불안해하지 말라고 한다거나, 불안할 일이 아니라고 말하거나, 다 잘될 것이라고 말하는 것은 대상자의 현실을 무시하거나 감정을 경시하는 태도로 보일 수 있다.

또한, 일시적 안심은 대상자에게 잠시 동안은 위로가 될지 모르지만, 자신의 문제나 감정을 진지하게 탐색하고 표현할 충분한 기회를 갖지 못하게 한다. 이러한 반응은 결과적으로 대상자의 상태에 대한 표현을 차단하고 대상자의 문제를 제대로 탐구하지 못하게 함으로써 불안을 효과적으로 해결하는 것을 방해한다.

- 면담자 : "○○님은 잘 하고 있어요. 그 일에 대해서는 걱정하지 않으셔도 될 거에요."
- 면담자 : "모든 것이 잘 될 거예요."

이럴 때는 불안한 심정을 공감해주고 불안한 것에 대해 이야기 할 수 있도록 지지한다.

- 면담자 : "○○님이 ~~에 대해서 걱정하고 계시는군요. 자! 편안하게 숨을 크게 내쉬고 저하고 걱정되는 것에 대해서 한번 의견을 나누어 보실까요!"

2 과도하게 칭찬하기

대상자의 생각이나 행동에 대해 과도하게 칭찬해 주는 것은 선심 쓰는 것처럼 보이거나 면담자가 바라는 행동을 교묘하게 조장하는 것으로 보여 신뢰감을 상실할 수 있다. 대상자는 면담자의 칭찬이 자신의 행동과 일치하지 않는다고 여길 때 불안이나 저항감을 불러일으킬 수 있다. 또한, 대상자에게 어떠한 상황에서도 칭찬한 행동을 지속해야 할 것 같은 부담감을 주고, 칭찬한 행동을 못하게 되는 상황에서 솔직하게 자신의 감정을 표현할 수 없게 한다.

대상자의 행동이 면담자의 칭찬에 의해 좌우될 수 있으며, 면담자가 대상자의 행동을 평가함으로써 대상자 우위에 있다는 느낌을 들게 하여 자존감 저하를 가져올 수 있다. 그러나, 칭찬은 적절한 시간 간격과 횟수를 고려하면 효과적이다.

- 면담자 : "잘 하셨어요."
- 면담자 : "좋습니다."
- 면담자 : "○○님이 ~하셔서 너무 기쁩니다."

3 거부하기

대상자의 생각이나 행동에 대해 심사숙고하지 않고, 대상자의 느낌이나 주제에 대하여 이야기 나누는 것을 거부하는 것이다. 대상자는 거절당했을 때 대화뿐만 아니라 자신이 거절당한 느낌을 갖게 되어 기분이 나쁘고 실망감을 느끼게 된다.

- 면담자 : "그런 것은 이야기 하고 싶지 않아요."

- 면담자 : "…은 논의하지 맙시다."
- 면담자 : "우울한 주제에 대해 이야기 하지 마세요."

4 비난하기

면담자가 대상자의 행동이나 생각, 감정을 판단하여 비난하는 것이다. 이러한 반응은 면담자가 대상자를 무능력하고 어리석다고 판단하고 있음을 암시하므로 대화가 단절된다.

- 면담자 : "그건 좋지 않아요. 어떻게 그런 행동을 할 수가 있지요?"
- 면담자 : "당신이 어머니에 대해 그런 방법으로 느끼는 것은 옳지 않아요."
- 면담자 : "당신은 …을 신중하게 생각하지 않는 것 같아요."

5 성급하게 동의하기

대상자의 의견이 면담자의 생각과 같다고 재빨리 동의해 줌으로써 대상자가 다른 생각이 있어도 말하지 못하게 된다. 동의하기는 대상자의 판단 기준보다 면담자의 판단을 우위에 둔 경우로 대상자의 생각과 행동을 자유롭지 못하게 하며, 대상자의 관점을 변화시킬 수 있는 기회를 차단한다.

- 면담자 : "그렇군요. 맞아요. 맞아! 저도 그렇게 생각해요."
- 면담자 : "맞아요, 그건 제 생각과 같네요."

다음과 같이 진중하게 말함으로써 대상자에게 생각할 기회를 줄 수 있다.

- 면담자 : "아! 그렇군요."

6 충고하기

대상자가 취해야 할 행동에 관하여 면담자가 대상자에게 성급하게 일러주며 해결책을 제안하는 것이다. 면담자는 잘 알고 있으나 대상자는 무능력하다는 뜻을 내포하고 있어 대상자는 자신의 일을 결정하는 데 능력이 없고 열등하다고 생각하게 된다. 이러한 반응은 대상자가 자신의 문제를 충분히 생각하여 의사결정 하는 것을 방해하며, 독자적인 사고를 못하게 함으로써 의존성을 더욱 심화시킨다. 대상자는 자신을 대신하여 의사결정을 해주기를 원한다기 보다는 자신이 한 결정에 대한 지지와 확인을 받기 원하므로 이러한 반응은 효율적이지 못하다.

- 대상자 : "제가 속이 답답해서 찬물을 먹어야 해요."
- 면담자 : "찬물은 혈액순환과 신진대사에 방해가 되기 때문에 먹지 않는 것이 옳아요!"

다음과 같이 바꾸어 말하여 공감반응 후 정보제공을 하는 것이 적절하다.

- 면담자 : "속이 답답해서 시원한 물이 드시고 싶군요."

7 시험하기

시험하기는 대상자의 지각 정도나 병에 대한 인식 정도를 평가하기 위하여 시험해 보듯 말하는 태도를 말한다. 대상자는 자신이 시험당하는 느낌이 들게 되므로 자존심이 저하된다.

- 면담자 : "오늘이 며칠이지요?"
- 면담자 : "여기가 어디입니까?"
- 면담자 : "아직도 부모님이 미우세요?"

대상자가 그러한 기분을 느끼지 않도록 질문하는 어조나 자세를 주의하며, 마지막 문장은 다음과 같은 개방적인 질문의 형태로 하면 효율적인 표현이 된다.

- 면담자 : "지금 부모님에 대한 마음은 어떠세요?"

8 도전하기

도전하기는 대상자의 비현실적인 생각과 지각을 증명하도록 답변을 요구하는 것이다. 이러한 반응은 대상자가 자신의 비현실적인 생각이나 지각에 대한 도전이나 위협으로 받아들이게 되어 방어적인 태도를 보이게 된다.

- 대상자 : "저는 악마에 의해 희생되었습니다."
- 면담자 : "만약 그것이 사실이라면, 어떻게 여기서 저와 이야기할 수 있죠?"

이런 경우, 다음과 같은 반영기법을 사용하는 것은 도움이 된다.

- 면담자 : "당신은 누군가로부터 크게 희생당한 기분이 드는군요."

9 방어하기

방어하기는 대상자가 불평이나 비평하는 것에 대하여 그대로 받아들이기 어려워 인정하지 않으려는 것이다. 면담자는 자신을 방어함과 동시에 대상자의 느낌이나 의견, 감정 표현을 거절하는 것으로 대상자는 불평할 권리가 없다는 뜻으로 받아들이게 된다. 예를 들어, 치료받는 병원이나 의료인에게 불평하는 환자에게 다음과 같이 말하는 것이다.

- 대상자 : "이 병원은 좋지 못해요."
- 면담자 : "이곳은 시설도 좋고 평판이 좋습니다."

- 대상자 : "김 간호사는 제대로 해주지 않아요."
- 면담자 : "김 선생님 말씀이세요? 그는 매우 유능한 선생님입니다. 나는 김 선생님이 당신의 간호에 최선을 다하고 있다고 확신합니다."

다음과 같이 각각 반영과 명료화하기 기법을 사용하면 도움이 될 것이다.

- 면담자 : "병원에서 불편하셨군요. 혹시 어떤 불편함이 있었는지 이야기 해주시겠어요?"
- 면담자 : "김 선생님한테 서운한 마음이 있으셨군요. 혹시 어떤 점이 서운하셨는지 알려 주시겠어요?"

10 설명을 요구하기

대상자가 잘 설명할 수 없는 이유를 구체적으로 물어보는 것이다. 대상자는 논리적으로 설명할 말을 찾아야 하므로 취조당하는 듯한 난처함을 느끼며 불안해질 수 있다.

- 면담자 : "왜 그렇게 이야기 하십니까?"
- 면담자 : "왜 그렇게 느끼십니까?"
- 면담자 : "왜 당신은 이런 방법으로 하십니까?"

이런 경우에는 대상자의 이야기를 경청한 것을 기초로 반영하기 기법과 명료화하기를 적절하게 사용하면 효율적이다.

11 상투적인 반응하기

면담자가 대상자가 질문한 것에 대하여 별다른 생각 없이 일상적인 대화식으로 성의 없게 반응하는 것이다. 이러한 반응은 대상자의 개별성을 무시하게 되어 비효율적이다.

- 면담자 : "날씨가 좋군요. 안녕하세요?"
- 면담자 : "용기를 잃지 마세요. 내일은 더 나아질 거예요."
- 면담자 : "의사의 지시대로 활동에 참여만 하세요."

사무적이거나 상투적인 대화를 지양하고 환자를 개별적으로 인식하고 진정성있는 반응으로 대화한다.

12 문자적인 반응하기

대상자는 자신의 느낌을 묘사할 수 없어서 직접 전달하기 보다는 간접 또는 상징을 사용하여 의미를 전달하기도 한다. '문자적인 반응하기'는 대상자가 이야기하는 뜻을 생각하지 않고 겉으로 표현되는 말 그대로 받아들여 대답을 해주는 것을 말한다. 이러한 반응을 하면 대상자는 면담자가 자신의 생각과 감정을 이해하지 못한다고 생각한다.

- 대상자 : "나는 부활절 달걀이에요."
- 면담자 : "그럼 먹어야겠네요." 또는 "그렇게 보이지 않는데요."

- 대상자 : "그들은 텔레비전으로 내 머릿속을 들여다보고 있어요."
- 면담자 : "그럼 텔레비전을 보지 마세요."

이런 경우에는 내용반영을 하고, 그에 대한 대상자의 감정을 묻고, 그 후 생각을 정리하고 명료화하기를 효율적으로 사용한다.

13 부정하기

대상자에게 문제가 있다는 것을 받아들이려고 하지 않거나 대상자의 감정을 무시하는 것이다. 면담자는 대상자에게 문제가 없다는 듯한 어조나 표정을 사용함으로써 대상자와의 대화가 단절되고, 대상자는 자신의 문제를 찾아내지 못하게 된다.

- 대상자 : "나는 보잘 것 없는 사람이에요."
- 면담자 : "아니에요. 당신은 중요한 사람이에요."

- 대상자 : "죽겠어요."
- 면담자 : "그런 어리석은 말 하지 마세요."

- 대상자 : "걱정이 되어요."
- 면담자 : "쓸데없이 걱정을 왜 해요."

14 논쟁하기

대상자의 판단에 논리적인 반박을 하는 식으로 대화를 하여 대상자가 저항하고 방어적인 자세를 갖게 하며 반론을 유발시킨다. 상대방으로 하여금 열등감이나 무력감을 느끼게 하여 결국에 대상자는 면담자의 이야기를 듣지 않게 된다.

- 대상자 : "수면제를 주셨는데 잠이 더 안 와요."
- 면담자 : "무슨 그런 말을… 그 수면제는 효과가 좋은 약인데요."

15 주제 바꾸기

대상자가 말하고 싶어 하는 주제를 피하거나 관계없는 주제를 내놓음으로써 대화의 화제를 일방적으로 돌리는 것이다. 면담자가 대화 도중에 자신의 내면을 건드리거나 또는 불안하거나 어려울 때 자신을 보호하기 위해서 사용하는 방법이다. 대화의 주제를 일방적으로 바꾸는 것은 면담자가 대상자의 감정이나 사고를 제한함으로써 묵살하게 되어 대상자가 어려움에 있을 때도 자신의 마음을 표현하지 않게 된다.

- 대상자 : "나는 죽고 싶어요. 살 가치가 없는 사람인거 같아요."
- 면담자 : "이번 주말 혹시 방문하러 오는 사람이 있나요? 아니면 혹시 누가 면회를 왔나요?"

16 판단하기

면담자의 입장에서 대상자의 반응을 평가하여 옳고 그름의 판단을 내보이는 것이다. '판단하기'는 대상자 그대로를 수용하기 보다는 결과적인 행동을 증가시키거나 또는 감소시키려는 면담자의 의도가 내포되어 있다. 이러한 반응에서 대상자는 면담자에게 압력을 느끼게 되어 비효율적이다.

• 대상자 : "나는 죽고 싶어요. 나는 살 가치가 없는 사람이에요."
• 면담자 : "그건 나쁜 짓이에요. 그런 못된 말을 하면 안돼요."

17 폐쇄적 질문

폐쇄적 질문은 '네' 혹은 '아니오'라는 선택만 할 수 있는 질문의 형태를 말한다. 이러한 선택지가 있거나 이분법적인 질문은 대상자로 하여금 질문에 충분히 생각하고 탐색할 수 있는 시간을 갖지 못하게 하고, 면담자가 정해 놓은 한정된 범위 내에서 대답하게 되어 비효율적이다.

그러나 예외적으로 폐쇄적 질문이 효율적인 기법으로 사용되는 경우도 있다. 단기간에 핵심적인 정보수집을 위해서 또는 개방적 질문 후에 구체적인 정확한 정보를 수집할 때 폐쇄적인 질문이 도움이 되기도 한다. 또한, 대상자가 지나치게 말이 없는 대상자이거나 질문에 반응이 없는 대상자에게는 폐쇄적 질문이 효과적일 때도 있다.

• 면담자 : "수면은 어떠신가요? 주무시다가 깨셨어요? 언제 깨시는데요. 아, 하룻밤에 몇 번이나 깨시나요?

질문하기 전에 공감과 반영을 실시하고, 확인할 사항은 먼저 개방적인 기초 질문으로 시작하여, 좀 더 구체적인 정보를 확인하고자 할 때 폐쇄적인 질문을 단계적으로 하는 것이 효율적이다.

18 지시적 대화

지시적 대화는 대상자가 아닌 면담자가 의사결정을 통제하거나 면담자가 선호하는 행동이나 해결책을 대상자가 받아들이도록 요구하는 것이다. 지시적 대화는 대상자의 자기결정권을 저해하는 것으로 비효율적이다. 그러나 대상자의 생명 또는 안전과 관련된 문제와 대상자에게 전문적인 정보를 제공해야 하는 상황에서는 수준에 따른 단계적인 지시적 대화가 필요하다.

• 면담자 : "당신은 이 약을 드세요. 두통에는 이 ○○약이 좋습니다."

의사소통 방해 요인(면담자, 대상자, 환경)

의사소통을 방해하여 치료에 저해하는 비효율적인 요인으로는 면담자나 대상자의 특성 또는 이들이 이전에 겪은 개인적 경험이나 그로부터 형성된 감정과 사고에 의한 것과 환경요인이 있다.

1 면담자 요인

1) 의사소통 기법의 미숙

면담자가 가져야 할 공감과 경청 능력이 부족하고, 대상자의 말에 대한 이해력과 반응이 부족하여 미숙한 대인관계를 맺거나 비효율적인 의사소통을 하는 경우이다. 따라서 면담자는 자신의 의사소통 능력과 인간관계 기법을 증진시키기 위해 항상 노력해야 한다.

2) 다른 직무에 대한 압박

면담자가 업무가 많거나 급한 다른 업무가 있는 경우 대상자와 의사소통하는 데 관심이 없게 되고 겉으로만 관심이 있는 척하게 되는 수가 있다. 따라서 면담자는 일의 우선순위를 잘 세워 일하도록 해야 하며 면담할 때는 대화에 집중해야 한다.

3) 내적 갈등

면담자가 해결되지 않은 심각한 내적 갈등이 있는 경우, 대상자 면담에 집중하기 어렵게 되므로 면담자는 면담시간에 개인적 문제는 모두 접어두고 대상자에게 집중해야 한다. 만약 대상자의 면담에 집중할 수 없는 상황이라면, 이해를 구하고 면담을 중단해야 한다.

4) 선입견과 고정관념

면담자는 대상자의 메시지를 간과할 수 있기 때문에 대상자가 진술한 단어 또는 상황에 대한 선입견이나 지각된 메시지를 잘못 해석하게 하는 고정관념을 없애야 한다. 따라서 면담자는 자신이 갖고 있는 선입견과 고정관념을 탐색하여 제거하고, 대상자의 말을 주의 깊게 있는 그대로 들으려고 노력해야 한다.

5) 평가적이며 판단적인 태도

면담자가 의사소통에서 평가적이고, 판단적인 반응을 하는 것은 관계를 단절시키고 의사소통을 방해한다. 면담자는 대상자를 평가하고 판단하기보다 먼저 공감하고 수용하려는 태도를 가져야 한다.

6) 언어 장애

면담자가 전문적인 용어나 약어 등을 사용하게 되면 의사소통에 방해가 된다. 면담자가 외국인과 면담 시 외국어에 서툴러도 의미 전달이 안 된다. 부정확한 발음, 잘못 선택된 단어의 사용, 불분명한 메시지도 대상자와의 의사소통에 방해요인이 된다.

7) 방어적인 태도

면담자가 자신에 대한 타인의 느낌을 인정하지 않거나 받아들이기를 거부하는 방어적인 태도는 대상자와의 관계를 단절시킨다.

8) 잠재적 의도

잠재적 의도는 면담자가 자기 자신의 욕구에 따라 메시지를 이해하는 것을 말한다. 면담자의 마음속에 특별한 관심사가 있거나 어떤 사람에 대해 시비를 따지거나 분별하는 마음이 있어서 대화를 의식적 또는 무의식적으로 자신의 개인적 목적대로 이끄는 것이다. 면담자가 자신에게 초점을 맞추는 대화는 상대방에게 줄 수 있는 이점이나 가치를 찾기보다는 자신이 필요한 것, 그리고 상대방으로부터 얻어낼 것만 생각하기 때문에 상대방이 말하고자 하는 의도를 알기가 어렵게 된다.

9) 역전이

역전이(countertransference)는 대상자의 특성이 면담자의 과거경험과 관련 있는 인물의 특성과 유사할 때 면담자의 내부에서 일어나는 대상자에 대한 정서적 반응이다. 이유 없이 대상자가 좋게 느껴지거나 밉거나 싫어하는 마음이 일어날 때, 면담자는 자기 마음을 살펴서 역전이 반응임을 깨달아야 한다.

② 대상자 요인

1) 과거의 경험과 전이

전이(transference)는 대상자에게 과거 중요한 인물에 대한 감정이나 태도가 면담자를 대상으로 나타나는 것이다. 대상자에게 전이가 일어나면 면담자의 말을 있는 그대로 들으려 하지 않고 먼저 판단하거나 못마땅하게 생각하게 되어 의사소통이 단절된다. 대상자가 부정적 감정(적대감, 혐오 등)을 나타낼 때, 면담자는 이러한 반응이 전이 감정인지 또는 현실적인 불만인지를 구별하여 대상자의 감정을 다루어야 한다.

2) 선입견과 고정관념

대상자도 면담자와 마찬가지로 자신의 선입견과 고정관념으로 인하여 메시지를 속단하거나 대화를 성급하게 단념함으로써 대화의 단절을 가져오게 한다.

3) 자기노출에 대한 두려움과 저항

대상자가 자기노출을 했을 때 면담자에게 거부 받거나 무시당할 것을 우려하여 노출하지 않게 된다. 저항(resistance)은 대상자가 의식화하면 고통스러운 상황일 때 더 이상 탐색하거나 인식하지 않으려는 대상자의 무의식적 저항을 말한다.

4) '지금과 여기'의 의미가 결여됨

의사소통의 흔한 장애물이 과거, 다른 장소, 타인 등과 같이 '지금과 여기(now and here)'에 있지 않고 이야기하는 것이나 '지금과 여기'의 것을 말하면서도 '지금과 여기'의 느낌을 회피하는 것이다. 대화의 핵심에 이르지 않거나 의사소통이 실감나지 않아 면담자와 친밀감을 느끼지 못하게 한다. 경우에 따라서는 아직 오지 않은 미래에 대한 염려로 인하여 제대로 현실을 자각하지 못한 것이다.

5) 지각 장애

정신·신체적 원인으로 지각장애가 있을 경우 의사소통에 어려움이 따른다. 청각장애나 시각장애 등이 있는 대상자는 쉽게 오해하거나 상처를 받기 쉽다.

따라서 지각장애가 있는 대상자에게는 9장 노인과의 의사소통을 참고하여 의사소통 시 유의한다.

6) 표현능력 부족

대상자의 의사소통 기술이 부족한 경우를 말한다. 대상자가 분명하고 조리 있게 자신을 표현하지 못하고 자신 없는 태도로 횡설수설하게 되면 메시지가 제대로 전달되지 않는다. 무슨 말을 하려는 것인지 파악하기 어렵게 말하거나 반복해서 같은 말만 되풀이하는 경우 대화를 지속하기 어렵다.

7) 이해능력 부족

대상자에 따라서 이해력이 부족하거나 느린 경우에 메시지 전달이 늦거나 어려워진다. 면담자는 대상자의 이해수준이나 이해속도에 적절히 맞추어야 한다.

3 환경적 방해요인

1) 생소한 환경

면담자가 의료인이라면 병원이 자신의 일터로 익숙한 장소이지만, 대상자에게는 생소하고 낯선 곳일 수 있다. 대상자가 처음 입원하게 되면 불안하고 낯설어 힘들어하므로 면담자는 이 점을 알고 편안하게 적응할 수 있게 대화하여 도움을 주어야 한다.

2) 소음이 심한 장소

시끄럽고 복잡한 곳에서는 대화에 집중하기 어렵고, 진지한 대화를 나누기가 어렵다.

3) 공개적인 장소

면담자는 공개적인 장소에서 사적인 대화를 나눌 때는 조심하여야 한다. 대상자는 자신의 이야기를 타인이 듣는 것을 원하지 않기 때문에 개방된 장소나 다른 사람들이 있는 곳에서 대상자와 심각한 이야기를 나누지 않는다.

4) 물리적으로 불편한 장소

대화의 장소는 너무 더운 곳이나 너무 추운 곳은 피하며, 불편한 자세로 오랫동안 대화하지 않도록 한다. 면담자는 대상자와 대화할 때 편안한 의자와 테이블, 적절한 공간 등의 안정된 장소를 선택한다. 안전한 환경이 제공되어야 한다.

REFERENCE

- 김성재, 금란, 안영미 외(2018). 정신건강간호학, 제8판. 정담미디어.
- 도복늠, 강미경, 김명자, 김수옥 외(2016). 인간관계와 커뮤니케이션. 정담미디어.
- 도복늠, 김영숙, 김태경, 김현미 외(2010). 인간관계와 커뮤니케이션. 정담미디어.
- 박연경, 박종팔, 조영란(2017). 인간관계와 의사소통. 양서원.
- 박현숙, 김현미, 손경희, 이혜경 외(2016). 실무중심의 정신건강간호학. 현문사.
- 안효자, 이영내, 김명자, 김현미 외(2015). 인간관계와 의사소통, 제2판. 수문사.
- 양경희 외(2019). 건강한 인간관계를 위한 의사소통 기술. 퍼시픽북스.
- 양경희 외(2021). 건강한 인간관계를 위한 의사소통 기술, 제2판. 퍼시픽북스.
- 이경리(2010). 인간관계와 의사소통 워크북. 포널스.
- 이광자(2011). 의사소통과 간호. 신광출판사.
- 임숙빈, 김선아, 김성재, 이숙 외(2020). 정신간호총론, 제8판. 수문사.
- 전성숙, 변은경, 김미영(2018). 인간의 이해와 의사소통. 수문사.
- 조향숙, 정경인, 김명희(2018). 간호실무적용을 위한 의사소통 능력. 수문사.
- 한금선, 양승희, 박영희(2018). 의사소통과 인간관계론, 제4판. 고문사. 216-220.
- Pamela McHugh Schuster(2000). Communication－The Key to the Therapeutic Relationship. F.A.Davis.
- Sherry Devereaux Ferguson(2014). Communication in Everyday Life. Oxford University.

08
장

비폭력대화

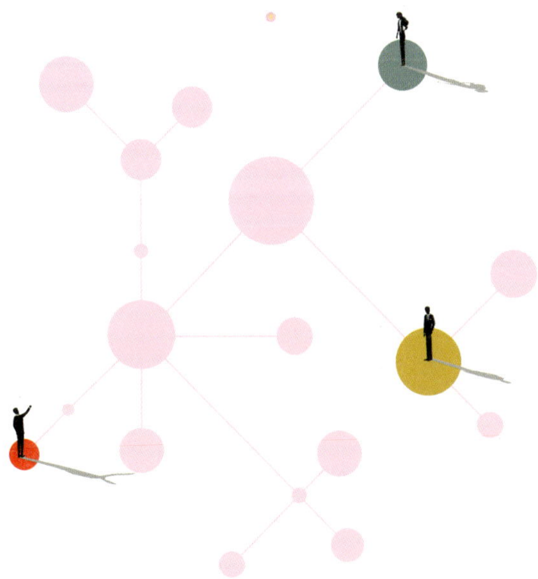

학·습·목·표

1. 비폭력대화의 정의를 설명한다.
2. 비폭력대화의 4가지 요소를 설명한다.
3. 기린언어와 자칼언어를 설명한다.

주·요·용·어

- 도덕주의적 판단
- 책임을 부정하기
- 비교하기
- 강요하기
- 솔직하게 말하기
- 공감으로 듣기 관찰하기
- 느낌 표현하기
- 욕구 표현하기
- 부탁하기

08 비폭력대화

비폭력대화(Nonviolent Communication, NVC) 모델이란 1960년 미국의 임상심리학자이자 평화운동가인 마셜 로젠버그(Marshall B. Rosenberg, 1934~2015)가 개발하여 보급하였으며, 2003년 캐서린 한(Katherine Hahn Singer)이 한국에 도입하였다.

로젠버그는 1934년 오하이오주 캔턴에서 태어나 1943년 미시간 주 디트로이트로 이사하여 유년시절을 보냈다. 디트로이트는 지형적 여건으로 상공업이 크게 발달하여 직장을 따라 들어온 주민들이 공장 주변에 많이 몰려 살면서 열악한 주택 문제로 인하여 분쟁이 잦았으며, 인종 폭동까지 발생되는 곳이었다. 그는 매일 다양한 형태의 폭력장면을 대하면서 성장하였다.

로젠버그는 폭력의 원인을 찾고 폭력을 줄이기 위해 중재자, 교사, 연구자로서 활동하였다. 언어와 대화기법을 이용하여 연민으로 충만한 세상을 만들기 위한 비폭력대화를 개발하여 임상심리학 박사학위를 받았다. 비폭력대화는 인간관계에서 자신의 판단과 생각이 배제된 순수한 관찰을 통한 지금의 느낌을 표현한다. 또한 자신의 욕구를 찾아내어 자신이 원하는 것을 요청함으로써 진솔한 대화법으로 평화로운 소통과 따뜻하고 평화로운 인간관계에 기여한다.

1 비폭력대화의 이해

1 비폭력대화의 정의

로젠버그는 공식적으로는 NVC(비폭력대화)라고 명명하였으나 '삶의 언어(language of life)', '마음의 언어' 또는 '기린 언어'라고 부르기를 즐겨하였다. '비폭력'은 상대의 감정을 다치지 않도록 마음속에 있는 폭력을 가라앉혀 자연스러운 본성인 연민으로 돌아간 상태를 의미하며,

그림 8-1 기린과 자칼

비폭력 또는 불살생의 산스크리트어를 뜻하는 마하트마 간디의 아힘사(Ahimsa, 불살생) 정신에서 유래되었다. 또한 상징적으로 사용한 기린은 초식동물이며, 높이 솟은 머리로 혈액을 보내기 위해 가장 큰 심장과 멀리 바라 볼 수 있는 큰 키의 특성을 비폭력대화에 접목하였다**[그림 8-1]**. 자칼은 개과에 속하며 동물을 사냥하여 먹는 동물로서 '자칼 언어'는 자칼의 특징을 따서 평가, 비난, 충고, 비교, 지적하는 언어로 표현되며 기린 언어와 상반된다. 즉, 기린언어로 표현되는 비폭력대화는 대화자 상호간에 평가나 판단 없이 서로의 차이를 인정하고 연민의 마음으로 느낌과 욕구를 솔직하게 소통하는 대화 기술로 자신과 진정하게 소통하는 방법을 통해 타인과 소통하는 것이 핵심이다.

② 비폭력대화의 전제, 주요 개념

1) 사람들은 가슴에서 우러나서 주는 것을 즐긴다.
   우리는 자신의 선택으로 기꺼이 누군가에게 무엇을 주고 그 사람의 삶에 기여할 때 진정한 기쁨을 느낀다.
2) 모든 사람은 같은 욕구를 공유하고 있고, 그 에너지로 서로 연결되어 있다.
   욕구는 누구나 가지고 있으므로 서로 자신의 욕구 충족을 고집할 때 갈등이 생긴다.
3) 세상에는 모든 사람의 기본적인 욕구를 충족하기에 충분한 자원이 있다.
   사회의 갈등은 구조적인 한계뿐만 아니라 연민을 기본으로 유대관계를 촉진하고 기르는 기술과 상상력의 부족 때문에 생긴다.

4) 우리의 모든 행동은 어떤 욕구를 충족하기 위해 나온다.

욕구가 기대로 되기 이전에 진정으로 내가 무엇을 원하는가에 대한 의식이 있어야 한다.

5) 느낌은 충족되었거나 충족되지 않은 욕구를 보여주는 신호이다.

욕구의 충족, 미충족 여부에 따라 평화, 만족, 행복, 슬픔, 두려움, 분노 등을 느낀다. 순간순간의 느낌은 상황에 대해 개인이 해석하는 것에 따라 달라질 수 있다.

6) 모든 사람에게는 사랑과 연민의 능력이 있다.

인간은 누구나 사랑할 수 있는 능력을 가지고 태어나는데, 대부분의 사람들은 사랑과 연민의 능력을 활용하는 능력이 미숙하여 서로 사랑을 주고받는 데 서툴다. 따라서 스스로 두려움에서 벗어나 사랑하는 능력을 길러야 한다.

7) 인간은 항상 선택할 수 있다.

인간이 외부의 어떤 자극이나 내부에서 발생하는 어떤 생각에 대해 반응하는 것은 자신의 욕구를 의식하고 욕구 충족을 위한 행동을 하는 것이지만, 인간은 자율성을 가지므로 선택은 스스로 하는 것이다.

3 비폭력대화의 특징

1) 관찰과 평가를 구분한다.
2) 생각과 느낌을 구분한다.
3) 욕구와 기대를 구분한다.
4) 공격적인 말과 행동은 충족되지 않은 욕구의 표현이라는 것을 이해한다.
5) 자신이 원하는 것을 강요가 아닌 요청으로 표현한다.
6) 다른 사람에게 그 사람의 개인적 반응인 느낌과 욕구를 물어보고 자신이 말한 것을 그 사람이 어떻게 이해했는지 확인하도록 부탁한다.
7) 자신이 원하는 것을 갖기 위해 타인의 행동을 바꾸는 것이 아니라, 솔직함과 공감에 기초한 인간관계를 통해 모든 사람의 욕구를 충족하는 것이다.

4 진정한 대화를 방해하는 요소들

1) 도덕주의적 판단

누군가를 나쁘다고 판단하게 되면, 그 사람은 마땅히 벌을 받아야 한다고 생각하면서 폭력을 부추기며 정당화하게 된다.

예) 저 친구는 무책임 해.

2) 자신의 책임을 부정하기

스스로의 선택과 책임을 부인함으로써 타인을 비난하는 것이다.

예) 이제까지 다들 그렇게 하지 않습니까? 나도 그렇게 할 수 밖에 없었어요.

3) 비교하기

비교는 판단의 다른 형태이기 때문에 비교의 결과는 두려움, 불안감, 불행을 초래하며, 관계에서 소외되기 매우 쉽다.

예) 옆집 철수는 장학금을 받았다는데… 너는…

4) 강요하기

자율적이나 선택권을 인정받지 못하여 복종은 하지만, 분노, 수치심, 죄책감을 느끼게 된다.

예) 시키는 대로나 하세요.

2 비폭력대화의 모델

비폭력대화 모델은 비폭력대화의 네 가지 요소와 두 가지 측면으로 구성되어 있다.

1 비폭력대화를 실천하기 위한 두 가지 방법

1) 솔직하게 말하기(Expressing honestly)

비폭력대화의 네 가지 요소인 관찰, 느낌, 욕구, 부탁을 말이나 다른 방법을 통해 명확하고 긍정적으로 표현하는 것이다.

- '옳다', '그르다'로 평가, 판단 또는 분석을 하지 않고 관찰한(보고 들은) 내용만 말하기

  "내가 ____________이 ____________(무엇을 또는 어떻게) 하는 것을 보았을 / 들었을 때"

- 자기 내면의 반응이 표현되는 단어(생각) 이면에 있는 느낌을 찾아 말하기
  "나는 ____________을 느꼈다."

- 느낌과 연결(느낌의 원인)된 미충족 욕구를 수단/방법과 구별하여 말하기
  "왜냐하면 나는 __________________이(을) 필요/중요/원하기 때문에"

- 상대방의 거절하거나 승낙하는 자유를 존중하며 서로의 삶을 풍요롭게 할 수 있는 부탁의 형태로 말하기
  "이 말을 들었을 때 어떻게 느끼니?" — 연결 부탁(대화로 상대방을 초대)
  "____________을 해 줄 수 있겠니?" — 행동 부탁(구체적, 긍정적, 의문형으로)

2) 공감으로 듣기(Empathic listening)

공감은 다른 사람이 경험하고 있는 것을 존중하며 이해한다는 것이다. '공감으로 듣기'를 위한 방법은 나의 욕구와 느낌만큼 상대방의 욕구를 알아차리기 위하여 비폭력대화의 기본개념을 상대방에게 적용해 보는 것이다. 즉, 상대를 관찰하고서 그가 느끼고 필요로 하는 것이 무엇인지, 무엇을 부탁하는지에 대해 귀 기울여 보는 것이다.

- 상대방의 관찰 : 나는 네가 얼굴을 찡그리는 것을 보았을 때/들었을 때
- 상대방의 느낌 : 네가 너무 아프구나.
- 상대방의 욕구 : 아파서 견디기 힘든 고통에서 벗어나고 싶어서
- 상대방의 부탁 : 오늘은 병원에 좀 갔으면 하는구나.

그러나 먼저 자신에 대한 공감으로 듣기가 선행되어야 한다. 만약 상대방이 저항하거나 방어하는 태도를 보이거나 공격이나 폭력적으로 반응함으로써 공감할 수 없거나 자신이 방어적이 될 때에는 우선 멈추고, 심호흡을 하고, 자신에 대해 공감한다(self-empathy). 또는 비폭력적으로 소리를 지르거나, 잠시 그 자리를 떠나 '자신을 위한 공감의 시간'을 갖는 것도 도움이 된다. '공감으로 듣기'는 자연스럽게 지지받는 감정을 느끼게 하여 자신과 다른 사람들을 연결할 수 있는 힘을 가지게 한다.

공감을 방해하는 10가지 요소

- 충고 / 조언하기
- 분석 / 진단 / 설명하기
- 바로잡기
- 위로하기
- 내 얘기 들려주기 / 맞장구 쳐주기
- 감정의 흐름을 중지 / 전환시키기
- 동정 / 애처로워하기
- 조사하기 / 심문하기
- 평가 / 교육하기
- 단호하게 딱 자르기

2 비폭력대화의 4가지 요소와 활용

1) 관찰하기(observation)

관찰은 우리가 직면한 상황에서 어떤 일이 일어나고 있는 지를 비디오카메라로 녹화한 것과 같이 객관적이고 사실적으로 있는 그대로 묘사하는 것이다. 즉, 어떤 평가나 판단 또는 의견이 배제된 사실 그대로의 표현이다.

※ 다음은 관찰 표현의 실례이다. 앞 문장의 평가 표현을 관찰 표현으로 수정한 것이다.

- 상대에 대한 진단이나 낙인찍기를 하지 않도록 주의한다.
  "기영이는 너무 **게을러**." → "기영이는 이번 주 팀과제 모임에 **3번 지각했어**."

- 판단하기보다 판단을 가져오는 구체적 진술을 인용한다.
  "그 사람은 나를 **무시했다**." → "그 사람이 나한테 '**너 그것밖에 못하니**'라고 말했다."
  "교수님은 **엄격하다**." → "교수님의 **평가기준은 구체적이다**."

- 판단과 관찰을 명확하게 구분한다.
  "당신은 **정이 많으시군요**." → "넉넉하지 않음에도 **매달 기부하는** 것을 보고, 나는 당신이 정이 많은 사람이라고 생각했습니다."

- 모호한 표현보다 구체적인 행위나 보고들은 것을 인용한다.
  "그 사람은 **예의가 없다**." → "그 사람은 앞에 **어르신이 서 계신 것을 보고도 지하철 노약자석에 앉아서 가는** 것을 보았다."

- 긍정적인 외모 표현이나 역할과 관련된 묘사에도 주의한다.
  "착한 아이, 예쁜 여자, 천사 같은 아이, 자식된 도리로, 장남(녀)으로서"

2) 느낌 표현하기(feeling)

느낌은 내·외부의 자극에 대한 자신의 반응으로 정서와 신체적 감각을 포함한다. 느낌은 내면의 욕구와 연결되어 있어 욕구의 충족 여부에 따라 긍정적 또는 부정적인 느낌을 갖게 된다. 성숙한 사람일수록 여러 가지 감정의 미묘한 차이를 구분할 수 있으나 대부분의 사람들은 자신의 느낌과 생각을 구분하고 표현하는데 어려움을 겪는다. 많은 사람들은 느낌을 말한다고 하면서 생각을 말한다. 자신의 느낌을 생각과 구분하여 알아채거나 솔직히 표현할 수 없을 때 오해가 쌓이게 되고 문제를 악화시킬 수 있다. '~같이, 마치 ~처럼 느껴' 라는 말을 사용하는 것은 느낌을 표현하는데 장애요인이 된다. 자신의 느낌에 대해 인식하고, 표현할 때는 모호하거나 추상적이지 않고 구체적으로 한다**[표 8-1]**. **[표 8-2]**와 같은 표현은 사실에 대한 나의 생각이거나 판단이므로 **[표 8-1]**에 기술된 적절한 느낌 표현으로 바꾼다.

표 8-1 느낌 목록

구분				
욕구 충족 시	• 감동받은	• 통쾌한	• 뿌듯한	• 원기 왕성한
	• 벅찬	• 기쁜	• 상쾌한	• 당당한
	• 황홀한	• 반가운	• 만족스러운	• 자신감 있는
	• 고마운	• 따뜻한	• 편안한	• 흥분된
	• 감사한	• 정겨운	• 여유로운	• 희망찬
	• 즐거운	• 친근한	• 활기찬	
욕구 미충족 시	• 염려되는	• 난처한	• 허탈한	• 억울한
	• 암담한	• 슬픈	• 피곤한	• 비참한
	• 뒤숭숭한	• 화나는	• 혐오스러운	• 야속한
	• 무서운	• 외로운	• 서운한	• 안타까운
	• 두려운	• 우울한	• 섭섭한	• 지친
	• 불안한	• 막막한	• 수치스러운	
	• 불편한	• 절망스러운	• 냉담한	

표 8-2 느낌처럼 사용하지만 느낌이 아닌 것

• 강요당한	• 오해받은	• 학대받은	• 혹사당하는
• 거절당한	• 의심받은	• 협박당하는	• 회피하는
• 공격당한	• 무시당한	• 조종당하는	
• 배신당한	• 이용당하는	• 외면당한	
• 따돌림 당한	• 인정받지 못한	• 협박받은	

※ 다음은 느낌과 생각의 차이에 대한 실례이다.

- "내가 마치 동네북같이 느껴진다." (생각)
  → "나를 동네북처럼 대하는 것 같아 억울해." (느낌)

- "당신이 좀 더 분별력이 있어야 한다고 느껴." (생각)
  → "나는 당신이 분명한 결정을 하지 못해서 혼란스러워." (느낌)

- "나는 전공자로서 능력이 부족하다고 느낀다." (생각)
  → "나는 전공자로서 능력이 부족해서 일을 맡으면 안절부절 못하게 돼." (느낌)

- "나는 그 친구에게 이용당한 것 같은 기분이 들어." (생각)
  → "그 친구의 거짓말 때문에 너무 속상해." (느낌)

3) 욕구 표현하기(expressing needs)

비폭력대화는 욕구를 인간의 모든 행위의 원인이라고 보고 네 가지 요소 중 가장 중요하게 다룬다. 영어로 욕구는 need와 desire로 쓰이지만 need는 생존에 기본적이며 필수적이다. desire는 욕망으로 표현하기도 하며 생존에 필수적이지는 않으나 완전한 만족이란 없으며 인생에서 끊임없이 문제의 근원이 된다. 누구나 욕구(need)를 가지고 있지만, 사람들마다 욕구를 충족시키는 '수단과 방법'은 다를 수 있다. 예를 들면 '놀이'의 욕구를 충족시키는 기대(수단과 방법)는 산책, 운동, 여행, 수다 등 다양하다.

비폭력대화는 다른 사람의 말이나 행위가 자신의 욕구의 충족여부에 따라 느낌을 불러일으키는 자극은 될 수 있어도 느낌의 원인은 될 수 없다고 본다. 내가 어떻게 해석했는지, 어떻게 선택했는지에 따라 느낌도 표현도 다르게 나타난다. 만약, 아내가 남편에게 "내 손가락에는 보석반지 하나도 없어."라고 투정을 한다면, 아내는 자신의 가치를 인정받고 싶은 욕구가 있는데 이를 표현하지 않고 반지라는 수단을 시용하여 표현했다. 그런데 남편이 반지를 사주지 않으니 기대가 충족되지 않아 섭섭한 것이다. 또한 다른 사람을 평가, 해석, 비판하는 것은 자신의 욕구를 돌려 표현하는 것일 수 있다.

따라서 자신이 포착한 내면의 어떤 욕구와 기대가 연결되어 특정 감정을 유발하거나 심하게는 갈등으로까지 이끄는지 알아차릴 필요가 있다**[표 8-3]**. 자신이 스스로의 욕구를 소중하게 생각하지 않는다면 다른 사람들도 그것을 소중히 여기지 않을 것이므로 기대만 한다면 실망할 것이다. 상대의 욕구를 파악하는 것은 인간관계에서 그만큼 중요하다.

욕구를 의식하는 방법으로는 우리가 주로 사용하는 대명사나 다른 사람의 행동에 따른 나의 느낌의 원인을 구체화할 필요가 있다. 다음은 우리들의 일상적인 대화를 느낌과 욕구를 구체화하여 수정된 사례이다.

- "우리 과장님은 매번 나한테만 뭐라고 해."
  → "과장님은 문제가 있는 대상 모두에게 지적을 하시거나 개인적으로 따로 불러서 하지 않아, 나는 과장님은 공정하지도 개인 프라이버시도 **존중하지 않기 때문에 나는 화가 나.** **(존중받고 싶은 욕구)**

- "니 맘대로 살 거면 나가!"
  → "난 **너랑 행복하게 잘 살고 싶은데 그러지 못해서 속상해.**" **(상호의존 욕구)**

욕구 파악이 되지 않으면 신뢰관계는 깨지고 인간관계 자체에 손상이 온다. 욕구를 표현하는 것은 비록 상대방이 바로 충족해주지 못할지라도 앞으로 상대방과의 대화를 이어갈 수 있는 시발점이 되므로 그 자체로 의미가 있다.

표 8-3 욕구 단어 목록 및 욕구 표현 방법

욕구의 종류	내용	방법
자율성(Autonomy)	• 꿈, 목표, 가치 선택 및 구현 방법 선택의 자유	• **제 일**이니까 제가 결정할게요.
통합(Integrity) 자아실현(Self actualization)	• 진정성, 창조성, 전문성, 의미 / 보람, 자기 신뢰 /존중 / 표현/성장, 생산	• 진정으로 **보람된 일**을 하려고 합니다.
축하(Celebration), 애도(Mourning)	• 생명의 탄생이나 꿈의 실현을 축하 • 사랑하는 사람이나 꿈의 상실을 애도	• 정말 나는 돕는 전문직이 되고 싶은 **꿈**을 가지고 있었거든요.
놀이(Play)	• 웃음, 재미, 흥분, 유머	• 나는 드라마를 보면 사람들의 심리상태가 보여서 **즐거워요**.
영적 교감 (Spiritual Communion)	• 아름다움, 영감, 조화, 질서, 평등, 평화	• 자연 속에서 **조용히 호흡**을 하면 생동감으로 충만되어요.
상호 의존 (Interdependence)	• 감사, 공감, 사랑, 공동체, 배려, 기여, 봉사, 연결, 소통, 수용, 신뢰, 이해, 정서적 안정, 솔직함, 존중	• 나는 **소통**을 원합니다. • 나는 **인정**받고 싶은 욕구가 있어요. • 오순도순 **서로** 돕고 살고 싶다.
신체적 돌봄 (Physical Nurturance)	• 공기, 물, 음식, 휴식, 자유로운 움직임, 안전, 성적 표현, 스킨십	• 나는 **안전**하게 지내고 싶어요. • **공기** 좋은 곳에서 살고 싶어요.

4) 부탁하기(request)

욕구가 채워진다면 우리의 삶은 더욱 풍성해질 것이다. 다른 사람이 나에게 해주기를 바라는 것을 그가 해줄 수 있는 것으로 부탁하는 표현을 하여야 한다. 욕구를 충족하기 위한 부탁하는 방법은 첫째, 원하지 않는 것으로 표현하지 않고, 원하는 것으로 표현한다. 둘째, 명확하고 구체적 행동을 표현한다. 셋째, 부탁과 강요를 구별하여 표현한다. 넷째, 권유나 질문 형태로 표현한다. 이 때 마음을 열고 소통할 수 있도록 상대가 선호하는 목소리의 높낮이, 말하는 방식, 우호적 어휘 등을 사용하여 분위기를 만들면 도움이 된다.

부탁을 할 때 주의할 점은 상대가 '아니오'라고 말하는 것도 수용할 수 있다는 것이 전제되어야 한다. 상대방의 '아니오'를 자신을 거절하는 것으로 받아들여 그로 인해 마음이 상하는 경우가 많다. 자신의 거절이 아닌 그 점에 있어서 관점과 입장이 다름을 이해해야 한다. '아니오' 이것을 자신을 거절하는 것으로 받아들이거나 자신을 거부한다고 생각하면, 이것은 우리가 상대에게 부탁하는 것이 아니라 강요하는 것(forcing)으로 여기게 될 것이다. 만일 듣는 사람의 입장에서는 '예'라고 하지 않으면 비난이나 처벌을 받을 지도 모른다고 생각하여, 복종하거나 반대로 반발하게 된다면 두 사람간의 신뢰관계는 깨지고 인간관계 자체에 손상이 온다.

또한, 부탁할 때 상대에게 자신의 말이 정확하게 전달되었는지 확인할 필요가 있다. 확인방법은 들은 대로 다시 말해 달라고 부탁하는 것으로, 이를 '연결 부탁(connection request)'이라 한다. 이때 상대방이 들은 것을 반복해서 말하는 것을 싫어할 수도 있으므로 그의 마음을 이해하고 연결 부탁의 목적을 명확히 전달할 필요가 있다. 반대로 상대방이 노력하는 모습을 보일 때 그의 성의에 감사를 표한다.

만약 우리의 의도가 상대방에게 제대로 전달되었다면 구체적이고 긍정적인 행동을 의문형으로 부탁한다. 이를 행동 부탁(action request)이라 한다. **[표 8-4]**는 부탁의 유형별 표현과 관련 욕구의 실례이다.

표 8-4 부탁의 유형, 관련 욕구 및 실례

유형	내용(유형별 표현)	관련 욕구
연결 부탁	• 제 말을 어떻게 들으셨는지 얘기해 주시겠어요? • 제 말을 들을 때 느낌을 말씀해 주시겠어요? • 제 말에 대한 생각을 말씀해 주시겠어요?	• 분명히 전달했는지 알고 싶다. • 들었을 때 어떤 느낌이 드는지 알고 싶다. • 요구에 대해 어떻게 생각하는지 의견을 알고 싶다.
행동 부탁	• 내 방에 들어오기 전에 먼저 노크를 해주시겠어요? • 같이 산책하시겠어요? • 내가 집에 돌아왔을 때 얼굴을 보고 인사를 해 주었으면 좋겠어.	• 사생활을 존중받고 싶다. • 운동도 하고 싶고, 같이 시간도 보내고 싶다. • 사랑받고 있고 가족구성원으로서 소속감을 느끼고 싶다.

3 기린언어와 자칼언어 정리

❶ 기린언어

자기 자신의 욕구나 느낌과 소통하여, 다른 사람의 욕구와 느낌을 파악하여 그 사람과 소통한다. 상대의 욕구 충족에 도움이 되는 의사소통이다.

❷ 자칼언어

옳고 그름을, 좋고 나쁨을, 자신이 우정적이라고 판단한 사람 자체를 부정적으로 판단하다. 상대의 욕구 충족에 도움이 되지 않는 의사소통이다.

❸ 기린언어와 자칼언어 표현하기

기린언어		자칼언어	
관찰	쓰레기통이 꽉 찼네.	평가	게을러서 쓰레기통을 비우지 않았군.
느낌	꽉 찬 쓰레기통을 보니 짜증이 난다.	생각	내가 또 속았네.
욕구	깨끗한 데서 살고 싶다.	기대	당연히 쓰레기통을 비운다는 약속을 지킬 거라 생각했어.
부탁	쓰레기통을 비워 줄 수 있을까?	강요	당장 쓰레기통을 비우고 와! 그렇지 않으면 앞으로 TV 시청은 금지야!

4 비폭력대화의 연습

❶ 평가 없이 관찰하기

❀ 다음 진술문을 보고 사례와 같이 관찰인지 평가(판단)인지를 구분하고, 관찰이면 관찰이라고 적고, 평가인 경우에는 관찰로 수정해 보세요.

예시	관찰 평가	(필요 시) 수정
• 연아는 천사 같은 아이야.	평가 (천사)	연아는 학교 길에 쓰러지신 할머니를 발견하고 119를 불러드렸다.
• 희철이는 공부하다가 핸드폰도 만졌다 책상 서랍도 열었다 한다.	관찰	
• 호동이는 이번 주에 3번이나 30분이 지난 후에 왔어.		
• 현빈이는 내가 '안녕'이라며 인사를 했을 때, 대답 없이 창밖을 바라보았어.		
• 신혜는 너무 착해서 탈이야.		
• 장훈이는 지저분해.		
• 동엽이는 아픈 동물들에게 1주일 동안 물과 사료를 가져다줬다.		
• 혜진이는 스카프를 잘 맨다.		
• 현무는 맏이로서 책임감이 있다.		

② 느낌 표현하기

❀ 다음 진술문을 보고 생각인지 느낌인지를 구분하고 생각인 경우 느낌으로 수정해 보세요.

예시	생각 느낌	(필요 시) 수정
• 나는 쓸모가 없는 것 같아.	생각	학교에 갔더니 책상이 없어져서 화가 났다.
• 친구들이 나를 따돌리는 느낌이에요.		
• 이 팀에서 내 역할이 확실하지 않아 답답합니다.	느낌	
• 네가 아는 체를 하지 않을 때 무시당한 것처럼 느꼈어.		
• 자료수집도 내가 하고 발표도 내가 했더니 손해 보는 것 같은 느낌이야.		
• 다 때려치우고 싶은 느낌이야.		
• 내 말을 끝까지 들어주었을 때 고마웠어. 사실 막막했거든.		
• 남자친구가 100일 선물을 보내왔을 때 감동받았어.		
• 네가 하는 행동은 회피하는 것처럼 느껴져.		

③ 기대와 욕구 알아채기

❀ 다음에 제시된 상황은 욕구 또는 기대로 표현되었습니다. 욕구와 기대를 구분해 보세요.

1) 아내가 남편에게 "내 손가락에는 보석반지 하나 없잖아!" (기대)

2) "오빠, 왜 마중을 나오지 않았어요?" (   )

3) "오빠가 나를 마중을 나오면 내가 안전하게 집에 갈 수 있을 것 같아요." (   )

4) "나는 너하고 숙제 함께 하려고 했는데 내가 못 온다고 해서 섭섭했어." (   )

5) 아내가 남편에게 "나도 남편이 보석반지 하나 해주는 아내로 인정받고 싶어!" (   )

REFERENCE

- 나옥희(2017). 비폭력대화와 감정코칭을 통합한 청소년 정서조절프로그램 개발과 효과. 목포대학교 박사학위논문.
- 마셜 로젠버그(2016). 삶을 풍요롭게 하는 교육. 캐서린 한 옮김. 한국NVC센터.
- 마셜 로젠버그(2018). 비폭력대화 : 일상에서 쓰는 평화와 공감의 언어. 캐서린 한 옮김. 한국NVC센터.
- 안효자(2018). 인간관계와 의사소통, 제3판. 수문사.
- 양경희 외(2019). 건강한 인간관계를 위한 의사소통 기술. 퍼시픽북스.
- 양경희 외(2021). 건강한 인간관계를 위한 의사소통 기술, 제2판. 퍼시픽북스.
- 양정운(2017). 알코올중독자를 위한 비폭력대화 기반 의사소통 훈련 프로그램의 효과. 서울대학교 박사학위논문.
- 이광자, 고성희, 이숙, 김경희 외(2014). 인간관계와 의사소통의 실제. 신광출판사.
- 이숙, 권명진, 김순오, 김효정 외(2014). 인간관계와 의사소통. 대한나래출판사.
- 한금선, 양승희, 손정남, 박정원 외(2018). 의사소통과 인간관계론, 제4판. 고문사.
- https://www.krnvc.org(한국비폭력대화센터)

4

단원

의사소통 적용

제9장 대상자별 의사소통 | **제10장** 건강전문직 수행 시 의사소통

앞 단원에서는 의사소통의 원리와 요소를 다루고 개인적인 자기이해와 타인이해 및 개인으로서 대인관계를 건강하게 맺고 유지할 수 있는 수준에서의 의사소통 기술 및 대화법 등을 다루었다.

건강전문인력이 개인적으로 행복하고 만족스러운 삶을 살면서 직업적으로 대상자들을 돌보고, 대상자 스스로 건강을 잘 관리하도록 건강 정보를 제공하고 건강교육자로서 역할을 수행하는 것은 매우 보람될 것이다. 의사소통 역량을 습득하여 자신이 속한 기관이나 조직에서의 갈등상황을 예방하거나 해소하기 위한 능력을 갖추면 대상자 관리와 업무 수행에 매우 도움이 될 것이다.

따라서 본 단원에서는 인간의 대상자별 의사소통과 임상상황에 따른 의사소통 및 대중에 대한 건강 정보의 전달을 위한 활용 등을 소개하고자 한다.

09

장

대상자별 의사소통

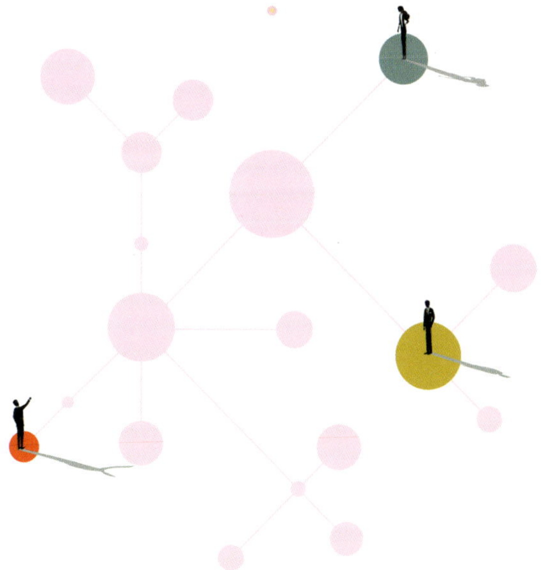

학·습·목·표

1. 아동의 발달단계에 따른 언어 특성을 설명한다.
2. 친구, 형제 및 동료 간 의사소통의 원리를 적용한다.
3. 성 차이에 따른 의사소통 문제를 해결할 수 있다.
4. 부부간 의사소통의 특징을 설명한다.
5. 부부갈등을 예방하고 해결방법을 설명한다.
6. 감각장애가 있는 노인과의 효과적인 의사소통 방법을 설명한다.
7. 인지장애가 있는 노인과의 효과적인 의사소통 방법을 설명한다.

주·요·용·어

- 인지발달
- 대상영속성
- 상징적 표상
- 중심화
- 자기중심성
- 물활론적 사고
- 보존 분류 개념
- 추상적 사고
- 과학적·논리적 사고
- 옹알이
- 호기심
- 두려움
- 성
- 메타 메시지
- 노인
- 난청
- 이명
- 감각장애
- 인지장애
- 의사소통

09 대상자별 의사소통

대상자별 의사소통 관련 특성들을 이해하는 것은 건강한 관계 형성과 유지에 매우 중요하다. 본 장에서는 대상자별로 인간성장 발달 단계에 따라 아동기로부터 사춘기를 거쳐 성인에 이르기까지, 친구관계나 이성교제 및 부부관계에 이르기까지의 의사소통 특성과 노인이 경험하는 의사소통 장애와 그 해결 방안이나 극복하는 전략에 대해 다룬다.

1 아동대상자와의 의사소통

❶ 아동의 인지 발달

아동의 의사소통은 인지발달과 밀접하게 연관되어 있고 인지발달은 시각, 청각, 촉각적 자극이 필요하며 언어적 상호작용이 매우 중요하다. 인지발달은 일정한 순서를 거치며, 단계마다 다른 특징을 갖는다.

피아제(Piaget)는 출생부터 아동을 관찰하여 스스로 학습하는 능력을 가지고 있다고 믿고, 아동이 자신만의 방식으로 환경에서 얻은 정보를 해석하고 그에 따라 행동한다고 보았다. 아동이 세상을 해석하는 방식의 변화에 따라 감각운동기, 전조작기, 구체적 조작기, 형식적 조작기의 4단계로 나누어 인지 발달을 설명하였다.

감각운동기(sensorimotor period)는 출생부터 만 2세 시기에 해당한다. 이 시기의 영아는 감각과 운동을 통해 세상을 이해한다. 이들은 물체가 자신의 눈앞에서 보이지 않거나 들리지 않아도 사라지는 것이 아니라 어딘가에 존재한다고 인식한다(대상영속성, object permanence).

전조작기(preoperational period)는 2세~7세 시기에 해당한다. 상징적 표상, 중심화, 자기중심성 그리고 물활론적 사고가 발달한다. 이들은 실제로 눈앞에 없는 대상을 정신적으로 그려낼 수 있으며, 모든 사물에 생명과 감정을 부여한다. 예를 들면, 소꿉놀이를 하며 빈 그릇을 들고 숟가락으로 음식을 떠먹는 시늉을 한다. 이 시기의 아동은 하나의 관심사에만 주의를 기울이고 다른 데에는 주의를 기울이지 못한다. 세상을 자신의 관점에서만 생각하고, 다른 사람의 생각이나 감정 등이 자신과 같다고 여기며, 살아있지 않은 무생물인 인형이 아프다며 보살펴주고 먹을 것을 준다.

구체적 조작기(concrete-operational period)는 7세~11세 시기에 해당한다. 대상을 분류하거나 순서를 구분할 수 있다. 물이 서로 다른 모양의 컵에 담겨 있어도 물의 양이 같다는 것을 안다. 이전의 아동은 색깔이나 모양 같은 지각 특성에 따라 대상을 분류하였다면 이들은 대상들 간의 관계까지 고려하여 분류할 수 있는데 어미와 새끼, 도구와 재료 등으로 분류하여 구분할 수 있다. 즉, 동물의 색깔을 고려하여 흰색이나 갈색의 동물로 구분하거나 강아지 혹은 토끼 등 종류를 고려하여 분류할 수 있다. 서열개념이 발달하여 물체의 길이, 부피나 크기에 따라 순서를 나열할 수 있다.

형식적 조작기(formal operational period)는 마지막 단계로 11세 이상의 시기에 해당한다. 추상적 사고와 과학적, 논리적 사고가 주요 특징이다. 가설을 설정하여 검증하기 위해 체계적인 실험 계획을 세우기도 한다. 이들은 손이 닿지 않는 곳에서 물건을 내리기 위해 점프하거나 손을 뻗는 등의 행동을 할 수 있다. 11세에 물활론적 사고가 감소하나, 14세 이후 다시 증가하며 해와 구름에 대해서는 연령과 상관없이 나타난다. 만일 물건에 닿지 않는다는 것을 알면 긴 막대를 사용할 수도 있다.

② 아동의 의사소통

1) 영유아기 의사소통

영아는 울음소리나 옹알이와 같은 비언어적으로 자신만의 의사표현을 한다. 생후 13개월에 일반적으로 첫 말을 시작하며, 18개월에는 습득하는 단어의 수가 급증하고, 18~24개월경에는 단어 결합이 가능하면서 언어의 이해능력이 급성장한다. 영유아기 아동과의 의사소통을 위해서는 이 시기 아동의 언어발달의 특징을 이해해야 한다**[표 9-1]**.

이 시기에는 낯설거나 익숙하지 않은 상황에서 그 상황을 위협이나 공포로 느낄 수 있다. 초기 영아의 경우 조심스럽고 부드럽게 대해준다면 위협을 느끼지는 않으며, 만 6개월 이상의 영아는 익숙하지 않은 사람과 상황에 대해 위협으로 간주하고 믿지 못하나, 자주 반복하여 노출

표 9-1 시기별 언어발달

시기	특징
출생	울음 및 쿠잉(cooing)*을 통한 의사표현, 음소지각, 언어적·비언어적 표현의 구분
2~3개월	다양한 옹알이
4~6개월	모음 및 자음의 옹알이(babbling)**
6~8개월	친근한 단어에 반응, 반복 발음, 마마, 바바 등
8~12개월	단어로 된 말을 시작, 요청(예 : "저기 공 가져와")에 이해하고 반응
13~14개월	첫 말을 시작
18개월	빠른 단어 습득, 초보적 문장을 형성, 주요 단어만 나열
18~24개월	단어끼리 결합, 빠른 언어 이해력
24개월	문장을 사용하여 비교적 자유로운 언어표현

출처 : 윤영애 외(2011). 아동발달. 태영출판사.

*cooing : '우'와 같은 모음의 소리를 내는 초기 옹알이

**babbling : 단어를 말하기 전에 내는 소리, 어른들의 말소리를 따라서 하듯 반복적으로 소리를 내다가 스스로 강화되어 말을 하게 된다. '가'와 같은 소리를 냄

시켜 주면 위험하다는 느낌이 없어진다. 성인들이 위협적으로 느끼지 않을 행동에서도 이들은 위협적으로 느낄 수 있으므로 큰 동작이나 위협으로 느낄 수 있는 행동을 하지 않도록 한다. 예를 들어, 아이 앞에서 크게 웃거나, 아동을 즐겁게 해주기 위해 큰 몸동작을 보인다거나 아이가 귀엽다고 빤히 쳐다보는 행동도 익숙하지 않으면 아이를 놀라게 할 수 있다.

따라서 아동에게 현 상황에 익숙해지고, 스스로 면담자를 관찰할 수 있는 시간을 주어 안심할 수 있는 환경을 계속적으로 만들어 주어야 한다. 아동이 면담자를 관찰하도록 하고 호기심을 유발하여 면담자에게 스스로 접근할 수 있도록 충분한 시간을 주는 것이 중요하다. 왜냐하면 영아에게 면담자가 안전한 사람이라는 스스로의 판단이 들어야 면담자가 내민 손을 잡거나 면담자의 관심을 끌기 위한 행동을 하게 된다. 영아가 상황에 익숙해졌을 때에 손을 내밀거나 좋아하는 장난감을 가지고 천천히 부드럽게 접근하는 것이 좋다.

영유아가 말을 제대로 하지 못한다는 것이 곧 말의 의미를 이해하지 못한다는 것은 아니다. 말을 하는 능력보다 이해하는 능력이 더 먼저 발달하므로 이들의 앞에서 말을 함부로 하거나 오해하기 쉬운 말은 하지 않도록 한다. 영유아는 면담자의 어조에 민감하게 반응하므로 부드러운 목소리로 흥얼거리는 소리로 말하도록 한다.

이 시기의 아동은 빠른 속도로 사용하는 단어 수가 증가한다. 2세경에는 200단어 이상의 어휘를 구사할 수 있으며 같은 상황에서 알게 된 2개 이상의 단어를 익힐 수 있다.

3~4세 아동은 1,000개 이상의 어휘를 구사할 수 있으며 3~4개의 단어로 구성된 문장을 사용한다. 또한 이 시기의 아동은 질문을 많이 하며 명령문을 사용하고 명령에 따르기도 한다. 4~5세에는 1,500개 이상의 어휘를 사용하며, 4~5개 단어로 이루어진 문장을 사용하고, 위-아래-안-밖과 같은 위치 전치사를 사용한다. 5~6세에는 어휘가 2,000~2,500개까지 증가하고 6~8개의 단어로 구성된 문장을 사용한다. 또한 단어의 의미를 알고 접속사, 전치사 및 관사를 사용할 수 있다. 이 시기의 아이들은 인지능력 발달로 인해 사물을 범주화할 수 있는 능력이 발달하게 된다.

2~4세의 유아는 여전히 낯선 사람에 대한 경계심을 갖는다. 말의 단어 하나하나에 문자적인 의미를 부여하고 행동에서도 자기 행동이나 남의 행동을 모두 직설적인 의미로 이해한다. 이 시기의 유아는 융통성 있게 해석을 하는 것은 아니므로 의사소통에 어려움이 있다. 그러나 생명이 있는 것과 생명이 없는 것을 구별하지 못하여 사물과 자신들이 가지고 노는 장난감들도 자신과 똑같은 감정을 가지고 있다고 생각하기 때문에 장난감을 이용하여 흥미를 유발하고 대화를 지속하는 것이 의사소통에 도움이 된다.

4~6세의 아동들은 성인이 하는 것과 비슷하게 말한다. 긴 문장을 구사하고, 문장의 주요 구성요소들을 갖추어 완벽하게 말한다. 말이 많아지고, 다른 사람이 말하는 것을 흉내 내며 '사회적 말하기'가 발달하기 시작한다. 타인의 관심을 자신에게 집중하게 하며, 자신의 말을 멈추고 다른 사람의 말을 들을 수 있으며, 자신의 말을 수정한다. 자신이 말하는 동안 다른 사람이 끼어들지 못하도록 하는 능력과 다른 사람들과 말하는 중 자신이 말할 차례가 올 때까지 참고 기다리는 능력이 생기게 된다.

그러나 이들은 신체 손상에 대한 두려움을 가지고 있고, 자신의 신체나 소유물에 대한 애착이 뚜렷하게 나타나며 이들의 손상에 대한 두려움이 극심한 공포로 나타나기도 한다. 자신이 키가 크며 힘이 세다는 것을 자랑하려 하는 감정도 가지고 있고, 자신이 처음 만나는 면담자에 대한 두려움도 있다.

따라서 면담자는 우회적이고 간접적인 방식으로 접근하는 것이 훨씬 도움이 될 것이다. '어디가 아프니?'와 같은 직접적인 접근을 하면 대답을 잘하지 않을 뿐 아니라 신체 손상에 대한 두려움이 있는 아동들은 아프지 않다고 말하기 쉽다. 따라서 '지금은 아프고 병에 걸렸더라도 치료를 받으면 여전히 힘이 세고 튼튼해진다.'라는 믿음을 주면서 두려움과 불편감을 줄이도록 해야 한다. 또한 아이에게 지속적으로 관심을 주고 바로 확인할 수 있는 장점을 말해주며 칭찬하는 것도 좋은 방법이다.

놀이에 대한 이야기로 시작하여 천천히 신체에 관한 이야기를 한다면, 아동은 부담을 덜 느낄 것이다. 아픈 부분보다는 건강한 부분에 대한 이야기를 먼저 하고 서서히 문제의 초점으로 옮겨가면 거부감 없이 아픈 곳을 이야기해 줄 것이다.

2) 학령기 의사소통

6~10세의 아동들은 익숙하지 않는 사물에는 더 길게 설명한다. 6세 정도의 아동은 1만 단어 정도를 이해할 수 있고, 초등학교 졸업 무렵에는 4만 단어를 이해할 수 있다. 길고 복잡한 문장을 사용하며 수동태 문장도 사용하고 문법도 세련되어진다. 8~10세 아동은 모호한 부분을 지적하여 알아들을 수 있도록 설명할 것을 요구하기도 한다. 독립적으로 주어진 언어적 정보 통합이 가능하여 의미를 추론하고 발화(utterance)*로 드러나지 않는 의미를 찾아낼 수 있다.

학령기 아이들은 부모로부터 점점 독립적이 되어 가고 또래들과 어울리는 기회가 많아진다. 또한 자신과 타인의 관점을 변별하는 능력과 다른 관점들 간의 관계를 볼 수 있는 능력이 점차 발달하여 자기 이해와 타인 이해를 할 수 있게 된다. 셀만(Selman)이 제시한 역할수용이론(Role taking theory)에서 제시된 아동의 조망수용 능력 수준은 다음과 같다**[표 9-2]**.

이들은 이해능력이 발달되고 인과관계 및 삶과 죽음의 개념을 이해할 수 있으므로 현재 상황, 치료과정 등에 대해 구체적으로 설명해 준다. 그러나 이해하는 데는 한계가 있으므로 오해가 생길 수 있는 내용은 아이가 없는 장소에서 얘기하는 것이 좋다. 단순하게 그려진 그림과 쉬운 단어를 사용하여 아이에게 설명해 주는 등 아이가 이해할 수 있는 수준과 방법을 사용하며, 설명 후에는 아이가 정확히 이해하였는지 다시 확인해 보도록 한다.

* 발화(utterance) : 생각이 소리나 말로 표현되는 것

표 9-2 5단계 조망수용 수준

수준	단계	시기	내용
0	자기중심적 역할수용	3~6세	• 타인의 생각이나 기분을 인식하지 못함 • 자신이 옳다고 생각하는 것을 다른 사람도 똑같이 생각할 것이라 믿음
1	주관적 역할수용	6~8세	• 타인이 자기와 다른 관점을 가질 수 있음을 인식 • 타인과 자신의 관점의 차이를 구별 못함
2	자기반영적 조망수용	8~10세	• 자신과 타인이 같은 정보를 가지고 있어도 견해가 일치하지 않을 수 있다고 생각함 • 자신과 타인의 관점을 동시에 고려하지는 못함
3	상호 조망수용	10~12세	• 자신과 타인의 관점을 동시에 고려 • 대인관계를 위하여 자신의 생각이나 감정의 조절이 가능함
4	사회의 역할수용	12~15세	• 다른 사람들은 자신의 사회규범이나 가치에 따라 믿고 행동한다는 것을 추정하고 타인의 관점을 이해함

출처 : Selman, R.L., Byrne, D.F.(1974). "A structural-developmental analysis of levels of role taking in middle childhood". Child Development & Shaffer, D.R.(2008). Social and personality development.

③ 아동과의 의사소통 실제

1) 아동과의 의사소통 지침

① 진실을 말한다. 아동이 주사를 놓을 때 '아파, 싫어'라고 말하면 아이를 안심시키기 위해 '아프지 않아'라고 말하여 아동을 안심시키는 경우가 있는데, 아이가 아픔을 느끼게 되면 거짓말을 했다고 생각하게 되고 신뢰를 상실하여 다음에 주사 놓을 때 더 어려운 상황이 된다.

② 약속은 꼭 지키며 지키지 못할 약속은 하지 않는다. 아이들은 약속을 하면 그 약속을 지킬 것이라고 생각한다. '주사 맞으면 아이스크림 사 주세요'라는 아이의 말에 '그래' 하고 약속하고는 주사를 맞고 나서는 '의사선생님이 열이 있어 안 된대'라고 말하면 안 된다. 대신에 '주사 맞고 감기 다 나으면 그 때 아이스크림 사줄게'라고 말하는 것이 좋다.

③ 감정을 존중한다. 아이의 공포나 두려움을 인정해주지 않고 '다 컸잖아, 씩씩해야지' 또는 '울면 안 돼!' 등과 같은 말로 아이의 감정을 부정하거나 무시하지 않도록 한다.

④ 개방적 질문을 많이 사용한다. '예', '아니오'를 요구하는 폐쇄적 질문은 도움이 되지 않는다. 단편적인 반응만을 보이게 되고 아이를 심문하는 느낌을 주게 된다.

2) 아동과의 의사소통 사례

다음의 사례 1은 일상적인 사례이고, 사례 2는 효율적 의사소통을 활용한 예이다.

❙ 사례 1 ❙

▸ 주사를 맞기 싫어하는 아들에게

감기에 걸린 철민이가 병원에 가서 주사를 맞아야 하는데 안 맞겠다고 운다.

엄마 : 철민아, 감기가 빨리 낫도록 주사 맞을까?
철민 : 싫어, 싫어. 엄마 나빠!
엄마 : 얘 좀 봐. 너 빨리 나으려고 그러는거야. 주사 안 아프게 놓아 주실 거야.
주사 맞으면 아이스크림 사줄게.
철민 : 싫어, 싫어. 지금 사 줘.
엄마 : 주사 맞으면 사줄게.

주사를 맞은 후,

철민 : 엄마, 이제 아이스크림 사 줘.
엄마 : 네가 아직 열이 나니까, 다음에 사줄게!

❙ 사례 2 ❙

▸ 주사를 맞기 싫어하는 아들에게

감기에 걸린 철민이가 병원에 가서 주사를 맞아야 하는데 안 맞겠다고 운다.

철민 : 나 주사 안 맞을래. 공놀이 할래. 빨리!
엄마 : 철민이가 공놀이 하고 싶구나. (반영)
엄마도 철민이가 감기 나아서 공놀이 함께 하면 재미있겠다. (공감)
그런데 우리 철민이가 기침하고 열도 나는데, 빨리 공놀이하고 싶으면,
지금은 어떻게 해야 할까? (개방적 질문)
철민 : 싫어, 싫어. 지금 공놀이 할래.
엄마 : 근데 철민이가 감기 들어서 콜록거리는데 주사를 안 맞으면 어떻게 될까? (직면)
철민 : 몰라, 몰라. 주사 안 맞으면 안 돼? 공놀이 못해?
엄마 : (가만히 철민이를 지켜본다) (침묵)

철민 : 주사 맞으면 빨리 나아요? 나 빨리 공놀이 하고 싶어.
엄마 : 그래, 엄마도 철민이가 주사 맞고 빨리 나아 엄마와 공놀이 하면 좋겠다.
철민이 생각은 어떠니?
철민 : 그럼 주사 빨리 맞을래요.

주사를 맞은 후,

철민 : 엄마! 이제 주사 맞았으니 언제 나아요? 몇 밤 자야 해요?

첫 번째 사례는 일상적인 사례로써 철민이에게 주사를 맞혀야겠다는 생각으로 지키지 못할 약속을 하고 주사도 아프지 않다고 말해 신뢰감을 상실하였다. 두 번째 사례는 효율적인 대화 기술을 사용하여,

- 반영 : 철민이가 공놀이 하고 싶어하는 마음을 읽어서 표현해준다.
- 공감 : 철민이가 공놀이 하고 싶은 마음을 공감해준다.
- 개방적 질문 : 철민이가 공놀이 하려면 어떻게 하는 것이 좋은지 스스로 생각해보도록 개방적으로 묻는다.
- 직면 : 철민이가 주사를 맞지 않는 것이 공놀이를 하는 데에 부정적 영향을 주는 것에 대해 직시하게 한다.
- 침묵 : 철민이가 떼를 쓰는 것을 일부러 제지하지 않으며 그렇다고 달래려 하지 않고 스스로 결정하도록 믿음을 가지고 기다려준다.

2 친구, 형제, 동료 그리고 이성과의 의사소통

사전적으로 친구는 '오래두고 정답게 사귀어 온 벗'이다. '벗'은 '마음이 서로 통하여 친하게 사귄 사람'이나 '뜻을 같이 하는 사람'이라고 정의된다. 즉, 친구는 수용, 신뢰 그리고 존중의 바탕 위에서 인생의 즐거움을 공유하고 도움을 교환하는 동반자로 정의할 수 있다. 친구관계의 특성은 대등한 위치의 인간관계이며, 가장 순수한 인간지향적 대인관계이고 자유롭고 편안한 인간관계로서 여러 가지 측면에서 유사점을 지녀 서로 공유하는 삶의 영역이 넓으나, 구속력이

적어 해체되기 쉽다. 형제간에는 서로 가족의 일원으로 오랫동안 함께 거주하는 것 때문에 때로는 개인적인 사생활을 생각 없이 침해할 수도 있어 감정을 상하거나 불편함을 초래하기도 한다. 선후배간에는 역할과 입장차이가 있어 인간적인 갈등으로 스트레스 상황에 놓이게 된다. 이러한 관계에서는 진정성 있는 대화와 자기주장적인 의사소통의 방식을 적절히 활용하는 것이 필요하다.

이성간의 관계란 성(性)이 다른 관계를 의미하고, 성적인 욕망과 사랑의 감정을 가지는 열정적인 면과 서로가 둘인 동시에 하나라는 생각과 서로에게 적극적인 지지자가 되는 보호적인 면을 가지는 관계로 친구관계와는 구별된다. 이성간에는 동성과는 다른 성차의 문제가 개입되기 때문에 성별 특성을 이해하고 그들의 의사소통의 특성과 스타일을 이해하는 것이 관계 유지와 만족스러운 결과에 매우 중요하다.

1 친구, 형제 및 동료와의 의사소통

서로 말이 통하지 않고 있다는 느낌을 받게 되는 순간 인간관계가 매우 불편해지며, 갈등이 시작되는 기점이 될 수 있어 대인관계에서 소통된다는 것은 매우 중요하다.

1) 경청하기

일상적으로 다른 사람의 말을 잘 듣는 것은 쉬운 일은 아니다. 더구나 친구가 되어 서로에게 익숙한 관계가 되면 일상적인 일이 되어 친구의 의견을 가볍게 듣기가 쉽다. 그러나 친구의 이야기를 끝까지 잘 듣는다는 것은 친구와의 관계 유지와 증진에 매우 중요하다. 경청은 그 사람을 존중하는 태도이며, 상대방에게 이해받는 느낌을 갖도록 하고, 신뢰감을 형성하며, 대화의 핵심을 잘 파악하게 하여 의사소통을 원활하게 해준다.

2) 자신의 의사를 분명히 전달하기

상대를 잘 알지 못하거나 성격상 자신을 주장하지 못하거나 상대에 대해 부정적인 감정을 가지고 있으면 솔직한 이야기를 하지 못한다. 그러나 친구에게 내가 어떤 생각을 가지고 있는지 말하지 않으면서 내 심정을 헤아려 줄 것을 기대할 수는 없다. 따라서 상대의 반응이 우려가 된다면 내 의견을 말하고, 내가 이러한 말을 하는 것이 좀 염려가 된다는 표현을 하는 것이 좋다.

상대방에게 자신의 의사를 전달하는 방법

'너' 메시지는 'ㅇㅇ야, 하지마' 라고 말하는 것으로 이것은 상대에 대한 충고, 명령, 비난 등이 포함되어 있어 상대방의 감정을 상하게 하고 관계를 멀어지게 한다.
'나' 메시지는 '네가 모임에 늦게 오니까 화가 나지.'가 아니라, '네가 늦게 오니까, 나도 가족과 조과제 마치고 할머니한테 가기로 했는데, 늦을까봐 내가 신경이 쓰여서 화가 났어. 다른 사람 시간도 너의 것처럼 소중하다는 것을 알아주면 좋겠구나'라고 자신의 생각과 원하는 바를 전하는 전달 방법이다. 나의 생각을 명확하게 전달할 수 있으면서도 상대방에게 투사하지 않는 효과적인 의사소통 기술이다.

자기주장적 의사소통(나 메시지)

1960년대 토마스 고든(Thomas Gordon)은 1960년대 효과적인 부모 역할 훈련(P.E.T., Parent Effective Training)에서 가정, 학교, 직장에서 좋은 관계를 형성하거나 개선하기 위해 처음으로 나 메시지(I-message)를 개발하였다. 나 메시지는 자기주장적 의사소통(self-assertive communication)으로서 나 전달법으로도 부른다. 나 메시지는 상대방의 권리를 침해하지 않아 상처를 주거나 불쾌감을 주지 않으면서도 자신의 권리를 주장하는 것이다.

나 메시지는 내가 주체가 되어 진술한다. '나'라는 표현으로 시작하여 자신의 부정적인 감정이 일어난 원인과 책임을 상대방에게 전가시키지 않아 비난하지 않으면서도 자기주장을 펼칠 수 있는 의사소통방식이다. 즉, 상대방의 행동보다는 말하는 사람의 생각이나 특성에 초점을 맞춘다.

자신의 욕구, 의견, 생각 및 감정들을 솔직하고 편안하게 상대방에게 전달하는 것이다. 흔히 상대방에게 자신이 주장을 하는 것을 자기주장적 의사소통으로 생각하고 자신의 생각이나 감정만을 표현한다면 상대방에게 자신이 가진 감정의 책임을 전가함으로써 상대방이 상처를 입게 되어 다시 상처를 주고받게 되는 부작용이 많다.

인간관계에서 평소에 갈등을 초래하지 않으려면 상황에 대한 그때그때 상대에 대한 감정을 빠르고 정확하게 감지하고 잘 풀어야 한다. 감정이 상하였는데도 이를 제대로 해결하지 않으면 시간이 경과되면서 누적되어 부정적인 신념이나 생각 등이 현실에서 왜곡되어 강화된다. 그 결과 살면서 자신의 권리를 쉽게 포기하며 억울하게 여기며 피해의식 속애서 산다. 이러한 왜곡된 마음을 가지고 피해자의 심정으로 살지 않고 자신의 잠재력을 개발해가며 역량을 키워가면서 건강하고 활기차게 살려면 나 메시지가 자동적으로 표현될 수 있도록 연습하고 습관화하는 것이 중요하다.

흔히 "네가 연필을 빌려가서 왜 주지 않니?" 또는 "네가 내 연필을 가져가서 돌려주지 않으니 화가 난다." 라고 말하는 것을 나 메시지라고 생각할 수 있다. 이것은 굳이 이름을 붙여야 한다면 '너 전달법'이다.

진정한 나 메시지는 3가지 요소로 구성된다. 대상자의 행동이 자신에게 확실하게 바람직하지 못했을 때의 그 행동, 그 행동이 나에게 미친 영향, 그리고 나의 느낌 또는 감정 등이다.

주어를 나로 시작하는 것은 나의 감정의 원인이 상대방에 있다고 탓하지 않는 의미가 있다.

예를 들어. "네가 아침에 늦게 일어나니까. 내가 화가 나." 가 아니라. "내가 아무리 일찍부터 밥을 해도 네가 아침에 늦게 일어나니까 지각하게 되니, 내 수고가 헛수고가 되는 것 같아 너무 걱정되고 화가 나."이다.

여기서 앞 문장은 뒷 문장에 있는 내가 너의 행동으로 영향을 받은 결과가 빠진 것이다. 내가 화가 나는 것은 내가 밥을 일찍 해주어도 네가 밥을 늦게 먹게 되어 학교에 늦을까봐 걱정되고 내가 노력해보았자 헛수고가 된다는 내 생각 때문이다. 이 경우에 내가 화가 나는 이유를 너한테 돌리지 않고 너의 행동에 따른 나의 생각 때문이라는 것이다.

반 친구가 볼펜을 가져가서 돌려주지 않아서 화가 나는 사례를 보자. 그 경우에도 "얘, 너는 왜 나의 볼펜을 돌려주지 않니? 너는 언제나 다른 사람의 물건을 빌려가고 아무렇지도 않아 하지 않니, 왜 그렇게 사니?" 라고 말한다면, 친구 사이에 관계가 퍽 어려워 질 것이다. 반면에 친구가 미안할까봐 아니면 치사한 것 같아서 자기 볼펜을 돌려달라지 못하는 친구들이 더 많을 것이다. 이러한 두 종류의 사람들이 나 메시지를 하게 되면 삶이 평화로워진다.

빌려간 친구는 다른 사람의 볼펜을 가져갔으니 건망증이 심하여 잊어버린 사람이 아니라면 마음이 편하지 않을 것이다. 그래서 빌려 간 사람이나 빌려 준 사람 모두 아무도 편하지 않겠지만, "내 볼펜 어서 줘." 라고 말하면 친구 간에 불편해진다. 이럴 때 표현으로 "ㅇㅇ야. 내 볼펜을 네가 빌려가서 주지 않으니 내가 볼펜 쓸 일이 있는데 쓰지 못해서 불편하구나. 돌려주면 좋겠다." 이렇게 자기표현을 하는 것이 적절한 나 메시지이다. 상대를 상하게 하지 않으면서도 자신이 볼펜을 써야 하는 상황을 말하여 자신의 볼펜을 돌려받을 수 있다. 상황과 목표를 탐색하여 기록하고 3가지 구성요소로 기록해본다.

| 상황요약 |

내가 과제하거나 필기하는데 애용하는 볼펜을 지난 강의 시간에 친구가 빌려갔는데 돌려주지 않는다. 친구 마음을 상하게 할까봐 돌려달라고 못하고 있는데 불편하고, 더구나 내 것을 달라고도 못하는 내가 바보 같아 친구와 나 자신에게 화가 난다.

• 긍정적인 의도 찾기

- 친구와 사이가 나빠지지 않기를 원한다.
- 내가 솔직하게 표현하여 나의 볼펜을 돌려받아 사용하고 싶다.

• 상대방의 행동

친구는 볼펜을 빌려가서 돌려주지 않고 잊어버린 것 같은 태도를 보인다.

• 자신에게 미친 영향

나는 과제나 필기 때 그 볼펜을 사용해야 하는데 마음에 들지 않은 볼펜을 사용하니 글씨가 잘 안 써지고 해서 집중이 되지 않는다.

• 그 결과 나의 느낌

화가 나고 말하자니 치사한 것 같아서 짜증난다.

• 나 전달법 완성하기(연결하여 표현하기)

친구야. 내가 아끼는 볼펜을 너에게 빌려주었는데, 네가 돌려주지 않아서(행동) 다른 볼펜으로 글씨를 쓰니 잘 안 써지고 해서 집중이 안 되어(영향) 신경이 쓰이고 짜증이 난다(자신의 느낌/감정). 나는 너하고도 잘 지내고 싶고 내 볼펜도 사용하고 싶단다.

병원에서 선후배간호사 간의 예를 하나 더 들면, 신규간호사에게 선배간호사가 활력징후를 하라고 하고서는 뒤돌아서자마자, 다시 신환자(입원환자)에 대한 치료지시를 받으라고 한다. 이럴 때 신규간호사는 빨리 빨리 일처리를 못하는 상황에서 부담감으로 힘들어 한다. 선배간호사 입장에서도 자신의 여러 업무에서의 책임감이 부담되어 신속하게 일처리를 하거나 대답이라도 시원하게 못 하는 걸 보면 답답하여 신규간호사에게 질책하는 식의 태도를 보일 수 있다. "○○선생 아직도 못했어요? 빨리 빨리 해요! 할 줄은 알지요?" 라고 말한다면 신규간호사는 근무할 마음이 나지 않을 것이다. 이런 상황이 반복되다 보면 선배간호사가 야속하고 자신감도 상실되어 직장을 포기하려는 생각도 갖게 되며 선배간호사는 후배간호사가 답답하고 그에 대한 업무를 지도하고 안내하는 책임감으로 부담이 커서 좋은 얼굴로 대하기가 어려울 것이다.

이런 갈등을 예방하기 위해서 신규 간호사의 입장과 선배간호사의 입장으로 각각 나 메시지를 기술해보기로 한다.

- 신규간호사 : "선생님, 제가 아직 미숙해요. 열심히 하려고 하지만, 선생님이 일을 동시에 두 가지를 주시면(상대방의 행동) 저는 아직 당황하게 되어서 자신감이 떨어져요(그 행동의 영향). 그래서 겁이 나고 무서워요(나의 감정). 선생님 당분간 한 가지씩만 지시하고 설명해주시면 제가 더 빨리 적응할 수 있을 것 같습니다."

이렇게 표현한다면, 선배간호사도 신규간호사가 적응할 때까지는 차분히 한 가지씩 업무지시를 할 것이다.

- 선배간호사 : "선생님, 내가 일을 시키면 얼굴만 부어서 대답도 안하니(상대의 행동), 선생님이 오히려 화를 내는 것 같이 보여서(그 행동의 영향) 내가 스트레스를 이만 저만 받는게 아니에요(나의 느낌, 감정). 정말 선배노릇하기가 괴로워요. 뭐라고 자기표현을 좀 해주면 나도 스트레스 덜 받고 선생님하고도 편안한 관계가 되면 좋겠어요."

이렇게 표현하게 되면 후배간호사도 선배간호사의 심정을 이해하고 좀 더 편안한 상태로 업무 적응을 할 수 있을 것이다.

여기서 나의 생각을 찾아내는 것은 매우 중요하다. 나의 생각을 찾지 못하면 화살이 상대편에게 가게 된다. 예를 들어 "당신이 나를 무시한다고 생각해서 속이 상했다."거나 "내가 희생만 당한다고 생각해서 화가 났다."고 말한다면 상대방에게 탓을 하는 것이 아니고 나의 생각을 점검하게 되니까 자기성찰을 훨씬 쉽게 하도록 하고 상대방에게 투사하지 않는다. 건강한 나 메시지는 건강한 인간관계를 형성하게 하여 개인의 정신건강은 물론 조직사회에서 업무의 성과를 높여 준다.

요약하면, 나 전달법은 "네가 ~~가 ~~이다."가 아닌, "나는 당신이 ~~~할 때 이런 영향을 받아서 내가 ~~~한 기분이다." 라고 하여 나의 기분 또는 감정이 당신 때문에 발생한 것이 아니다. 즉 나의 감정의 원인을 상대방에게 투사하지 않으며, 내가 그 상황에서 영향 받은 사실 또는 그 상황에 대한 나의 생각에 두는 것이다.

상대방의 인격과 권리를 존중하면서도 자신의 생각과 의견 및 느낌을 솔직하게 전달하는 것이다. 나 메시지에는 3가지 요소로 구성된다. 첫째, 상대의 행동이나 상황을 비난이나 비평을 하지 않고 표현한다. 둘째, 그 행동이나 상황이 구체적으로 나에게 어떤 영향을 주었는지를 표현한다. 셋째, 대상자의 행동이나 상황에 대한 나의 느낌이나 감정을 표현한다. 나 메시지는 나의 감정을 상대방의 행동에 두고 탓하지 않는다. 만약 상대에게 원인이나 탓을 돌린다면, 진정한 나 메시지가 아니며, 이는 인간관계를 더욱 어렵게 만들 수 있다. 다음 사례는 상황과 목표를 탐색하고, 3가지 구성요소를 도식에 맞추어 작성한 것이다**[표 9-3]**.

표 9-3 "나 메시지" 사례

<table>
<tr><th colspan="4">나의 상황과 목표 적기</th></tr>
<tr><td>상황</td><td>내 방에 컴퓨터가 있다. 오빠가 밤늦게까지 컴퓨터를 하다간다. 나는 내 방에서 과제도 편하게 못하며, 잠도 자고 싶은 시간에 못 자고 내 방도 내 맘대로 사용하지 못해서 매우 불편한 상황이다.</td><td>목표</td><td>1. 오빠를 존중하면서, 나도 존중받고 나의 권리를 동시에 보장받고자 한다.
2. 나의 생각이나 감정을 솔직하게 표현하도록 한다.</td></tr>
<tr><th colspan="4">나 메시지 적용하기</th></tr>
<tr><td colspan="1">상대방의 행동</td><td colspan="3">오빠가 방학하고 매일 낮이건, 밤이건 갑자기 들어와선 컴퓨터 좀 하게 비키라고 말한다.</td></tr>
<tr><td>자신에게 미친 영향</td><td colspan="3">내가 모처럼 앉아서 과제하려는데 갑자기 와서 그렇게 해버리면 집중도 안 되고, 또 밤에는 그 불빛 때문에 잠을 제대로 잘 수가 없어서 피곤하다.</td></tr>
<tr><td>그 결과 나의 느낌</td><td colspan="3">나는 정말 오빠가 내 생각은 하나도 안하고 신경도 안 쓰는 것 같아 서운하기도 하고 짜증이 난다.</td></tr>
<tr><th colspan="4">나 전달법 완성하기</th></tr>
<tr><td colspan="4">오빠가 방학하고는 낮이건 밤이건 갑자기 들어와선 컴퓨터 좀 하게 비키라고 말하잖아. 내가 모처럼 앉아서 과제하려는데 갑자기 와서 그렇게 해버리면 집중도 안 되고, 또 밤에는 그 불빛 때문에 잠을 제대로 잘 수가 없어서 피곤해.
나는 정말 오빠가 내 생각은 하나도 안하고 신경도 안 쓰는 것 같아 서운하기도 하고 짜증이 나. 나도 오빠를 존중하면서도 나의 권리도 보장받고 싶어.</td></tr>
</table>

3) 공감하기

친구와 대화를 나눌 때, 상대방이 나의 입장과 상황을 잘 이해해 주고 내 기분을 함께 느껴 준다면 대화는 진실하게 이어지고 상대방에게 지지받고 있다는 확신을 갖게 된다. 공감하는 반응으로는 고개를 끄덕이는 비언어적인 방법과 상대가 느끼는 감정에 대하여 공감을 표현하는 언어적 방법을 사용한다.

2 이성과의 의사소통

1) 남성과 여성의 차이

성이라는 것은 생물학적, 사회적으로 구별된 것이기 때문에 어느 문화권에서든지 이들 간의 의사소통 방식에는 차이가 있다. '화성에서 온 남자 금성에서 온 여자'라는 책에서 시사하는 바와 같이 남성과 여성이 의사소통 스타일이 다르다. 이러한 차이는 성별 대화 스타일의 문화 차이가설(Separate Worlds Hypothesis, SWH)로 설명된다.

언어 행동의 차이는 아동기로부터 성장하면서 성인기에 이르기까지 다른 문화에서 사회화되는 과정에서 비롯된다. 소년들의 놀이는 더욱 활동적이고 경쟁적이며 공격적이어서 보다 큰 그룹이나 복잡한 계층구조가 있다. 소녀들의 놀이는 보다 협동적이고 수동적이어서 복잡한 계층구조를 요하지 않으며 언어에 더 많이 의존하는 경향이 있다. 남성은 가장으로서 사회생활을 이어가야 한다고 생각하기 때문에 경쟁적이고 투쟁적으로 대화를 하는 경향이 있다면, 여성은 가족구성원의 연대감을 강화하는데 익숙하므로 협력적이고 친근한 대화를 지향한다[표 9-4].

표 9-4 남성과 여성의 대화법

	남성	여성
공감	• 도전적이고, 다른 관점으로 지적함 • 애로사항을 들으면 해결책을 제시하고, 하소연과 불만을 듣는 것은 싫어함 → 공감보다 결과와 목표 관점에서 접근함	• 주제에 대한 생각과 감정 공유 • 개인적인 생각이나 경험을 나눔 • 서로 칭찬하고 취약점을 공유함 → 상호이해와 신뢰를 형성하고 지지하기 위함
어법	• 직접적, 간결하며 지시적 언어사용 • 권위 있게 말하고 말을 끊음 • 청중에게 유머와 명령조 언어 사용 → 효율적인 의사소통과 상하체계 인식 결단력을 보여 존경과 리더십 획득	• 권유형 지시 사용 • 의문형 권유 사용(강한 긍정적 표현) • 사과를 하고 도움을 구함 → 상하관계를 따지는 것보다는 서로 존중함 본질적 동기와 팀워크 중요하게 생각함

표 9-4 남성과 여성의 대화법 (계속)

	남성	여성
자세	• 비스듬히 앉아 눈 맞춤은 피함 → 별로 관심이 없는 태도를 보이며, 도전적이거나 공격성을 드러내지 않음	• 눈을 맞추고, 서로 번갈아가며 말함 → 존경과 균형을 쌓기 위함 서로의 유대관계를 지키기 위함
표현	• 구체적으로 부탁하지 않으면 잘 모름 → 말하지 않은 부분은 세밀히 알아채지 못함	• 구체적으로 부탁하지 않고 응답을 기다림 → 말 안 해도 상대가 어느 정도는 당연히 알 것이라고 생각함

대화방식의 차이는 신체적인 차이로도 설명할 수 있다. 인간의 두뇌는 두 개의 영역(좌, 우반구)으로 나뉘어 있는데, 남성은 주로 좌뇌를 사용하여 논리와 합리적 사고, 추리를 하는데 사용한다. 반면 우뇌는 추상적 사고, 의사소통, 공간지각력과 같은 기능을 주로 담당한다. 여성은 우뇌가 발달되며, 우뇌와 좌뇌를 연결하는 뇌량과 미세한 신경섬유도 남성보다 40% 정도 많아서 여성은 좌, 우뇌 간의 메시지를 더 잘 주고받을 수 있다. 결과적으로 여성은 유창한 어휘력, 구사능력 및 다른 언어능력 등과 같은 우뇌 기능들이 더 많이 나타나고, 남성은 논리와 합리적 사고를 요구하는 영역에서 우수하더라도, 자신을 표현하는 면에서는 미흡할 수 있다. 다음은 이성 간의 대화 사례이다.

- 남성 : "오늘 갑자기 회사에 일이 생겨서 출근하라고 하는데 영화 못 볼 거 같아."
- 여성 : "일요일인데 회사에서 출근하래?"
- 남성 : "응, 회사에 무슨 일이 생겼나봐."
- 여성 : "저번에도 영화 본다고 했는데 집에 일이 있어서 약속 못 지켰잖아! 그래도 오늘은 주말이라 같이 영화를 볼 수 있을 줄 알았는데…"
- 남성 : "나도 회사에서 금방 연락을 받았어. 그런데 일이 생겼다고 하는데 안 갈 수 없잖아. 그리고 저녁에는 과장님하고 저녁 약속도 잡혀있어."
- 여성 : "그런데 정말 무슨 일인데 그럴까. 알았어. 그럼 할 수 없지 그런데 오빠가 주말에 영화보는 약속을 못 지켜서 너무 속상해!"
- 남성 : "미안해. 대신에 다음 주말에는 내가 맛있는 저녁과 함께 영화도 같이 보여줄게! 알겠지?"
- 여성 : "다음에 또 약속이 어떻게 될지 모르잖아."
- 남성 : "그럼 오늘 회사에서 일만 처리하고 바로 나와서 너 만날까?"

- 여성 : "아니야, 괜찮아… 그냥 회사일 해." (주말이라서 오빠와 함께 즐거운 시간을 보내고 싶은 건데…)
- 남성 : "그럼 다음에 주말에 만나서 맛있는 거 먹고 즐거운 시간 보내자!"

해설

위 사례를 통해서 남성은 바로 앞에 닥친 목표만을 최대한 해결하는데 집중하고, 여성은 무슨 일인가하고 생각하고 상대에 대해 걱정도 하고 섭섭한 자신의 감정에도 집중한다. 즉, 남성은 자신을 분리시키고 객관화시켜 대화를 하는 반면, 여성은 자신을 대상과 연관시켜 감정 중심의 대화를 시도한다. 이 경우 여성은 자신의 감정과 감정에 대한 노출을 통해 문제가 일단 해결된 상황임을 알 수 있다.

이렇게 서로 다른 문화적 배경을 가진 대상이 말하는 방법과 의사소통의 차이점을 이해하면 남녀 간의 의사소통의 어려움을 극복할 수 있다.

2) 성 차이에 따른 의사소통 문제 해결

(1) 의사소통과 관련된 용어와 개념에 대한 지식을 가진다.

'프레임*', '메타 메시지*'나 대화 스타일 등의 의미를 알고 작용을 이해하면, 대화가 보다 원활해지고 대화방식의 차이가 의사소통에 어떻게 영향을 주는지에 대해서 쉽게 이해할 수 있다.

(2) 자신의 대화 스타일을 이해한다.

대화의 단절과 소통의 어려움을 해결하는데 제일 먼저 해야 할 일은 자신의 대화 스타일을 이해하는 것이다. 자신의 언어사용이 상대방에게 어떤 영향을 미치며, 상대방은 어떻게 반응하는가 또는 상대방의 대화방식에 자신은 어떤 스타일로 반응하는가를 잘 관찰한다. 자신의 대화 스타일을 알게 되면, 조절방법도 알게 된다. 문제가 되었던 대화를 분석해 보면 적절한 해결방법을 찾는데 도움이 된다. 필요하면 상대에게 그의 의견을 묻는다.

* 프레임(frame) : 영화에서 필름 한 장같이 대화 시 멈춘 순간의 한 장면
* 메타 메시지(meta message) : 대화에서 숨은 의미 즉, 메시지 속의 메시지. 대화 속에서 동일하게 나온 언어적 표현이 다른 의미로 받아들여지는 여러 비언어적 표현, 즉 음성, 표정, 태도 등이 종합된 메시지

(3) 대화 스타일의 변화를 시도해 본다.

대화가 원활하게 진행되지 않을 때, 똑같은 대화 스타일을 고집하면, 대화는 점점 힘들어지고 꼬여서 대화단절로 이르게 된다. 습관적으로 자신의 패턴을 고수한다면 문제해결에 도움이 되지 않으므로 유연한 스타일을 취함으로써 대화에 변화를 가져야 한다.

(4) 남성에게는 조언을 삼가고 여성의 말에는 귀 기울여 들어준다.

여성은 남성이 원하지도 않는 조언을 하거나 그를 도와주려고 할 때, 자신의 말이 그에게 비판적이고 불쾌하게 들릴 수 있다는 것을 알지 못한다. 배려하는 마음에서 우러난 제안도 남성의 기분을 상하게 할 수 있다. 여성들은 남성들과 달리, 사랑하고 친밀한 관계에서 도와주고, 관심을 쏟고, 보살펴 주는 일에 많은 시간을 할애한다.

남성은 해결책을 제시할 방법이 없으면 반응을 보내지 않아 문제를 키우기도 하는 경우가 많은데, 남성이 공감만 해주어도 여성은 스스로 감정을 조절하고 문제를 해결하는 경우가 많다. 이럴 때 자신의 입장에서 쓸데없는 해결책을 제시하는 것은 상처를 줄 수 있다. 따라서 남성은 여성이 어려움을 호소할 때 해야 할 일은 해결책을 제시하는 것이 아니라, 귀 기울여 들어 주고 여성의 감정을 존중하는 일이다.

(5) 남성에게는 직접적이고 간명한 표현을 사용한다.

남성에게 도움을 요청하기 위해서는 직접적이고(direct), 간명하게(brief), '창문을 열어주세요?(Would you∼)' 또는 '창문을 열어주기를 부탁합니다.'라는 표현을 사용하는 것이 좋다. 공연히 남자의 마음을 배려하여 말을 빙빙 돌리거나 장황한 이유를 늘어놓거나 '창문 좀 열어줄 수 있겠어요?(Could you∼)'라고 말하거나, '공기가 나빠요.'라는 표현을 하는 것은 남자는 알아듣지 못하거나 투정하는 소리로 오해할 수 있다.

(6) 상호 의사소통 방식에 대한 규칙을 정한다.

대화 진행이 원활하지 않을 때는 대화방식 자체에 대하여 말할 수 있다. 예를 들면, '내 말을 자꾸 가로막지 마세요.', '나에게 말할 기회를 주세요.', '멈추지 말고 계속 말씀하세요.' 등과 같이 대화 주제와는 상관이 없지만, 대화 진행에 관한 자신의 요구사항을 상대방에게 알려준다. 또는 각자 서로 3분 내에 이야기하여 말할 기회를 독점하거나 회피하지 않도록 하는 규칙 등을 정하여 대화한다.

남녀 간의 대화 스타일의 차이로 인해 오해가 발생하게 되므로 조정 작업이 필요하다. 남녀 사이의 언어사용을 언어학적으로 분석해 보면 대화가 막히는 원인은 남녀가 서로 '틀리거나 나빴기(wrong, bad)' 때문이 아니라, 서로 '달랐기(different)' 때문이라는 사실이 확인된다. 그러나 사소한 대화 단절과 불통은 결국 서로 헤어지게도 만든다. 따라서 남자가 여자와 다른 점을 이해하고 서로 자신들이 원하는 방식을 이야기를 함으로써 공유하고 실천하는 적극적인 태도가 중요하다.

3 부부간 의사소통

부부는 성숙한 남녀가 결혼이라는 제도를 통해 정신적, 육체적, 경제적으로 협력하는 공동체를 이루며 일상생활에서 서로 돕고 부양의 권리와 의무를 갖고 살게 된다. 얼굴을 마주하는 관계를 이루기 때문에 서로의 인격이 드러나고 가장 친밀한 사이로 가까운 사이를 유지할 수도 있으나, 갈등이 유발되면 서로 심한 상처를 주고받을 수 있게 된다. 서로 개성이 다르고 가치관이나 생활양식이 다른 점을 어떻게 맞추어 갈 것인가에 대한 자각과 노력이 필요하며, 일상생활에서 의사소통을 어떻게 하고 있고, 어떻게 변화해야 할지를 생각해보기로 한다.

❶ 부부 의사소통 개념과 부부관계

부부 의사소통을 비엔뉴(Bienvenu, 1970)는 남편과 아내가 상대방을 이해하기 위해서 노력하며, 견해 차이가 있을 때 자신의 느낌과 의미를 상호 교환하는 과정으로 설명하였다. 놀러와 피츠 패트릭(Noller & Fitzpatrick, 1990)은 부부의 친밀성을 유지하고 신뢰감 증진으로 발생한 문제를 해결하는 과정으로, 임현선(2014)은 남편과 아내가 서로의 가치와 신념, 사건 및 행동에 대한 의미들을 이해하기 위해 상호작용하는 과정으로 정의하고 있다.

부부는 의사소통을 통해서 경험과 관심을 나누고 사랑과 존경을 표현하여 더욱 친밀하고 정서적으로 만족스러운 관계를 형성하게 되므로, 부부의 의사소통은 부부간의 상호작용으로 부부 갈등을 관리하고 해결하는데 중요한 수단이다. 대인관계에서 효과적인 의사소통은 자신과 타인과의 원만한 관계 유지와 상대방의 이해를 돕는다고 볼 때, 부부의 건강한 의사소통은 각자의 목표에 대한 조정, 양보, 타협 등을 이루는 수단이 될 수 있고, 부부가 다른 점을 극복하고 가족 공통의 목표 달성을 촉진할 수 있다.

따라서 건강한 부부 의사소통은 주고받는 상호작용으로 유지될 수 있고, 상대가 받을 수 있는 만큼 주고 상대가 줄 수 있는 만큼 받는 것이 중요하다. 이를 바탕으로 부부 사이에는 더 많은 것을 주고받을 수 있는 관계로 발전할 수 있다. 부부는 서로 존중하고 돌보며 보호하는 관계에서 상대방에게 특정 행동을 기대하게 되며, 부부관계에 대한 신념과 기대는 상대 배우자의 행동과 사건을 해석하고 평가하게 된다.

② 부부 의사소통의 특징과 역할

부부의 역할은 시대에 따라 변화하며 부부의 특성에 따라 달라진다. 우리나라의 전통사회에서 남편은 경제적 생산 활동을 통해 가족의 생계를 책임지는 가족부양자의 역할을 수행하고, 아내는 자녀 양육과 가사 활동을 담당하며 자녀에게 정서적 지원자의 역할이 기대되었다.

현대사회에서는 여성의 사회적 지위와 경제적 능력이 향상되면서 부부의 역할이 크게 변화하고 있다. 부부간 의사소통은 부부가 서로 긴밀한 정서적 상호작용을 하면서 지속적인 관계를 유지하므로 생활의 질을 향상하는데 주요한 역할을 할 뿐만 아니라 정서적 지지에도 영향을 주어 결혼생활 만족도를 좌우한다.

긍정적인 의사소통을 하는 부부는 서로를 이해하려고 노력하며 상대방의 의견을 존중하고 합의점을 찾으려고 애쓴다. 성의 있게 대화를 하면서 자기 생각을 상대방에게 솔직하고 대등한 자세로 표현하면 삶의 만족이 증진된다.

③ 부부간 의사소통의 기술

부부관계에서 갈등이나 다툼의 원인을 살펴보면 심각한 문제로 인한 경우보다는 사소한 것에서 출발하는 경우가 많다. 특히 부부관계에서 대화기술 부족과 서로 관심이 없는 듯한 태도 등은 관계를 더욱 어렵게 만든다. 부부가 서로 대화가 통하고 열린 마음을 갖도록 서로 노력한다면 상호 신뢰하여 부부 갈등으로 소모되는 에너지를 건설적인 곳에 사용할 수 있을 것이다. 이러한 점에서 부부관계를 원만하게 이끌어 주는 부부 대화법을 익혀야 한다.

부부간에 대화를 잘하기 위해서는 우선 현실을 정확히 파악한 후에 자기 생각을 표현할 필요가 있다. 지레짐작으로 말한다거나 작은 사실 하나를 지나치게 확대해서 이야기하는 일은 삼가야 한다. 부부간 대화의 단절은 자기 생각의 오류나 편견을 점검해 보지 않은 채 상대방의 말에 귀를 기울이지 않아서 발생하는 경우가 많다. 자신의 느낌을 정확하게 전달해야 서로 오해가 발생하지 않으며 원만한 부부 대화가 가능하게 된다. 자신의 느낌을 너무 숨기려 한다면 당장에 어떤 문제가 발생하는 것을 막을 수 있겠지만, 거짓 감정은 드러나기 마련이다. 감정은 속고 속일 수 없이 자동으로 드러나는 법이므로, 부정적인 감정은 물론이고 긍정적인 감정표현을 하는 것이 어렵다면 일상생활 속에서 많은 연습이 필요하다.

마지막으로 자신이 바라는 것이 무엇이며, 누구에게 바라는지를 분명히 전달해야 상대방에게 혼란이나 부정적인 감정이 일어나지 않는다. 상대방의 마음을 상하게 해서 마지못해 행동하게 될 때에는 원하지 않는 부정적인 반응을 일으키게 된다.

1) 부부 의사소통 사례1

직장생활을 하는 아내가 역할 부담 때문에 고통스러워한다. 여기에 대한 남편 1, 2 및 3의 반응을 본다.

- 아내 : "나 오늘 회사에서 이래서 힘들고 저래서 힘들었어."
- 남편 1 : "그러니까 어쩌라고, 회사를 그만두든가."

- 아내 : "나 오늘 회사에서 이래서 힘들고 저래서 힘들었어."
- 남편 2 : (아무 말도 안 하고 있다)

- 아내 : "나 오늘 회사에서 이래서 힘들고 저래서 힘들었어."
- 남편 3 : "그래. 많이 힘들었구나. 그럼 당분간 쉬어 보는 게 어떨까?"
- 아내 : "어떻게 그래. 그래도 내가 얼마나 갈고 닦은 자린데, 우리 집 연금도 넣어야 하고."
- 남편 3 : "그럼 자기가 힘들어서 어떻게 하니.
  우리 여보 힘 드는데도 우리 가족을 위해 애써주어서 정말 고마워. 내가 조금이라도 더 도울 수 있는 일은 없을까?"

해설

연금 등 가정 경제적 부담을 안고 있는 아내가 오늘은 이래서 힘들고 저래서 힘들다고 말하지만, 남편에게 해결 방법을 찾아달라는 것이 아니고, 오늘 회사에 힘들었던 상황에 대해 공감해주고 위로받기를 원한다. 대부분 남편은 그 상황을 해결해주어야 된다고 인식하면서 부담을 갖거나 침묵이나 짜증과 화를 내기도 한다. 남편 3 유형 같이 경제적 부담을 안고 직장생활을 하는 아내의 입장을 배려하는 말을 건네면, 대부분 아내는 남편의 말 한마디에 회사에서의 힘든 상황을 슬기롭게 이겨내며 다시 가사와 직장 업무에 전념할 수 있을 것이다.

2) 부부 의사소통 사례2

부모의 도움 없이 결혼한 신혼부부가 경제적인 자립을 위해 맞벌이를 하면서 첫 아이 출산 비용을 준비하였다. 그런데 남편은 출산 예정일 2~3주 전에 농사 자금이 필요한 아버지에게 아내와 상의 없이 농사 자금으로 건네주었다. 뒤늦게 이 사실을 알게 된 아내는 남편에게 서운한 감정으로 화를 냈다. 이런 경우 다음과 같이 수정해 볼 수 있다.

- 남편 : "여보, 우리 아버지께 농사 자금이 필요할 때인데 조금 보내드리면 좋겠는데요."
- 아내 : "사실, 우리 아이 낳을 출산비용도 만만치 않은데요."
- 남편 : "아버님 농사도 자금이 꼭 필요한 시기가 있으니, 어떻게 하면 좋을까요?"
- 아내 : "그러게요. 아기용품도 꼭 필요한 것만 사고 좀 생각해보기로 해요."

해설

출산비용을 마련했는데, 남편이 말도 하지 않고 아버님에게 드린다면 아내는 당연히 매우 서운할 것이다. 미리 상의해 주었으면 속상하지 않고 좋은 방법을 찾을 수 있었을 텐데. 남편 혼자서 결정한 것을 보면 남편이 아내를 가족으로 받아들이지 않거나 믿지 못한다고 생각되기 때문이다. 남편은 아내에게 농사 자금에 대한 이야기를 하고 어떻게 아버지에게 도움을 줄 수 있을지를 대화를 통해서 결정해야 했을 것이다.

4 부부간 의사소통 시 장애

부부는 깊은 관계를 형성하며 장기적으로 공동 운명을 지니기 때문에 서로에 대해 역할과 의무를 요구하게 되는데, 충족되지 않을 때 갈등이 초래된다. 갈등을 극복하기 위해서는 부부의 의사소통이 중요한데, 갈등을 겪는 부부는 대부분 상대를 무시하는 듯한 메시지를 전달하고, 공격과 논쟁하는 의사소통 방식을 보인다. 이러한 부적절한 표현방식이 부부의 부정적 의사소통 양상으로 고착화될 수 있으며, 위협적인 메시지는 부정적인 대화 분위기를 조성하여 갈등을 악화시킨다. 따라서 부부간 의사소통의 걸림돌을 극복하기 위해서는 장애의 원인을 밝히고 언어습관의 교정이 필요하다.

1) 부부 역기능적 의사소통 원인 및 요인

부부 갈등은 사랑받고 싶고, 인정받고 싶은 욕구와 관련해서 배우자의 문제행동에 대한 반응으로 시작된다. 배우자의 무관심, 무시, 몰이해 및 통제로 인지하여 부정적으로 해석한다면 사소한 문제에도 과민 반응을 보인다. 부정적 해석은 강렬한 감정을 동반하고 부부 갈등을 악화시키는 의사소통을 유발한다. 부부가 매일 서로에게 관심을 두고 정서적으로 공감하는 대화를 주고받지 않는다면, 배우자에 대한 시각이 부정적으로 바뀌고, 부정적 시각이 갈등을 조절하지 못 하게 한다.

의사소통에 어려움이 있다는 것은 관계에 문제가 있다는 사실을 알리는 신호이다. 앞에서 다룬 남녀 간의 의사소통 형태의 차이를 이해하는 것이 필요하다. 여성은 서로 친해지고 연결되는 수단으로 배우자와 의사소통한다고 생각하며, 감정을 공유하고 깊이 있는 대화를 나누며 개인사에 관해 이야기함으로써 친밀감이나 연계성을 가지려고 노력한다. 남성은 친밀감보다는 서로 무엇인가 함께하는 것, 즉 활동에 참여하는 것이 서로의 연계성을 높이는 방법으로 독립성이나 지위를 얻는 방법으로 의사소통을 생각한다. 남녀가 대화의 초점이 달라서 서로 자신들의 기대가 충족되지 않는 것에 실망하게 되고, 대화방식의 차이에 대한 이해 부족으로 자신의 스타일을 고집하게 되면 감정을 상하게 하는 결과를 초래하게 된다.

갈등을 다루는 관계문제 해결방법에도 차이가 있다. 여성은 결혼생활의 불만족에 대해 남편보다 잘 직면하는데, 남편들은 대체로 회피하는 것으로 반응한다. 남편의 회피는 여성에게 분노를 느끼게 하고 이로써 남편의 더욱 강한 회피를 초래하게 된다.

아내와 남편의 의사소통에서 나타나는 대부분 문제는 친밀과 독립에 관한 것으로 여성은 친밀감을 원할 때 남성은 자신의 독립성이 위협을 받는다고 느끼는 것이다. 이처럼 부부간의 의사소통 방식의 차이를 인정하고 상대방을 존중한다면 비난이 없는 의사소통이 가능해질 것이다. 부부끼리 일상적으로 평등과 존중을 내포한 경어 사용과 친밀한 호칭이나 애정 어린 어법을 개발하고 훈련할 필요가 있다. 존중하는 어법과 어감이 좋은 호칭도 좋은 부부관계를 유지하는데 좋은 방법이다.

2) 부부 갈등 유발 의사소통의 유형

많은 연구자는 부부 갈등의 주요 발생 요인으로 의사소통의 문제를 제시한다. 연구자에 따라 의사소통 유형을 다양하게 분류하고 있는데, 역기능적인 의사소통 유형으로 Satir는 회유형, 비난형, 초이성형, 산만형으로 분류하여 활용하고 있다. 긍정적인 유형은 일치형이다. 역기능적인 유형은 일치형으로 되기 위한 자기 계발이 필요하다. 2단원에서 5장 Satir의 의사소통 유형을 참고하여 사례를 적용해 본다.

부부 갈등 유발 의사소통 사례1

회사원 남편과 교사인 아내는 맞벌이로 대화 시간이 늘 부족하다. 아내는 학교생활과 가정생활을 같이 하기엔 자신의 능력이 부족하다며 자책하곤 한다. 또한 집안일이 제때 처리되지 않고 집 안 청소가 제대로 안 되었을 때, 아내는 자신의 역량 부족이라고 한탄하면서 괴로워한다. 남편은 힘들어하는 아내를 위해 아내가 좋아하는 취미활동을 하도록 권한다. 또한 월별 계획을 세우거나 매일 일지를 작성하여 시간을 효율적으로 관리하는 방법에 대한 정보를 제공한다.

남편과 아내 각각의 의사소통 유형과 자기 계발이 필요한 점은 무엇인가?

해설

- 남편은 초이성형이다. : 자신의 능력과 역량 부족이라고 자책하는 상대방의 상황에 대해 자각하고 대화할 때 충분한 관심과 배려할 줄 아는 자기 계발이 필요하다.
- 아내는 회유형이다. : 자신의 가치를 인정하고 욕구를 존중하며, 자신을 돌볼 수 있는 마음가짐과 힘을 길러야 한다.

부부 갈등 유발 의사소통 사례2

회사원인 남편은 성실하고 자기 일에 관해서는 완벽하게 마무리하기를 원한다. 3살 아들 쌍둥이와 5살 딸을 돌보는 아내는 세 아이 육아로 하루 온종일 바쁘다. 남편은 퇴근 후 아내에게 깔끔하게 정리된 집안과 매일 세탁된 침대와 이불을 원한다. 남편이 핀잔을 주어도 아내는 엉뚱한 유머를 해서 넘긴다. 때로는 남편이 회사에서 힘들게 일하고 왔는데 집에 오면 더 피곤하다며 짜증을 내기도 한다. 아내는 이러한 남편을 보면 화를 낼만도 한데, 아이들과 장난을 하면서 낄낄대고 웃는다.

남편과 아내의 의사소통 유형과 성공적인 부부생활을 위한 개선점은 무엇인가?

해설

비난형 남편과 산만형 아내는 서로의 어려움을 이해하지 못한다.
산만형 아내는 현실에 집중하는 노력이 필요하고, 남편은 아내를 비난하기보다 존중하고 아내의 처지를 이해하려는 노력이 필요하다.

4 노인과의 의사소통

의사소통에서 청각과 시각은 가장 많이 이용되는 감각인데, 노인이 되면 정상적인 노화과정으로도 감각기능이 감퇴되어 의사소통능력이 감소하게 된다. 노화에 의한 시각, 청각의 감퇴는 위험환경을 인지하고 균형을 유지하는 보호능력을 저하시킨다. 노인의 시각장애와 청력 감소는 노년기에 흔하게 나타나는 의사소통의 문제로서 사회적 상호작용이나 운동 등의 제한을 초래하여 노인의 삶의 질에 커다란 영향을 줄 수 있다. 특히 인지장애를 갖고 있는 노인(예 : 치매)들의 경우에는 질병과 관련되어 타인들과 원만한 의사소통을 갖기가 매우 어렵기 때문에 노인을 대할 때는 감각과 인지에 대한 장애 증상을 이해하고 접근하는 것이 필요하다.

1 감각장애가 있는 노인과의 의사소통

1) 청각장애

(1) 노인성 난청

나이가 들면서 고막이 얇아지고 고막을 지지하던 근육들도 위축되게 된다. 노인성 난청은 여성보다 남성이 더 많고 노인성 난청을 가진 노인들은 높은 음을 감지하는 능력에 장애가 있고 스(s), 쉬(sh), 취(ch) 또는 약한 트(t) 발음을 듣는데 장애가 있으므로 노인성 난청을 가진 노인들은 잘 들을 수 없다. 따라서 효율적인 의사소통을 방해받아 대화를 잘 이해하지 못하고, 음정을 놓치거나, 다른 사람이 무슨 말을 하는지 이해할 수 없어 난청이 있는 노인은 가족이나 친구로부터 고립되고 소외감을 갖는다.

(2) 이명

귀가 울리는 현상으로 귀에서 '윙윙', '쉿쉿'과 같은 소리를 주관적으로 지각하는 것으로 질병이나 청각적 자극 없이도 노인들에게서 흔하게 나타나며, 긴장과 불안을 일으킨다.

2) 시각장애

(1) 노화에 따른 시각의 변화

50세경이 되면 눈의 구조나 기능 변화가 나타난다. 수정체는 탄력을 잃고 딱딱하게 되어 초점을 맞추는 능력이 저하되는 노안을 경험하게 된다. 노안은 가까운 곳의 물체를 보거나 글을 읽거나, 미세한 작업을 수행하는 등의 활동에 점점 어려움을 겪는다. 또한, 노인이 되면 수정체에 섬유질이 증가하여 백내장이 생기거나, 안압이 상승하여 녹내장이 발병하기 쉽다.

노인은 빛이 각막을 통과하여 망막의 한 점에서 초점을 맺게 하는 조절 능력이 저하되어 두 점이나 그 이상에 맺게 되므로 물체를 흐릿하게 보이는 난시가 오기 쉽다. 또한 노화가 진행되면서 동공의 지름이 축소되어 빛을 받아들이는 능력이 저하되어 밝은 쪽에서 어두운 쪽으로 이동하거나, 반대 방향으로 순식간에 이동하였을 때 빛에 대한 적응능력이 감소하여 어두운 곳이나 불빛이 희미한 곳에서는 잘 보지 못하는 야맹증이 온다.

3) 감각장애가 있는 노인과의 의사소통 전략

(1) 안정감과 안전한 환경 제공

① 의사소통을 시작할 때 갑자기 행동을 시작하여 깜짝 놀라게 하지 않는다.

② 면담자의 존재를 알리기 위해 동작을 크게 하지 않는다. 조용히 앞으로 다가가거나 대상자의 이름을 부른다.

③ 면담자 자신을 소개한다.

④ 소음이나 주의를 산만하게 하는 요인을 제거하거나 줄인다.

⑤ 대상자의 시야가 눈부시거나 그림자가 생기는 환경은 피한다.

(2) 보조수단 사용한 의사소통 방법

① 보완할 수 있는 시각적 그림이나 서면자료를 활용한다.

② 대상자에게 구체적인 의사소통 욕구를 표현할 방법을 알려준다.

- 그림카드, 연필, 칠판 등을 활용한다.
- 도구사용이 불가능한 경우 몸짓을 사용한다.
- 난청이 있는 경우 보청기를 사용한다.

(3) 효율적인 의사소통 활용

① 한 번에 한 가지 질문을 묻는다.

② 말할 때 손으로 얼굴을 가리지 않는다.

③ 말하는 동안 입 모양의 움직임을 과장하지 않는다.

④ 정상적인 속도와 음량으로 한마디 한마디를 명확하게 발음한다.

⑤ 과장된 발음이나 큰소리를 내지 않고 저음으로 말한다.

⑥ 중간크기의 목소리로 말하고 고함을 지르지 않는다.

⑦ 말하면서 태도와 동작을 맞추어서 대화하여 의미를 전달한다.

⑧ 메시지는 간단하게 하고 필요하면 반복한다.

⑨ 대상자가 이해하였는지를 관찰하고, 중요한 정보는 반복하여 말한다.

⑩ 대화 내용에 이해가 되지 않으면 반복해서 말하도록 요청한다.

⑪ 피로감을 피하기 위해 의사소통의 양을 적절하게 한다.

⑫ 적당한 언어를 사용하여 노인이 자신감을 상실하지 않게 한다.

⑬ 의사소통이 원활하지 않을 때 좌절한 듯한 모습을 보이지 않는다.

⑭ 대상자와 눈 맞춤을 한다.

⑮ 청력 손상을 입은 사람은 독순술*로 청력을 보완한다.

⑯ 말하는 사람의 얼굴과 입술을 볼 수 있도록 대상자 앞에 선다.

⑰ 보청기 착용 시 입력은 크게, 출력은 낮게 조절한다.
보청기를 사용할 때는 건전지와 전원스위치가 작동되는지 확인한다.

4) 감각장애가 있는 노인과의 의사소통 사례

노인성 난청이 있는 대상자는 식사도 잘 못하고 주변 사람들과도 잘 어울리지 않으며 창문 밖만 바라보고 있다.

- 면담자 : (대상자의 앞쪽에서 입모양을 크게 하면서) "오늘은 날씨가 아주 좋지요?" **(일반적인 주제로 시작)**
- 대상자 : "그런가 보네…"
- 면담자 : (입을 크게 벌려 정확한 입모양으로) "오늘 식사를 조금 하셨던데, 어디 아프세요?" **(탐색하기)**
- 대상자 : "아니… 아프지 않아요."

* 독순술(lip reading) : 입술, 얼굴, 혀의 움직임을 보고 상대의 말을 알아내는 기술. 청각장애인이 사용

➳ 일반적인 주제로 시작

대상자에게 이야기할 수 있는 기회를 제공하는 방법으로 일반적인 주제로 시작한다. 말하기에 대해 주저하는 경우 대상자가 자신이 이야기하고 싶은 주제를 주도적으로 선택하도록 격려한다.

➳ 탐색하기

대상자의 대화 내용 중 주목할 만한 내용을 세밀하게 탐색하는 것으로, 대상자의 특정한 생각, 경험, 관계를 좀 더 자세히 살펴본다. 대상자가 설명을 거부한다면 더 이상 질문하지 않고 탐색을 멈추어야 한다.

② 인지장애가 있는 노인과의 의사소통

1) 인지장애

60세 이상의 노인에게 나타나는 인지기능장애를 초래하는 노인성 치매는 연령의 증가와 함께 그 발생률이 증가하여 인구의 고령화 현상에 따라 사회 전체에 커다란 문제로 야기되고 있다. 세계보건기구(WHO)에서는 치매를 뇌의 질환으로 인해 생기는 하나의 증후군으로 대개 만성적이고 진행성으로 나타나며, 기억력, 사고력, 지남력, 이해력, 계산능력, 학습능력, 언어와 판단력 등을 포함하는 고도의 피질기능의 다발성 장애로 정의하고 있다.

치매는 정상적으로 성숙한 뇌가 후천적인 외상이나 질병 등 외적요인에 의해서 기질적 손상을 입어 전반적인 지능, 학습, 언어 등의 인지기능과 고도의 정신기능이 감퇴하여 사회생활을 제대로 수행하지 못하여 과거에는 '노망' 또는 '망령'이라고 불렸다. 치매는 후천적으로 나타나는 현상이며, 인지 기능 장애를 보인다. 이러한 기능 장애는 흔히 감정조절장애를 동반하여 사회생활에 지장을 주는데, 알츠하이머병, 뇌혈관성 질환, 이 밖에 일차적 또는 이차적으로 뇌를 침범하는 질병에 의해 유발된다.

그러나 치매는 긍정적인 정서와 상당히 관련이 있다는 연구결과가 있어 긍정적인 의사소통은 치매증상의 예방과 악화 방지에 도움이 된다.

2) 인지장애가 있는 노인과의 의사소통 전략

(1) 대화의 원칙

치매노인은 인지기능 저하로 적절한 의사소통이 불가능하므로 설득하거나 지도 또는 교정하는 것보다는 온정적인 분위기 속에서 보호하고 지지하며 돌보는 태도가 필요하다.

- 대상자를 인격적으로 대한다.
- 관심을 가지며, 항상 존중하는 태도를 갖는다.
- 어린아이한테 말하듯이 대하지 않는다.
- 친절한 목소리로 눈을 마주친다.
- 일상적인 어휘를 사용한다.
- 간단한 단어나 알아들을 수 있는 말을 사용한다.
- 언어적 의사소통은 명확하고 구체적으로 하고 천천히 말한다.
- '예'나 '아니오'로 답할 수 있는 질문을 한다.
- 말을 한 다음 상대방이 이해하는 시간을 충분히 허용한다.
- 과거를 회상하도록 한다.

(2) 효율적인 의사소통 활용

언어가 손상되기 시작하는 단계에서 대상자와 의사소통할 때는 새로운 기법을 사용하도록 준비한다. 다음의 비언어적 행동을 관찰하는 것은 대상자를 이해하는 데 좋은 단서가 된다.

- 대상자는 그들이 상대방이 말을 이해하지 못할 때 눈을 돌리고, 아래를 바라보며, 물러서고, 손동작이 증가한다.
- 좌절하고, 분노하고 적대적일 때는 서성대고, 손잡이를 덜컹대며, 팔을 흔들거나 주먹을 휘두르고, 찡그리며, 목소리 크기와 톤을 증가시키고, 안면근육이 딱딱해지면서 운동활동이 증가한다.
- 이러한 행동을 할 때에는 상황을 명확히 인식하도록 신호를 주고, 혼란의 원인을 찾고, 중재하기 위한 준비를 한다.
- 대상자의 통증이나 불편감을 확인하도록 관찰한다.
  불편감을 나타내는 행동지표는 부정적인 목소리, 끊임없는 잡음, 슬프거나 공포에 떠는 얼굴 표정, 찡그림, 긴장된 신체 언어, 안절부절 못하는 것 등이다.

REFERENCE

- 강문희, 이광자, 박경(2003). 인간관계의 이해. 학지사.
- 곽금주(2016). 발달심리학. 학지사. 118-130.
- 곽윤경, 김윤경, 노지영, 배영주 외(2017). 인간관계와 의사소통. 의학서원.
- 권민균, 문혁준, 황혜신(2012). 아동발달. 창지사. 174-186, 244-259.
- 권석만(2018). 젊은이를 위한 인간관계의 심리학, 제3판. 학지사.
- 권혜진 외(2016). 정신건강간호학. 수문사. 512.
- 김선희(2011). 가까운 사람들과 편하게 지내는 법(부부관계를 중심으로 한 인간관계의 법칙). 나무생각 힐링.
- 김수진 외(2018). 정신건강간호학. 현문사. 196-201.
- 김혜숙(2013). 가족치료 이론과 기법, 제2판. 학지사.
- 도복늠, 강미경, 하태희(2017). 인간관계와 커뮤니케이션, 제5판. 정담미디어. 281-285.
- 박명화 외(2013). 노인간호학, 제3판. 정담미디어. 320-365.
- 서윤희(2018). 부부 상호작용 변인이 역기능적 의사소통에 미치는 영향에 관한 연구. 중앙대학교 임상상담심리학전공 석사학위 논문.
- 신경림 외(2010). 노인간호학 입문. 현문사. 74-81, 108-121, 205-207.
- 안경숙, 유수정, 유지은(2016). 영유아발달. 공동체. 196-202, 329-335.
- 안효자, 이영내, 김명자, 배영주 외(2013). 인간관계와 의사소통. 수문사.
- 양경희 외(2019). 건강한 인간관계를 위한 의사소통 기술. 퍼시픽북스.
- 양경희 외(2021). 건강한 인간관계를 위한 의사소통 기술, 제2판. 퍼시픽북스.
- 오현주(2010). 부부의사소통 유형과 아동의 자존감에 관한 연구. 제주대학교 상담심리학전공 석사학위논문.
- 오혜림, 이주영(2018). 청소년이 지각한 부부갈등이 내면화 문제행동에 미치는 영향에서 스트레스 대처방식이 매개효과와 부모−자녀 의사소통의 조절효과. 청소년상담연구, 26(1). 23-46.
- 윤영애, 강순비, 조대현(2012). 아동발달. 태영출판사. 191-199, 229-234, 259-262.
- 이광자 외 다수(2019). 인간관계와의사소통의실제, 신광출판사.
- 이광자, 김성재, 임숙빈(2013). 건강간호심리학, 제4판. 수문사. 49-56.
- 이명선(2009). 치매노인환자와 간호사의 대화분석 : 대화의 구조와 연속체 형태를 중심으로. 대한간호학회지, 39(2). 166-176.

REFERENCE

- 이영자, 이금구(2018). 영유아 언어교육 이론과 실제. 양서원. 49-53, 84-88.
- 임현선(2014). 신혼부부의 부부관계 신념 지각과 만족이 배우자의 긍정적 행동 지각 및 만족에 미치는 영향. 중앙대학교 가족전공 석사학위 논문.
- 정순례(2014). 기독교 중년부부의 의사소통 유형이 부부갈등에 미치는 영향. 한국성서대학교 기독교 상담학전공 박사학위 논문.
- 정옥분(2021). 발달심리학－전생애 인간발달, 3판. 학지사.
- 정옥분(2021). 아동발달의 이해, 3판. 학지사.
- 조용길(2016). 브라운/레빈스에 기댄 관계 중심적 대화기법－부부대화를 중심으로. 숙명여대 독어학 제34집. 275-294.
- 최광현(2008). 가족 세우기 치료－가족문제에 대한 통찰과 해결. 학지사.
- 최영희 외(2010). 노인과 건강, 개정 4판. 현문사. 171-182.
- 한금선, 양승희, 박영희(2018). 의사소통과 인간관계론, 제4판. 고문사. 216-220.
- 홍경자(2010). 자기주장과 멋진 대화. 학지사.
- Baucom, D. H., Epstein, N. B., LaTaillade, J. J., & kirby, J.(2008). Cognitive-behavioral couple therapy. In A. S. Gurman(Ed). Clinical handbook of couple therapy(3rd ed., pp.31-72). New York : Guilford Press.
- Bienvene, M. J.(1970). Measurement of marital communication. The coordinator, 19(29). 26-31.
- Gottman, J. M., & Gottman, J. S.(2008). Gottman method couple therapy. In A. S. Gurman(Ed.), Clinical handbook of couple therapy(pp.138-164). New York : Guilford Press.
- John Gray(1998). Men are from mars, Women are from venus, 김경숙 역(2010). 화성에서 온 남자 금성에서 온 여자. 친구미디어.
- Michele Weiner-Davis(2007). Divorce Busting, 이인수, 최대헌, 최명구 역(2007). 부부의 심리학. 학지사.
- Noller & Fitzpatrick(1990). Marital communication in eight. Journal of Marriage and the family, 52(4). 832-842.
- Satir, V.(2000). Satir Model Family Therapy and Beyond. 한국버지니아사티어 연구회 역. 김영애 가족치료연구소.

Communication Skills for Healthy Relationships

10
장

건강전문직 수행 시 의사소통

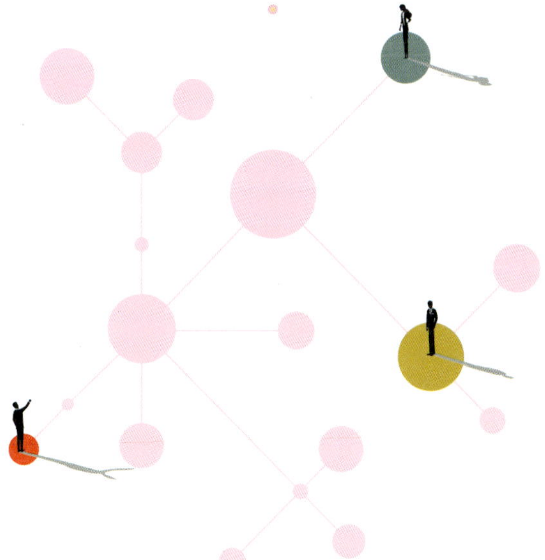

학·습·목·표

1. 직장에서 의사소통의 기능과 중요성을 설명한다.
2. 직장 내 사례를 통해서 갈등을 예방하고 해결방법을 제시한다.
3. 조직 의사소통 유형을 설명한다.
4. 특정 상황에서의 의사소통 기법을 설명한다.
5. 대중매체의 활용을 설명한다.
6. 건강메시지를 개발하고 대중 홍보방법을 설명한다.
7. 보건캠페인 기획을 설명한다.
8. 보건의사소통 전략개발 방법을 설명한다.
9. 효과적인 발표의 원리를 설명한다.

주·요·용·어

- 직장 의사소통
- 조직 의사소통
- 발표
- 대중매체
- 수평적 의사소통
- 수직적 의사소통
- 건강캠페인
- 말기환자
- 건강메시지
- 유비쿼터스
- 전략
- 기획

10 건강전문직 수행 시 의사소통

우리는 사회생활을 하면서 일상적인 업무 활동 중 개인적으로 또는 직위나 직책과 관련하여 다양한 사회·심리적 환경에 속한 사람들과 상호작용한다. 이 장에서는 건강전문직이 개인과 조직구성원 간, 대상자 간 건강한 인간관계를 맺으며 대상자 돌봄 활동 시 의사소통을 적절히 수행하여 개인과 조직의 궁극적인 목표를 달성하도록 효율적인 의사소통을 적용해보도록 한다.

1 직장에서의 의사소통

직장은 사람들이 일정한 직업을 가지고 일하는 곳이며, 직장인은 직장에서 업무에 종사하면서 사회경제활동을 한다. 대부분 직장은 자체의 설립목적과 운영방침들이 있고, 직장인들은 자신이 몸담고 있는 조직 안에서의 직책과 역할을 부여받고 주어진 업무를 수행한다.

직장에서의 의사소통은 조직에서의 대화에 참여하는 사람들의 개인적 성향, 가치관 및 직장 고유의 조직 문화 등이 반영되어 나타나는 의사소통을 의미한다. 직장에서는 기본적으로 개인 구성원들 간의 비공식적인 인간관계도 존재하지만, 일상생활에서 만나는 개인 간 의사소통과는 달리, 다양한 구성원으로 형성되어 여기서 발생하는 갈등 문제는 조직의 이익 창출이라는 구성원들의 공동 목표가 관여된다. 따라서 직장 내 효율적인 의사소통을 통해서 구성원의 동기와 사기를 높이며, 서로 정보를 전달하고 설득해야 한다.

❶ 직장생활에서 의사소통의 기능

1) 팀과 조직의 목표 달성의 효율성과 효과성을 높이기 위한 구성원 간의 정보와 지식을 전달하는 과정이다.
2) 팀을 구성하는 핵심 요소로서 개인은 자신의 생각과 느낌을 상대방에게 효과적으로 표현하고 또한 상대방의 생각, 느낌을 잘 이해하도록 한다.
3) 구성원 간 정보를 정확하게 전달하고 공유하는 중요한 기능을 하므로 개인이 집단을 이루어 활동할 때 효과적으로 수행할 수 있도록 도와준다.

❷ 직장생활에서 의사소통의 중요성

직장 내에서 효율적인 의사소통은 서로 다른 사람들과의 생각의 차이(gap)를 좁혀 주며, 선입견을 줄이거나 제거해 주고, 대인관계를 원만하게 해준다. 직장생활에서 상사나 동료 및 하위 직원들과의 관계가 인간으로서의 신뢰 관계가 형성되어 있다면, 훨씬 원활한 의사소통으로 상호 공감할 수 있고, 직장 내 팀워크와 사기가 높아져 작업 능률이 향상된다. 그러나 조직 내에서 적절한 의사소통을 한다는 것은 구성원들의 다양한 사회적 경험과 지위를 토대로 한 개인 집단이기 때문에 서로가 노력해야 한다. 따라서 같은 메시지 내용을 제시해도 각자의 사회적 경험과 지위에 따라 다양하게 받아들이고 왜곡되어 반응할 수 있다는 점을 기억해야 한다.

1) 조직 의사소통의 유형

조직이란 '두 사람 이상이 모여 공통의 목적을 달성하기 위해 상호작용하는 사회적 단위'이다. 조직 내의 상호작용은 의사소통을 통해 이루어지고, 이러한 의사소통은 어떠한 집단, 조직 또는 사회의 사람들이 정보를 생산하고 공유하여 공동목표를 추구할 수 있게 하는 일련의 모든 과정을 의미한다. 즉, 조직 내 의사소통은 사회에서 필수적인 요소이고, 개인이나 집단의 가장 기초적인 기반이자 성과를 결정하는 핵심 수단이다.

조직 의사소통은 사회체계나 조직을 이해하는데 가장 기본적인 과정이며, 조직과 그 구성원들은 의사소통을 통해 정보교환, 공동의 이해 형성 및 활동 조정 등을 통해 영향력 행사, 사회화, 신념체계와 상징체계를 형성하고 유지할 수 있다. 조직의 관점에서 본 '조직 의사소통'은 둘 이상의 개인이 공동의 목표를 위하여 일련의 활동 체계를 형성하고 유지하기 위해 메시지를 주고받는 것이다.

따라서 조직 의사소통은 조직 내의 구성원들의 의사 전달 및 정보교환을 바탕으로 조직의 목표 달성과 구성원들 상호 간의 응집력을 높인다. 조직 의사소통은 공식적, 비공식적 유형으로 구분할 수 있다.

(1) 공식적 의사소통(official communication)

공식적 의사소통은 권한의 체계와 절차적 관계가 분명한 상태에서 이루어진다. 일반적으로 조직 내에서 이루어지는 결재행위, 문서 전달, 공식회의, 보고 등의 행위로 이루어지며, 권한을 중심으로 다시 수직적(상향적, 하향적), 수평적 의사소통 형태로 분류된다**[표 10-1]**.

① 수직적 의사소통(Vertical communication)

- **상향식 의사소통**(bottom-up communication)
  - 상향식 의사소통은 조직의 하층에서 상층으로 올라가는 의사소통 방식이다.
  - 수단 : 명령계통에 대응하는 불만 처리 절차, 보고, 내부결재, 제안제도, 상담, 하급자의 태도 및 고충 수렴 등이 있다.
  - 장점 : 관리자가 종업원의 참여의식을 유도한다. 직무 관여(job involvement), 조직 및 직무 몰입, 조직원들 간의 효과적인 의사소통은 내부 결속력을 강화시키며, 조직 내 상급자와 하급자 사이에 쌍방향 의사소통이 가능하게 한다.
  - 단점 : 대부분 조직은 위계질서 체계를 가지고 있는 관료적인 구조로 이루어졌기 때문에 상향식 의사소통이 활발히 이루어지기 위해서는 하급자의 적극적인 태도와 상급자의 개방성과 적극적으로 받아들이는 태도가 필요하다. 하급자에서 상급자로 의사가 전달되는 과정에서 정보를 선택하거나 배제하면서 초기 정보가 그대로 전달되지 않는다는 문제점이 있다.
- **하향식 의사소통**(top-down communication)
  - 하향식 의사소통은 일반적으로 조직의 명령계통을 통해서 위로부터 아래로 전달되는 명령이나 지시 등을 포함한다.
  - 수단 : 명령, 지시, 게시판, 사내보, 서신, 팜플렛 등 조직에서 조직 구성원에게 필요한 정보나 조직의 목표, 가치, 비전 등이다.
  - 장점 : 업무에 관련된 정보, 조직의 정책과 실행방법 그리고 사명감을 고취하기 위한 관리직의 의도와 정보 등을 구성원들에게 명확하게 전달함으로써 조직 전체의 효율성을 향상한다.

- 단점 : 조직 내 의사소통 분위기가 권위적이고 위계적인 경우가 많다. 정보의 전달 과정에서 불필요한 정보가 전달될 우려가 있고, 여러 계층이나 사람들을 거치면서 초기 정보의 80%가 손실 혹은 왜곡되어 신뢰성의 문제가 발생한다.

② **수평적 의사소통**(Horizontal communication)

- 수평적 의사소통은 조직의 위계 수준이 같은 구성원 간 또는 부서 간 의사소통이다.
- 수단 : 사전 협의, 위원회, 회람, 각종 회의 등이다.
- 장점 : 조직의 부서나 개인 구성원 간의 협력으로 공동 목표 달성에 기여한다.
  업무 수행 과정에서 발생하는 위기와 문제를 해결, 다양한 구성원들의 정보공유를 통해 서로 다른 부서 간에 발생할 수 있는 갈등과 문제점을 유연하게 대처하여 해결하며, 동료 간의 업무협조를 증진한다.
- 단점 : 자신의 영역을 확대하고 가치를 높이려는 경향이 있으므로 영역 다툼이 발생하거나, 조직 내의 한정된 자원(예, 승진)을 확보하기 위하여 정보를 공유하지 않을 수 있다. 부서에 따라 전문화 영역이 다르므로 사용하는 용어에 대한 정의와 인식, 태도 등이 다를 수 있다.

표 10-1 공식적 커뮤니케이션 유형 및 특징

유형		특징
수직적 커뮤니케이션	상향식 커뮤니케이션 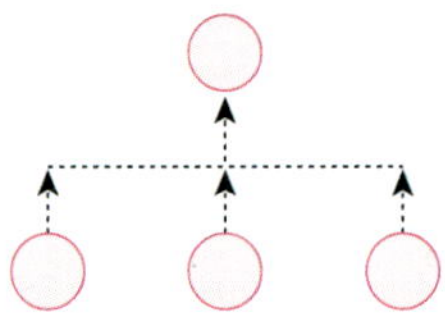	• 조직의 메시지나 정보가 하층에서 상층으로 전달됨 • 하급자 주도형 • 명령계통에 대응하는 불만 처리 절차, 보고, 내부결재, 제안제도, 상담, 하급자의 태도 및 고충 등
	하향식 커뮤니케이션 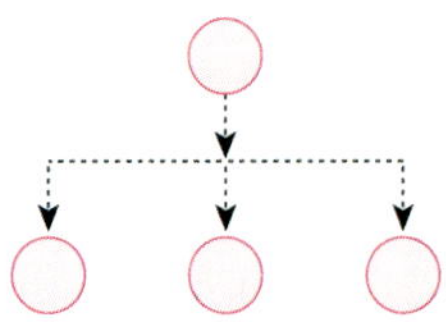	• 조직의 명령계통을 통해서 상층에서 하층으로 전달됨 • 지시적 의사소통 • 명령, 지시, 게시판, 조직의 목표, 가치 등
수평적 커뮤니케이션	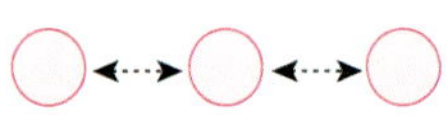	• 조직의 위계 수준이 같은 구성원 또는 부서 간의 의사소통 • 사전 협의, 위원회, 회람, 각종 회의 등

(2) 비공식적 의사소통(unofficial communication)

- 계층이나 공식적인 직책을 떠나 조직 구성원 간의 친분, 상호 신뢰와 현실적인 인간관계 등을 통해 이루어지는 의사소통 방식이다. 그레이프바인(Grapevine)이라고도 부르는데, 공식적 의사소통 채널인 전선이나 전화선이 포도넝쿨처럼 어지럽게 얽혀있음을 비유한 단어이다.
- 수단 : 개별적인 인간적 만남, 각종 친목회에서의 의견교환, 조직 내 소문 등이다.
- 장점 : 신속하며 외적으로 나타나지 않는 배후 사정들이 자세히 전달된다. 긴장과 소외감을 극복하고 개인적 욕구를 충족, 행동의 통일성 확보, 관리자에 대한 조언의 역할이 가능하고, 융통성 있는 의견 교환이 가능하게 하여 공식적 전달을 보완할 수 있다.
- 단점 : 책임소재가 불분명하며, 개인의 목적에 역이용하거나 공식적 의사소통 기능을 마비 또는 수직적 계층하에서 상관의 권위가 손상되거나 조정·통제가 곤란할 수 있다. 또한 그레이프바인은 헛소문이나, 유언비어라는 의미로 사용될 정도로 메시지가 잘못 전달되어 부정적인 결과를 초래할 수 있다.

2) 직장 내 의사소통의 사례

직장 내에서 이루어지는 의사소통은 합리적이며, 명확하고, 협력적이며, 직책에 따른 적절한 방식으로 이루어져야 한다. 다음의 사례에서 보는 표현방식은 직장생활을 어렵게 만들며 업무의 성과도 해치게 된다**[표 10-2][표 10-3]**.

표 10-2 직장 내 수직적 의사소통의 바람직하지 않은 사례

분류		사례
지시 방식	비합리적 지시	팀장은 부장이 내린 업무지시를 혼자 가지고 있다가 제출 기한이 임박한 상황에서 담당 직원에게 지시를 내린다. 부장은 담당 직원에게 오늘까지 야간근무를 해서라도 완벽하게 작성하고 다 못하면 집에 못 간다고 말한다. 직원은 한두 번도 아니고 매번 어이없다고 생각한다. '그럼 나보다 월급만 많이 받는 팀장은 도대체 뭐 하는 사람인가' 너무 부당하다고 생각하고 이번만 참는다는 심정으로 업무를 착수한다.
	불명확한 지시	수간호사는 신입간호사에게 M환자에게 약국에서 올라온 연고를 가져다주라고 한다. 간호사는 환자의 처방을 보지 못한 채 M환자에게 연고를 가져다주었다. 환자가 "평소 사용하던 연고와 다른데요"라고 말하는 순간, 간호사는 연고를 확인하였다. 그 연고는 안과 환자인 그의 주 증상과 관련이 없는 피부과 연고였다. 만약 '안연고'라고 생각하고 사용법을 알려 줄 뻔 알았다고 생각하니 신입간호사는 정신이 아찔하고 가슴이 뛰었다.

표 10-2 직장 내 수직적 의사소통의 바람직하지 않은 사례 (계속)

분류		사례
지시 방식	일방적 지시	보건진료소장은 농어촌 지역으로 의료 취약지역에서 담당 지역의 주민건강증진을 위한 질병예방 및 기본적인 의료를 제공하는 직무를 수행한다. S시에 편입된 Y보건진료소는 최근에 관리 인구가 많은데 갑자기 S시 보건소로부터 시의 건강지표를 확보하기 위해 상의도 없이 다음 달부터 자살예방사업의 추가업무를 하라는 공문이 발송됐다.
소통 방식	권위적인 소통	본부장은 경영 전략 회의를 하는데 팀원들이 제안하는 내용을 자기 생각과 다르거나 익숙한 방식이 아니면 무조건 무시하며 네가 뭘 아냐고 말한다. 다음부터는 의견을 제시하지 말든지 또는 무조건 본부장의 말에 동조해야 하는지 갈등이 생긴다.
	폭언과 호통	팀장은 직원에게 업무상 시정 상황이 발생하면 사무실 구성원들에게 다 들리도록 큰 소리로 야단치며, 개인적으로 비하하는 언어를 사용하여 말한다. 상황을 얘기하거나 의견을 제시하면 더욱더 화를 내므로 그대로 듣고만 있다.
	위계를 무시한 소통	직원은 직속상관인 팀장을 제치고 본부장에게 직접 의견제시, 상황 보고를 한다. 또한 자신의 의견이 일방적으로 관철되도록 비공식적인 의사소통을 이용해서 공식적 업무를 처리한다.
소통 내용	공사를 구분 못함	20대의 여성 신입사원은 직원들이 잘 대해주자 근무에 익숙해질 무렵부터 공적 관계와 사적인 관계에서 구분하지 못하고 상사의 업무 지시에도 이유를 달며 제대로 하지 않고 예의 없이 응대한다.
	성희롱·성폭력 표현	같은 부서에서 한 10년 함께 근무한 남성 직원들이 회식 자리에 가면 여성들이 앉은 자리를 꽃밭이라고 부르며 자리에 끼어들려고 한다. 여직원들은 불편하고 성적인 수치심을 느낀다.

표 10-3 직장 내 수평적 의사소통의 바람직하지 않은 사례

분류	사례
분화의식 조장	S대학 나온 과장은 회의 도중 빈번히 자기 후배 직원에게 좋은 머리로 아이디어를 내보라는 둥, 어떻게 생각하느냐는 둥 편파적인 대우를 한다. 그리고 그가 의견을 제시하면 무조건 동조하며 일방적인 지지를 보낸다. 그 아이디어는 결국 3달이 못 되어 폐기하고 다른 전략을 세워야 하는 일이 발생하곤 한다. 그런데도 다른 대학 출신이나 지방대학 출신은 안중에도 없는 것 같이 행동한다.
개인적 사항 언급	다른 부서에서 직원이 전입해 왔다. 직원들은 결혼했냐? 어디 사냐? 회사에서는 누구와 친하냐? 주말에는 무엇을 하느냐? 등의 개인적인 부문을 꼬치꼬치 물어본다. 친숙하지도 않는데 사생활을 자꾸 물어보니 기분이 나쁘고 저항이 생겨 마음을 터놓기가 힘들다.

2 보건의료현장 의사소통

❶ 보건의료현장 의사소통의 중요성

보건의료현장에서의 의사소통은 대상자와 보건의료인 간, 보건의료인 간의 '사실, 생각, 의견 또는 감정'을 교환하여 공통적 이해를 갖고, 건강전문직간의 '의식이나 태도 또는 행동의 변화'를 일으키는 일련의 언어적·비언어적 행동이다.

효율적인 보건의료현장 의사소통은 집단 간 상호작용 및 대인관계 증진을 위해 필수적이고 건강증진과 건강관리의 통합적인 역할로서 중요하다.

❷ 보건의료인과 대상자의 관계

1) 보건의료인 – 대상자 관계의 특징

- 보건의료인 – 대상자 관계는 '건강 문제의 해결'이라는 특별한 목적을 가진 관계이다.
- 보건의료인 – 대상자 관계는 협력관계로 대상자의 건강 상태를 증진한다.
- 보건의료인 – 대상자 관계는 건강 문제 해결을 통하여 실현될 수 있다.
- 보건의료인 – 대상자 관계는 일정한 단계(초기, 중기, 종결 단계)로 진행된다.
- 보건의료인은 대상자의 지지자·옹호자 역할을 한다.

2) 보건의료인 – 대상자 관계에서 보건의료인의 역할

(1) 치료적 관계에서 조력자의 역할

- 조력자는 먼저 자신의 정신적, 감정적, 신체적 상태를 점검한다.
- 조력자는 대상자에게 안전을 제공하고 중재하는데 필요한 전문기술을 습득한다.
- 조력자는 대상자와의 관계에서 예의 있고 신중한 태도를 취한다.
- 조력자는 대상자가 스스로 자신을 돌보려고 노력할 때 칭찬하고 격려한다.
- 조력자는 대상자에 따른 특별한 상황에 대한 반응을 이해하고 수용한다.

(2) 보건의료인의 자질

- 사랑(love) : 사랑이란 사람이나 존재를 아끼고, 대상자에 대해 정성과 힘을 다하는 마음이다. 사랑은 인간의 행복과 만족의 기본요소이다.
- 공감(empathy) : 공감은 다른 사람의 감정을 이해하며, 사실을 전달하면서도 객관적인 입장에서 다른 사람을 도울 수 있는 능력이다. 공감은 치료적 관계의 필수적 요소로서 대상자의 감정을 대상자와 거의 같은 수준으로 이해하는 것으로 치료효과에 큰 영향을 준다.
- 온정(warmth) : 온정은 온유하고 따뜻하고 정이 많은 태도를 의미한다. 보건의료인이 온정을 기르기 위해서는 상대방의 행동이나 태도를 판단하지 않고 무조건 수용할 수 있어야 한다.
- 신뢰(trust) : 신뢰는 선하고 정직하며 상대방이 해를 끼치지 않을 것이라는 믿음이다. 신뢰는 상호작용하는 사람의 일관되고 신뢰받는 행동으로 형성된다. 보건의료인에 대한 신뢰는 치료적 관계에서 필수적인 요소이다.
- 겸손(humility) : 겸손은 자신의 부족함을 알고 자신보다 뛰어난 사람 또는 대상이 있음을 겸허하게 받아들이는 자세이다. 보건의료인이 대상자의 건강 문제에 대해서 이미 다 알고 있다고 가정한다면 치료와 간호에 방해가 된다. 따라서 보건의료인은 자신의 입장에서 판단하거나 지시하지 않으며 개방적으로 이해하고 존중해야 한다.
- 자기 인식(self-awareness) : 자기인식은 자신에 대해 정확히 알고 이해하는 것이다. 보건의료인에게 자기인식이 중요한 이유는 자신을 정확히 알게 되면 타인을 정확히 볼 수 있는 능력이 향상되기 때문이다.
- 인내(patience) : 인내는 기다릴 수 있고, 어려움에도 불구하고 짜증을 내지 않고 고통을 견디어 낼 수 있는 능력을 말한다. 보건의료인은 대상자의 건강 문제에 대해서 치료를 급하게 서둘러서는 안 된다. 보건의료인이 조급하면 실망을 경험하게 되는 경우가 많다.
- 헌신(sacrifice) : 헌신은 다른 사람을 돕기 위해 자신의 편안함을 포기할 줄 알아야 한다는 것을 의미한다. 보건의료인은 헌신할 수 있어야 대상자와 성공적인 관계를 유지할 수 있다.
- 유머(humor) : 유머는 자신과 타인에게 불쾌한 감정을 느끼지 않게 하면서 자기의 느낌이나 생각을 재미있게 표현하는 것으로, 웃음을 유발하는 과정을 통해서 서로 만족감을 공유하는 것을 말한다. 유머는 일상생활과 당황스러운 상황 속에서 웃음을 유발하여 심리적 갈등이나 부담을 감소시킬 수 있다. 보건의료인은 유머를 적절히 사용할 수 있는 능력이 있어야 한다.

- 윤리의식(ethic)과 책임(responsibility) : 보건의료인은 자신의 행동에 대한 윤리의식을 갖추고 책임을 질 수 있어야 한다. 따라서 보건의료인은 자신의 행동에 대해서 신중하게 행동해야 한다.

3 특정 상황에서의 의사소통 기법

1) 불안한 대상자와의 의사소통 사례

불안은 뚜렷한 외부자극이 없는데도 불구하고 초조하거나 두려운 느낌을 경험하는 것이다. 불안은 스트레스나 위험을 지각하거나 원치 않는 상황에 직면할 때 경험하는 심리 반응으로 힘든 상황을 극복하도록 돕는다.

박○○씨는 27세로 직장을 다니면서, 이혼한 어머니와 함께 살고 있다. 현재 직장은 대학을 졸업한 후 3번 이직하고 4번째 직장에 다니고 있다. 한 달 전부터 직장 상사와 동료와의 관계에서 많은 어려움을 호소하고, 이로 인하여 하루하루가 불안하여 잠을 한 시간도 못 자는 날이 많아서 정신건강의학과 외래를 방문하였다.

- 면담자 : "안녕하세요. 저는 담당간호사 ○○○입니다. 박○○님, 무슨 일로 외래에 오셨나요?" **(자기소개 및 개방적 질문하기)**
- 대상자 : "저는 직장에 나가기가 싫어요. 직장 상사와 동료 때문에 너무 다니기가 싫고 불안해요. 불안해서 잠도 안 오고요. 자꾸 그 장면이 떠올라요."
- 면담자 : "아, 박○○님. 직장 상사나 동료 때문에 직장에 출근하기도 싫고 불안하군요. 혹시 직장 상사나 동료와 무슨 일이 있었는지 구체적으로 이야기해 줄 수 있나요?" **(명료화하기)**
- 대상자 : "한 달 전에 과장님이 저에게 일을 시켰는데 저에게 상황에 관해서 물어보지도 않고 일을 제대로 못 한다고 화를 냈어요. 동료들도 그 자리에 있으면서 저를 무시했어요. 윽박지르고 화내고. 저는 너무 당황했어요."
- 면담자 : "아하 저런, 박○○님, 많이 당황하셨군요." **(반영하기)**
- 대상자 : "네, 너무 힘들었어요. 억울해서 그때부터 불안하고 잠이 안 와요. 저도 열심히 하려고 했어요. 그런데도 잘못한 것만 지적하고 인정해주지도 않으며 내 편은 하나도 없고 도저히 직장생활을 할 자신이 없어요."

- 면담자 : "아하, 박○○님이 노력했는데도 상사나 동료들이 잘못만 지적하고 인정을 안 해 줘서 매우 속상하시군요." **(반영하기)**
- 대상자 : "네. 저는 그래도 직장을 다니고 싶어요."
- 면담자 : "그러면 박○○님을 누가 도와줄 수 있나요?" **(개방적 질문하기)**
- 대상자 : "네, 잠깐만요. 저를 인정해주는 김○○ 과장님이 있어요. 저의 이야기를 들어 줄 것 같아요. 김○○ 과장님과 이야기를 한번 나눠 볼래요."
- 면담자 : "박○○님. 방금 한 이야기는 김○○ 과장님이 본인을 인정해주고 이야기를 들어 줄 것 같아서 도움을 한번 요청해보겠다는 이야기이지요." **(요약하기)**

개방적 질문하기

대상자가 자신의 경험, 지각, 의견, 사고, 감정 등에 관하여 이야기할 수 있도록 격려한다. 개방적 질문은 대상자의 정보를 얻는 데 도움이 되며, 대상자와의 라포(rapport) 형성에도 유용하다.

명료화하기

대상자의 말에서 명확하게 표현하지 않은 모호한 생각을 확인하거나 언어화하려고 할 때 사용한다.

반영하기

대상자가 나타낸 느낌을 대상자에게 다시 거울처럼 되돌려 알려 주는 것이다. 대상자가 자신의 감정을 인식하고 받아들이도록 격려하고 대상자의 관점을 존중한다는 의미이다.

요약하기

요약은 대상자가 표현한 말의 내용, 사실적 정보, 감정, 의미를 한데 묶어 간추려서 간략하게 정리해서 표현한 것으로 주제를 명확하게 하는 기법이다.

2) 통증을 호소하는 대상자와의 의사소통 사례

통증 관리는 시술, 수술 환자, 암 환자 및 통증을 호소하는 모든 대상자에게 적용한다. 통증 사정은 대상자가 자가 보고한 내용으로 시작되고 개인마다 통증에 대한 역치, 내성은 다르다. 개인별로 통증의 강도가 다를 수 있으므로 통증을 간호사가 미리 판단하지 않도록 한다.

김○○는 47세로 췌장암 말기를 진단받고 입원 중이다. 침대에서 벽을 보고 누워서 몸을 웅크리고 신음 소리를 내고 있다.

- 간호사 : "안녕하세요. 김○○님. 어디 불편한 데가 있으세요?"
- 대상자 : "그냥… 그냥… 너무너무 아파요…." (눈을 감고 있음)
- 간호사 : "어디 부위가 아픈지 구체적으로 이야기해 줄 수 있나요?" **(명료화하기)**
- 대상자 : "등 쪽이 동전만 하게 칼로 쑤시듯이 아파요. 20분 전부터 너무너무 아파서 죽고 싶은 생각도 들어요."
- 간호사 : "김○○님 통증으로 인해서 죽고 싶은 생각이 들 정도로 많이 아프신가 봐요." **(반영하기)**
- 대상자 : "네 간호사님. 제발 저를 아프지 않게 도와주세요."
- 간호사 : "그럼 제가 지금 어떻게 도와드리면 통증 완화에 도움이 될까요?" **(개방적 질문하기)**
- 대상자 : "의사한테 이야기해서 진통제 빨리 놔주세요. 힘들어 죽겠어요."
- 간호사 : "네, 김○○님, 통증 완화를 위해서 진통제를 빨리 놔달라는 말이군요." **(요약하기)**

명료화하기

대상자의 말에서 명확하게 표현하지 않은 모호한 생각을 확인하거나 언어화하려고 할 때 사용한다.

개방적 질문하기

대상자가 자신의 경험, 지각, 의견, 사고, 감정 등에 관하여 이야기할 수 있도록 격려한다. 대상자의 정보를 얻는 데 도움이 되며, 대상자와의 라포 형성에도 유용하다.

반영하기

대상자의 입장에서 그의 느낌을 표현해 주는 것으로 대상자의 느낌을 존중하고 있다는 의미이다.

요약하기

요약은 대상자가 표현한 말의 내용, 사실적 정보, 감정, 의미를 한데 묶어 간추려서 간략하게 정리해서 표현한 것으로 주제를 명확하게 하는 기법이다.

3) 말기환자와의 의사소통 사례

환자들과의 의사소통을 적절히 한다는 것은 어려움이 따르지만, 더구나 말기환자로서 호스피스 상황에 놓인 대상자들에 대해서 의사소통을 한다는 것은 한층 대상자에 대한 깊은 이해와 배려가 요구된다.

환자들이 겪는 어려움은 병에 대한 인식과 치료의 가능성, 그리고 통증을 비롯한 질병의 여러 증상에 대한 고통이다. 그러나 말기환자의 경우에는 통증과 식욕 저하, 호흡곤란, 부종, 변비, 황달 등 여러 가지 신체적인 고통과 죽음에 대한 공포와 병에 대한 두려움, 발병 원인에 대한 귀속 및 남은 가족 등에 대한 염려 등과 관련하여 많은 심리적인 고통을 겪게 된다. 한편으로 환자들은 자신의 병에 대해 의료진이나 가족이 환자가 안다고 예상하는 것보다도 더 많은 것을 알고 있는데, 가족들이 이를 알려주지 않은 데에 대해서 자존심이 상하고 두려워서 물어보지도 못하기도 한다.

이러한 대상자들이 겪는 어려움을 완화하기 위해서 의료인은 환자의 신체적인 증상이나 통증에 한정하지 않고 개인의 특성, 환경 그리고 심리적인 상태에 대해 세심한 관찰을 통해 배려하여 통합적인 돌봄을 제공하는 것이 중요하다.

대부분의 말기환자들은 자신의 질병에 대해 귀인(attribution)을 한다. 김분한(1992)은 자기긍정형, 자기부정형, 운명수용형, 초월적의존형, 타인의존형으로 유형을 구분하였다. 자기긍정형은 자신이 현실에서 극복하는 노력 부족으로 생각하여 감사한 마음으로 이제 노력하는 유형이며, 자기부정형은 자신의 꼼꼼하고 신경과민적인 성격에 귀인하여 탓하였고, 운명수용형은 초자연적인 힘에 귀인하면서도 노력하는 자세를 취했으며, 초월적의존형은 재수나 복이 없어서, 우울과 포기 등과 어두운 관련된 정서를 보이고, 타인의존형은 타인에게 귀인하였다.

이러한 심리적 특성과 퀴블러 로스(Kübler-Ross, 1969)의 임종 환자가 경험하는 심리적 과정(부정, 분노, 타협, 우울, 수용의 단계)에 따라 적절한 의사소통이 요구된다.

1단계(부정의 단계)에서는 '아니야. 내가 암일 리 없어. 무엇인가 잘못되었을 거야.' 라며, 병원을 전전하거나 치료를 거부한다. 이때 돌봄은 환자가 거부하는 것도 경험하게 한다. 2단계(분노의 단계)는 '왜 나한테 그런 일이!' 신이나 자신, 다른 사람 또는 환경에게 투사하며 무례한 언행을 보인다. 이때 '나도 화날 겁니다.' 라고 환자의 감정을 읽어주고 심정을 공감해준다. 3단계(타협의 단계)는 '그래, 내가 어떻게 살았는데, 내가 살게 해주면 이젠 ○○님께 귀의하여 착하게 살겠다.' 또는 '나 자신을 위해 잘 살겠어.'라는 마음을 갖는 환자의 행동을 정상 반응으로 이해하고 '모든 게 다 잘될 겁니다.'와 같은 상투적인 말을 삼간다. 4단계(우울의 단계)에서 환자는 운명을 슬퍼하고 말이 없거나 자신의 상태에 대해 질문한다. 이때 환자는 가장 중요한 것에 대한 상실로 불안해하며 절박한 심정을 갖는다. 돌보는 이는 환자가 울거나 말하는 것에 대해 가치 판단하지 않는다. 꽃을 가져다주거나, 날씨가 좋다는 등의 말을 하여 전환한다. 한편 감정표현을 격려한다. 5단계(수용의 단계)는 체념하여 '나는 죽어가고 있다. 죽을 준비가 되어 있다.' 또는 '이제 지쳤다.'는 심리적 상태를 가지며, 흥미를 잃고 혼자 있기를 원한다. 돌보는 이는 말없이 옆에 있으면서 손을 잡거나 안심하도록 지켜준다. 앞으로 일에 대해 희망을 품고 계획하고 실행하도록 돕는다.

의사소통할 때는 개방적 질문을 하여 환자가 염려하고 어려워하는 점을 파악하며, 정보를 얻거나 정서적 지지를 위해서는 묻고, 대답해주고 묻는 방식(ask-tell-ask)을 활용한다. 환자의 질병 상태에 관해서는 어떻게 설명을 들었는지, 얼마나 알고 계시는지, 궁금한 것은 무엇인지를 하나씩 묻고, 대답을 들으며 환자가 자신의 상태를 어떻게 알고 있고, 어떤 생각을 하며, 무엇이 궁금한지를 파악할 수 있다. 그 다음 환자의 질문이나 어려움을 다시 질문하고 답변해주는 방식으로 진행한다.

통증 관리나 일반적인 증상관리는 일반적인 환자의 증상관리에 따르며 이에 대한 심리적인 문제나 단계를 통합하여 다루는 것으로 하고 여기서는 귀인과 말기환자임을 솔직하게 말해주는 것에 대해 다루고자 한다. 먼저 대화할 수 있는 환경을 조성하여 환자 또는 보호자가 함께 있는 것이 좋은지를 정한다.

먼저 말기환자에게 그의 환자의 상태를 진실하게 알려주고자 할 때 의료진들은 심리적인 어려움을 겪는다. 대상자에게 직접 말해주는 것보다는 환자에게 기분이 어떤지, 또는 자신의 상태에 얼마나 알고 있는데 묻고 환자가 준비되면서 질문할 때 응답해주는 식으로 대화를 하는 것이 좋다.

▌사례 1 ▌

삶을 포기해야 하는지 몰라 우울해하는 환자

• 면담자 : (다가가서 비스듬히 서서 어깨나 옷소매를 살짝 손을 대고 눈을 바라본다.) ○○님, 지금 기분이 어떠세요? 많이 애쓰시는데 많이 도와드리지 못해 마음이 아프네요. 지금 저에게 묻고 싶은 것이 있으면 언제든지 말씀하세요.

▎사례 2▕

오심과 구토가 동반되고 암을 남편에게 귀인하고 심리적인 아픔으로 분노하며 통증이 완화되지 않은 환자

- **면담자** : "○○님, 오늘 기분이 어떠세요? 요즈음 느끼시기에 상태가 어떤 것 같으세요?"
- **대상자** : "네, 좀 더 음식을 먹기가 힘들어요. 통증도 더 심해져요. 진통제도 별 소용이 없어요, 금방 아파요. 많이 아파요."
- **면담자** : "네, 많이 아프시네요. 애쓰시지요! 그럼 진통제에 대해 주치의 선생님과 상의해 보겠습니다. 그리고 이완요법을 함께 하면서 우리의 숨 하나하나를 감사하게 쉬면서 통증을 다스려볼까요?"

▎사례 3▕

자신의 꼼꼼하고 희생적인 성격에 암을 귀인하는 환자

- **면담자** : "○○님, 오늘 기분이 어떠세요?"
- **대상자** : "생각할수록 내가 밉고 화나 가요. 내가 왜 바보같이 살았는지. 나는 모든 것을 잃었어요. 나는 이제 혼자예요. 모두 소용이 없어요. 내가 진즉 알았어야 했는데요."
- **면담자** : (좀 더 가까이 다가가 손을 잡고) "화가 나시지요. 화를 참지 말고 표출하세요. 누구라도 그렇게 열심히 사셨는데 아프다면 화가 나지요. 그동안 참 애쓰셨어요."
- **대상자** : …… (마음이 누그러지며 일어나며 흐느낀다.)
- **면담자** : (손등을 쓰다듬어 주거나 어깨를 가볍게 토닥여 준다.) "잘하셨어요. … 지금부터는 ○○님 자신을 위해서 마음을 쓰세요. ○○님 그동안 애썼다고 말해주고 안아주세요."

Kübler-Ross 단계별 의사소통에 참고할 사항

- **부정** : 부정하지 못하게 막지 않는다. 환자의 말을 경청한다.
- **분노** : 감정(적대감, 부정적 감정)을 표현하도록 격려한다.
  분노표현에 동조 또는 강화하지 않는다.
  관심 있는 태도로 조용히 옆에 있어준다.
  이완법이나 유도 명상을 이용하도록 한다.
- **협상, 타협** : 절대자와 타협의 이유를 알아본다.
  상투적이거나 일시적으로 안심시키기 등의 대화 기법을 피한다.
- **우울** : 함께 있어 준다.
  감정표현을 격려하며 공감해준다.
  감정표현이나 행동을 평가하거나 비난하지 않는다.
- **수용** : 감정표현을 격려한다.
  하고 싶은 것을 찾아 어떻게 할지에 대해 계획하고 실행하도록 돕는다.

종교가 있는 대상자들에게는 종교적 도움을 받도록 하는 것이 당연하며, 일부 자신의 종교와 다른 시설에 수용된 대상자들이 종교적 이질감을 느끼게 되거나 미안하여 침묵하는 경우 돌봄에 어려움을 겪는 경우도 발생하므로 종교적 문제에도 세심하게 대한다.

임종은 죽음 직전에서부터 죽음의 순간까지를 말한다. 임종 환자가 부정의 방어기제를 사용할 때 간호사는 사실적인 설명을 반복하기보다는 부정하는 의미를 이해하고 환자의 어려움을 파악하여 그의 마음을 경청하고 있음을 전달한다. 침묵은 가장 어려우면서도 효율적인 의사소통으로 사용되기도 한다. 침묵은 언어적 의사소통을 하는 동안 대상자가 말을 시작하거나 다시 생각할 때까지 중지시키지 않고 의도적으로 말을 하지 않는 것이다.

이○○는 78세로 1년 전에 폐암 말기 진단을 받았다. 방사선치료와 항암치료를 1년 동안 지속하였음에도 불구하고 전이가 되어 어떠한 치료도 할 수 없는 상황이 되었다. 호스피스 병원에 입원하여 하루하루를 지내고 있다.

- 간호사 : "안녕하세요. 이○○님. 혹시 어디 불편한 데 있으세요?"
- 대상자 : "네. 간호사님. 저는 많이 불안해요… 이제 죽음이 얼마 남지 않은 것 같아요."
- 간호사 : "이○○님 죽음에 대해서 생각하니 많이 불안하시군요." **(반영하기)**

- **대상자** : "네. 아무렇지 않게 죽을지도 모르겠고. 무슨 다른 일이 나타날지도 모르겠고 어떻게 될지 불안해요. 집에 혼자 있는 딸도 걱정이고요."
- **간호사** : "방금 이야기한 내용 중에서 혹시 어떤 것이 가장 불안하고 걱정되십니까?" **(초점 맞추기)**
- **대상자** : "모르겠어요. 저도 이럴 줄 알았으면 미리미리 병원에 다니는 건데. 건강검진 하던 중 폐암을 진단받게 되었어요. 너무 속상해요." (흐느끼며 운다)
- **간호사** : …(어깨를 감싸주며 기다린다) **(침묵하기)**

반영하기

대상자의 입장에서 그의 생각과 느낌 등을 다시 표현해 주는 것으로 대상자의 경험과 느낌을 존중하고 있다는 의미이다.

초점 맞추기

대상자가 중요한 의미를 함축하고 있는 주제에 초점을 맞추도록 하여 그 주제에 대해 구체적으로 표현하도록 한다. 이 대상자의 경우 병원에 가서 초기에 발견하지 못한 것에 대해 후회하는 심정이 느껴진다.

침묵하기

대상자가 말을 시작하거나 다시 생각할 때까지 중지시키지 않고 기다리는 시간을 말한다. 침묵은 상대방에게 생각을 정리할 시간을 주어 통찰력을 얻게 도와주며, 대상자가 자신의 속도로 이야기할 수 있도록 도와준다. 우울하거나 위축된 대상자에게는 침묵하면서 이해하고 수용하여 지지하고 있다는 의미를 전달할 수 있다.

3 건강증진사업과 의사소통

1 대중매체와 보건의사소통

의사소통의 기본적인 차원은 자기 자신, 개인, 소집단 및 조직 의사소통이 있으며, 이러한 차원의 요소를 이용하는 공중 의사소통(public communication)과 대중 의사소통(mass communication, 매스컴)의 2가지 형태가 있다. 공중 의사소통은 대중 의사소통보다 소규모의 인원을 대상으로 하며 수용자의 직접적인 참여도가 높다.

매체가 의사소통에 사용된 것은 북(drum)으로부터 시작되어 전보(telegram)로 발전하였으며, 19세기부터는 사진, 인쇄물, 전화, 녹음, 영화, 그리고 유비쿼터스(ubiquitous)에 이르기까지 발전했으며[표 10-4], 컴퓨터, 인터넷, 빔프로젝터, SNS(Social Network Service), 페이스북, 전자우편, 인스타그램 등이 다양하게 활용되고 있다.

표 10-4 대중매체의 종류와 장·단점

매체	장점	단점
컴퓨터	• 대상자의 학습 속도에 맞게 조정 가능 • 대상자의 응답에 즉각적인 강화가 가능 • 대상자가 원하는 부분의 반복 학습 가능 • 다양한 방법의 활용으로 흥미 유발	• 컴퓨터시스템과 소프트웨어 필요 • 전문적인 제작 지식과 기술 필요 • 대상자의 컴퓨터 사용 능력 필요 • 창의적, 심동적 영역의 교육에 부적합
인터넷	• 풍부한 정보와 다양한 지식 이용 • 실제와 가까운 환경 제공으로 실생활에서 문제해결 방법 습득 • 다양한 정보 탐색으로 정보수집, 평가, 종합 등 창의성과 종합적 사고력 배양 • 대상자가 원하는 시간과 장소에서 교육	• 인터넷 이용 지식과 기술이 필요 • 인터넷에서 검색한 정보들의 신뢰성과 정확성에 대한 객관적인 평가 필요
파워포인트 / 빔프로젝터	• 소리, 영상, 그림 등의 멀티미디어 기능으로 역동적인 프레젠테이션 구성 • 제작물 링크 및 내레이션까지 포함함 • 문자 배열 및 그림효과, 애니메이션, 차트, 쇼 기능 사용으로 흥미 유발	• 제작시간의 소요 • 컴퓨터 시스템이 갖추어진 곳에서만 사용 가능
유비쿼터스	• 언제 어디서나 네트워크로 연결하며 다양한 정보를 활용함	• 컴퓨터 시스템을 연결해야 함
비디오 테이프 / DVD	• 시공간을 초월하여 어디서나 상영 가능 • 반복 및 정지가 가능 • 대상자의 주의집중 유지 • 동작이나 관계를 설명하는 데 효과적	• 한번 제작 후에는 수정이 어려움 • 제작을 위해 많은 시간과 비용 소요 • 사용을 위한 시설이나 기구 필요 • 제작에 대한 기술적 능력 필요
영화	• 대상자의 개인차 최소화가 가능 • 시공을 초월하여 생생한 상황을 제시 • 대상자의 규모와 관계없이 활용 가능 • 동작의 전 과정을 보여주어 실천 유도 • 주의집중과 흥미 유발	• 기술적 능력 필요 • 필요한 부분을 수정하기 어려움 • 장비가 고가이고 보관이 어려움 • 암막장치 필요

표 10-4 대중매체의 종류와 장·단점 (계속)

매체	장점	단점
녹음 테이프	• 대상자 수의 제한을 받지 않음 • 중단과 반복이 가능하여 개인차 줄임 • 휴대가 간편하여 어디서든지 활용 가능	• 잡음으로 인해 주위가 어수선해질 수 있으므로 특수 녹음시설 필요 • 장시간 이용 시 집중력 저하로 교육 효과 감소
인쇄물	• 다수의 대상자에게 전달하여 경제적 • 장소나 시간과 관계없이 사용 • 그림과 인쇄물을 함께 사용할 수 있어 이해가 빠르며 정보 전달이 용이함 • 제작과 사용이 용이함 • 대상자의 이해 속도로 교육할 수 있고, 필요할 때 언제나 다시 확인 가능	• 학습자가 독해 능력이 있어야만 활용 가능 • 제한된 내용만 전달 • 학습자의 피드백을 받을 수 없음 • 동적인 과정의 전달 불가능

출처 : 공은숙, 양경희, 차경미 외(2018). 보건교육학. pp.218-220.

1) 보건의사소통의 수행

보건 의료분야에서도 대중과 의사소통을 수행할 때 매체를 활용하여 알리려는 경향이 높아지고 있으나, 매체의 사용은 주의 깊게 다루어져야 한다. 많은 연구에 의하면 청소년의 경우 폭력적인 게임 및 영화에 대한 노출은 청소년의 공격적인 행동과 관련성이 높고, 대중매체에 의해서 흡연이나 음주가 노출되는 것은 청소년들의 음주나 흡연에 부정적인 영향을 줄 수 있다. 또한 오랜 시간 동안 앉아서 텔레비전을 시청하는 아동은 비만과 불건전한 식습관으로 소아비만이나 섭식장애와 같은 정신건강 문제를 증가시키고 있다. 청소년의 건강 습관은 대중매체의 영향을 많이 받으므로 특히 성장기에 있는 아동이나 청소년들에게 대단히 주의 깊게 다루어져야 한다.

근래에 1차 예방을 위하여 심혈관질환이나 치매와 같은 질환은 TV를 통해서 홍보하거나 드라마를 통해 건강정보를 의료소비자에게 전달하는 것은 대중 의사소통의 좋은 사례라고 볼 수 있다. 물론 이러한 제작 활동에는 전문가의 성의 있는 자문 활동으로 지식 내용이 정확하게 전달되도록 시스템이 잘 가동되어야 한다.

② 건강 메시지 개발 및 캠페인

1) 건강 메시지 개발

건강증진을 위해 메시지를 적절하게 개발하는 것이 중요하다. 건강증진에 대한 공익의 취지에 합당한 캠페인을 개발하여 책이나 웹사이트, 신문, 잡지, 라디오, TV와 같은 다양한 매체를 통하여 홍보하는 활동이 동반되면 지역사회주민에 대한 홍보와 지식 전달이 동시에 이루어져서 상호보완적인 성과를 기대할 수 있다.

따라서, 건강메시지나 홍보 자료를 개발할 때는 관련 보건의료전문가들이 참여하도록 권하고, 보건의료 현장 실무자들은 지역주민이 동반자의 자세로 사업에 참여하도록 유도하는 것이 중요하다. 대중이나 국민의 건강 향상을 위해 보건의료현장에서는 건강메시지를 공익캠페인 홍보활동으로 실행한다.

2) 건강캠페인

공익홍보캠페인은 한 집단이 의사소통을 통해 다른 집단의 믿음이나 행동에 영향을 끼치려는 활동으로 주로 대중매체의 경로를 이용한 공익 메시지의 전파과정이다. 건강캠페인은 건강에 대한 여론을 환기하기 위한 목적으로 신문지면이나 대중매체를 이용하여 건강에 대한 메시지를 전파한다.

우리나라에서는 1960년대부터 캠페인의 중요성이 인식되어 흡연이나 알코올, 비만, 약물중독, 마약, AIDS 같은 현대 사회의 심각한 건강관련 문제들을 정부나 민간단체 중심으로 건강캠페인을 실시하였다. 1970년대에는 인쇄물이나 시청각자료를 활용하여 이루어지는 시기였으며, 1980년대에는 사회마케팅이 활성화되었던 시대로 의사소통 접근방법이 더욱 더 통합적이고 마케팅 차원에서 기획되기 시작하였다. 1990년대에는 전략적 시대로 예전보다 매체를 활발하게 활용하고 참여자가 모두 함께 메시지를 창작하고 공유하는 시대를 맞이하였다. 2000년대에 들어서서 각종 관련 서비스가 통합되어 서비스 이용자들이 한 곳에서 다 이용할 수 있는 통합적인 구조적 조정이 시작되었으며, 더욱 장기적인 차원에서의 전략수립과 대중매체 캠페인, 인간 상호적 의사소통, 지역사회 기반 의사소통을 위한 경로들이 서로 상호보완적이거나 강화하는 차원에서 기획되었다. 종합적이고 상호 호혜적인 전략수립을 위해서 지역별, 상황별 차이를 이해하게 하는 상황분석과 청중 분석이 더욱 중요하게 되었다.

건강캠페인을 통해 메시지를 전달할 때 TV, 라디오, 신문, 보도자료나 팜플렛 같은 프린트물뿐만 아니라, 2차 경로인 전광판, 포스터, 극장게시물 등을 활용하고 엔터테인먼트-교육 자료들로서 노래, 프로그램 삽입, 만화, 인터액티브 매체인 웹사이트, CD-ROM디스크, 컴퓨터게임, 영화, 그림을 활용한 벽보판 등을 이용하면 메시지를 좀 더 친근감 있게 전달할 수 있다.

3) 보건의사소통의 경로

보통 의사소통 경로를 세 가지로 구분하며 대인 상호 간 경로, 지역사회 기반 경로, 대중매체 경로이다. 대인 상호 간 경로는 건강상담 등이며, 지역 내 그룹을 활용하여 정보를 전달하는 지역사회기반 경로는 지역신문이나 라디오, TV, 지역 내 각종 옹호단체들, 지역 내 민속극, 민속 축제, 지역 내 그룹회의, 지역주민 행사 등에서 활용한다. 대중매체 경로는 보다 많은 청중에게 메시지를 전달하는 방법으로 신문, 방송, 인터넷, 우편, 공공게시판, 잡지, 버스와 지하철 광고 등이 있다.

의사소통 경로선택은 경로에 따른 성취도, 적절성, 방해도, 안정성, 참여도, 개인화, 해독성, 신뢰성, 깊이, 주제선정 능력, 접근성, 경제성, 효율성 등을 고려하여 선택되어야 한다. TV의 공익광고는 다른 경로보다 전달능력이 좋고 쉽게 이해되지만, 접근성, 안전성, 깊이, 참여도가 다소 미흡하다. 신문기사는 거의 모든 부분에 대해 좋은 경로로 간주하나, 단점은 개인화, 해독성에 취약하다.

❸ 건강캠페인 기획과 시행

1) 미국질병관리본부와 국립암센터의 전략적 계획 단계

건강증진사업에서는 각종 매체를 통하여 보건의료 메시지를 전달하며, 사업 효과를 높이는 캠페인 전략을 개발하는 방법이 수반되어야 한다. 미국질병관리본부(Centers for Disease Control and Prevention, CDC)와 국립암연구소(National Cancer Institute)는 건강을 증진하기 위하여 개인이 의사결정을 하는 데 영향을 줄 효과적인 캠페인 개발에는 다음과 같은 단계가 요구된다고 하였다.

- 배경 정보를 검토하여 문제 정의(어떤 문제가 있는지, 주요 안건이 무엇인지?)
- 의사 전달 목표 설정(달성하고자 하는 목표는 무엇인가?)
- 대상자 분석 및 분류(누구에게 목표가 도달할 것인가?)
- 메시지 개념 개발 및 사전 테스트(우리는 무슨 내용을 말하고 싶은가?)
- 의사소통 경로 선택(어느 경로로 전달하고 싶은가?)

- 메시지 및 제작물 선택과 생산 및 사전 테스트(어떻게 말하고 싶은가?)
- 홍보계획 수립과 제작(어떻게 사용할 것인가?)
- 의사소통 전략을 구현하고 과정 평가 수행(현장에서 실시)
- 결과 및 영향 평가 수행(얼마나 잘 수행 했는가?)

여러 가지 각종 매체를 통하여 보건의료 메시지를 전달하는 것이 의사소통 매체를 활용하는 캠페인 전략이며, 로저스와 스토리(Rogers & Story, 1967)는 캠페인의 본질은 집단 대다수에게 어떤 특정한 결과를 이루기 위한 하나의 체계적인 접근방법이라고 하였다.

2) 단계별 캠페인 전략 단계

성공적인 캠페인을 기획하고 운영하기 위해서는 상황분석과 실용적인 전략적 기획에 기반을 둔 메시지의 생성과 배치를 고려해야 한다. 메시지 생성에 관한 내용은 보건교육학에서 중점적으로 다루는 주제이기 때문에 여기서는 2단계까지만 소개하기로 한다.

- **1단계 상황분석 : 청중을 세분화하고 행동을 분석한다.**

  건강증진을 위한 행동들이 무엇인지 알아보기 위해서는 개선되어야 하는 건강 문제가 무엇인지, 사람들은 어떤 행동을 하고 있는지를 분석한다. 건강을 위협받는 집단들을 세분화하는 작업을 하여 특정 집단의 건강 문제를 일으키는 행동들이 무엇인지, 그리고 캠페인을 통해서 영향을 줄 수 있는가를 고려한다. 그 다음 이러한 문제가 되는 행동들에 영향을 미치는 결정요소들이 무엇이며, 이들이 수정 가능한지를 파악해야 한다.

  전형적인 건강캠페인에서는 대상자를 연령, 성, 인종과 변화단계 수준, 질병에 걸릴 의심 정도, 자기효능감 정도, 가치관, 성격 특성, 사회적 지위나 소속 등의 9가지로 분류한다. 그러나 프로그램의 내용과 특성에 따라 캠페인의 메시지를 가장 필요로 하는 집단과 영향을 받을 수 있는 집단들을 파악하여 융통성 있게 사용하는 것이 바람직하며, 여러 집단의 대상자들에게 적용하도록 복합적으로 개발해야 한다.

  건강캠페인의 대상은 엄밀히 말해 3가지 유형의 집단으로 구성한다. 첫째는 메시지의 영향을 받아야 하는 문제의 핵심에 있는 대상자 집단이며, 둘째는 영향을 주어야 할 대상에게 영향력을 행사할 수 있는 대상영향력 집단, 마지막 집단은 개인들의 건강에 관한 결정을 할 수 있도록 제재와 기회를 제공할 환경을 결정하는 정책결정자들이다.

◆ **2단계 실용적인 전략 계획 : 경로 및 도구를 선택하고 메시지를 개발한다.**

메시지가 직접 전달되어 영향을 줄 청중과 반응을 고려하여 의사소통 모형이나 이론들을 선정해야 한다. 어떤 의도로 캠페인을 실행하는지에 대한 의도가 중요하며, 목적에 적합한 전략적인 요소를 고려한 기획이 필요하다.

계획 수립 시에는 전개방법, 주요행동, 메시지의 종류, 전달방법에 따라서 자원을 배치하는 방법도 결정해야 한다. 캠페인이 '근본적인 행동을 바꾸려 하는 것'인지, 아니면 '바꾸기 쉬운 행동부터 바꾸려 할 것인지' 목표를 정해야 한다. 만일 '치매 대상자의 증상완화와 예방을 위해 문제를 가진 대상자들에게 치매 검사, 운동 등 활동 참여를 유도할 것'인지, 아니면 '자살 위험에 놓인 대상자들의 주변인들에게 관심과 관찰을 해야 하는 캠페인'인지에 따라 캠페인의 대상이나 내용, 의도된 결과나 의사소통의 경로가 달라질 수 있다.

의도된 결과, 신념, 지식, 사회적 환경요소들이 어떤 과정을 통해 행동에 영향을 주는지에 대한 설명을 하기 위해서는 건강신념 모형, 건강증진 모형, 계획된 행위이론, 범이론적 모형 등의 사회인지 이론 및 혁신확산이론 등의 사회심리이론이나 생태학적인 모형, 그리고 PRECEDE-PROCEED 모형 등의 원리와 방식을 적용하여야 한다.

(1) 메시지 전달에 대한 반응

메시지 전달을 통해 대상자들로부터 반응이 나타나는데, 그 반응들은 메시지에 대한 노출로 개인들에게 형성된 이해도, 의견, 감정과 같은 것들이다. 이러한 반응은 기존에 가진 신념이나 입장에 따라 긍정적 또는 부정적인 반응도 초래될 수 있고 이후 나오는 연관된 자극에 대한 해석에 따라 달라질 수도 있다. 부정적인 결과를 초래하는 건강하지 못한 행동에 초점을 맞추는 것은 신중히 고려되어야 한다. 때로는 흡연이나 음주를 예방하자는 캠페인이나 동영상 등이 오히려 의도되지 않는 부정적인 행위를 조장할 수 있으므로, 이러한 상태를 유발하지 않도록 메시지 내용 구성이나 이를 전달하는 장면을 촬영할 때 사회심리학이나 행위이론 등을 참고하여 판단한다.

(2) 설득을 위한 메시지 전략

설득을 위해서 메시지는 가능하면 단순하고 명료하여 세부적이면서도 종합적으로 이해될 수 있도록 구성되어야 한다. 설득력 있는 메시지는 신빙성이 있어야 하는데, 신빙성은 신뢰할 만한 증거가 제시되어야 한다. 설득할 때 긍정적인 호소와 부정적인 호소를 사용하나 부정적인 호소를 사용할 때는 약간 완화하며, 긍정적인 면을 부각하는 방식이 좋다. 또한 표적 대상자에게 맞는 요소들을 구성하여 호소나 설득하는 기술이 필요하다. 증거를 제시하는 데는 통계자료를 활용한 수치나 차트 사용도 좋으며 존경받는 사람들의 체험담도 도움이 된다.

(3) 영향력 있는 정보 전달자

정보는 신뢰성, 친밀성, 호감성, 유사성 등을 이용한 매력적인 요소를 가진 자가 전달하는 것이 좋다. 너무 강력한 인상을 주는 정보 전달자는 메시지 내용보다는 정보원 개인에게 관심이 쏠리는 현상이 일어난다. 또한 정보 전달자가 편향적이면 개인적 반감을 불러일으키거나 원래의 메시지 의도와는 상반된 결과가 초래될 수 있어 유의해야 한다.

(4) 적절한 경로와 형식의 선정

메시지 전달에 대한 적절한 경로를 선택할 때는 앞서 제시한 대중매체의 장·단점을 고려한다.

3) 캠페인의 효과 평가

건강캠페인의 효과 평가는 설문조사나 실험모형 방법을 활용한 연구결과를 토대로 한다. 일반적인 캠페인의 직접적인 결과는 제한적이며, 행동 변화는 캠페인이 시행된 지역의 7~10%의 사람들에게서만 일어났다. 새로운 행동을 채택하도록 하는 캠페인의 경우(운동이나 치실사용) 약 12% 정도, 평소에 하던 행동을 멈추어야 하는 것(금연이나 여러 파트너와 성관계하지 않는 것)은 약 5%만이 실행되었고 건강서비스를 사용하도록 하는 캠페인(암검진이나 고혈압 치료 등)은 약 7% 정도의 효과를 냈다고 보고하였다.

캠페인이 효과를 못 내는 이유는 청중에게 메시지가 도달하지 못하였거나, 도달하였어도 청중들의 주의를 끌지 못한 결과이다. 청중들이 본인 행동 변화에는 미약하다고 느끼거나, 설득하는 메시지가 빗나갔거나 본인이 적용하기를 거부하거나 별 호소력이 없는 메시지에 대해 외면하거나 타성에 젖은 무기력감 내지는 게으름 등에 기인한 경우가 많다. 청중들이 중간에 탈락하는 때도 있어 창의적이고 재미있게 주의를 끌 수 있도록 제작되어야 한다. 매체가 갖는 영향의 한계점을 고려하고 단기간에 어떤 변화를 목적으로 하는 캠페인에서는 조금 더 현실적인 목표를 세울 필요가 있다. 또한 큰 변화를 이루기 위해서는 좀 더 장기적으로 접근해야 함을 염두에 두고 청중들이 잘 받아들일 수 있는 주요 목표를 소그룹부터 시작하여 실현가능한 단기 목표와 장기 목표로 설정해야 한다.

④ 건강캠페인 사례

현재 공공보건기관을 중심으로 손 씻기, 급성질환 예방, 금연이나 심장병, 치매 및 생활 습관 질환 등에 대한 건강캠페인을 다양하게 실시하고 있다. 건강캠페인 실시에 대한 이해를 돕기 위해 두 편의 정부 주도형 홍보캠페인을 소개하고자 한다.

1) 한국의 금연캠페인

정부는 2010년까지 흡연율 감소를 목표로 흡연예방과 흡연이 주위에 있는 비흡연자에게도 영향을 미칠 수 있음을 인식시키는 활동을 전개하였다.

사업내용은 가족 대상의 걷기 대회, 청소년 대상으로 클린스쿨 운영, 클린 콘서트 및 시사교양 프로그램에서 금연정보 제공을 통한 흡연예방과 금연 유도사업을 구성하였다. MBC 뉴스투데이에서는 유명 연예인의 금연 성공기를 12부작으로 제작하여 금연 필요성을 제시하였다. 1차 캠페인 광고에서는 흡연으로 인한 건강 문제를 직접적으로 다루지 않고 개인의 고통스러운 상황과 관련지어 접근하여 수용자가 메시지를 직접 체험하여 인지하도록 제작하였다.

구체적 내용은 니코틴의 폐해를 정서적으로 환기하고, 사회문제 이슈화, 부정적 이미지를 형상화했다. 1차 캠페인 조사 결과 광고의 인지도, 흡연에 대한 태도변화는 성공적이었으나 행동실천은 상대적으로 낮았다. 2차 홍보에서는 1차 캠페인의 방향을 유지하여 개인에게 밀착한 광고를 제작하였다. 1차 캠페인의 목적이 '자학'이라는 주제로서 흡연에 대한 부정적인 인식을 강조했다면, 2차 캠페인에서는 '흡연이 단순히 개인 문제가 아닌 가족과 이별할 수도 있다는 문제'라는 관점을 부각해 20, 30대에게 금연 결심을 강화하는데 목표를 두었다.

이들 캠페인에는 옥외광고와 행사 시 유인물 제공의 형태가 동반되었다. 옥외광고로는 회전식 기둥 광고, 거울, 조명 광고, 와이드 칼라광고, 지하철, 캠핑 차량, 농구대회, 군대 축제, 구세군 캠페인 등으로 진행되었고, 애드락, 행사용 홍보물, 포스터, 리플렛 등 행사별, 목표 단계별, 대상자별로 차별화된 방법을 활용하였다.

2016년 12월부터 담뱃갑에 심장질환과 뇌졸중에 대한 위험을 알리는 그림과 경고문구를 선정, 담배 광고와 담뱃갑에 부착할 것을 의무화하여 담배 사용의 폐해를 알리고자 하였다.

그 결과 대중매체를 통한 금연 홍보가 시청자들에게 접근도가 가장 높았고 효율적인 접근이었다. 공익광고 캠페인은 흡연의 장기적 폐해, 부정적 이미지, 심리적/대인적 효용성 등 다양한 흡연 인식을 변화시키는데 긍정적이었다. 옥외매체와 연계한 행사를 활용한 금연홍보 캠페인은 지하철에서의 금연 홍보사업과 버스 홍보사업 등 젊은 층을 대상으로 한 창의적인 아이디어로 구성되어 성공적이었다. 금연 홍보 캠페인에서 금연 광고 엽서는 특정 대상층에 집중적으로 금연 메시지를 전달할 수 있다는 점에서 효율적으로 보이지만 다른 행사와 같이 이루어지지 않으면 그 효과가 미미하였다. 인쇄 책자를 활용한 금연 홍보 캠페인 행사에 사용하기 위해 발간된 인쇄물 및 인형극은 호응도가 높았고 금연 사업을 추진하고 있는 금연 상담사, 보건소 담당자, 금연운동 관계자들에게 정부의 정책에 대한 논리적 근거를 학습시키는 데 도움이 되었다.

그러나 현재 국민건강증진법에 공중파 라디오나 텔레비전, 인터넷을 통한 담배광고를 금지하고 있지만, 인쇄매체를 통한 광고는 제한적으로 허용하고 있다. 더욱이 편의점의 진열 광고에 대해서는 실효성 없는 규제이거나, 실질적으로 법적 시행이 잘 되고 있지 않다.

2) 미국의 심장병 예방 캠페인

미국에서는 심혈관질환이 가장 높은 사망률을 차지하는 질환이고, 40%에 가까운 사람이 관상동맥질환으로 사망한다. 연구자들은 이러한 통계를 바탕으로 심혈관질환 발병이 생활양식과 관계가 있다는 결론을 내리고 흡연, 운동부족, 고지방식이와 스트레스가 고혈압을 유발하고 비만과 콜레스테롤 수치를 높이면서 심혈관질환에 걸릴 확률을 높인다고 판단하여 생활양식 개선을 위해 3개 카운티(county)와 5개 도시를 대상으로 캠페인을 실시하였다.

그 결과 3개 카운티 대상 캠페인에서는 2년 후 대중매체를 이용한 의사소통 방법이 대인관계를 통한 의사소통 방법으로 보완될 때 더 큰 효과가 있음을 말해주었다. 5개의 도시를 대상으로 한 캠페인은 메시지가 효과적으로 전달되기 위해서 매체(TV, 신문, 라디오, 기타 인쇄물), 면대면 교육, 직장 내, 학교, 식품판매소 프로그램 제공 등의 보건프로그램과 다양한 대중매체 경로가 사용되었다. 5년 후 캠페인의 효과가 측정되었는데 3개 카운티에서 2년 후 조사한 효과보다 5개 도시를 대상으로 한 캠페인이 흡연, 혈압, 운동습관, 콜레스테롤 수치에서 뚜렷한 효과가 있었다. 또한 캠페인 활동을 모니터링하는 것은 캠페인의 효과를 높였고, 장래의 캠페인 개발에 중요한 정보가 되었다.

5 발표

1) 발표의 의의

발표는 어떤 사실이나 결과, 작품 등을 다른 사람에게 알리는 것으로, 여러 사람 앞에서 의견을 전달해야 하는 넓은 의미의 의사소통 방법의 하나다. 프레젠테이션은 특정 목적을 달성하기 위해 청중에게 사전에 준비된 메시지를 시청각 자료나 영상을 이용하여 주제나 제안을 설명하기 위해 발표하는 행위이다. 최근 IT와 스마트 관련 전문 발표용 소프트웨어 및 앱 등이 발전하면서, 한정된 시간 내에 필요한 정보를 효과적으로 전달하기 위해서 효율적인 발표를 수행할 수 있는 발표 기술을 향상하는 노력이 필요하다. 특히 디지털 스피치시대에 사는 대학생들에게 발표 능력은 매우 중요하며, 직장생활에서도 필수적이다. 제한된 시간에 시청각적 감각을 활용해 발표를 잘하면 대중을 대상으로 성공적인 의사소통의 효과를 달성할 수 있다.

2) 발표의 종류

발표는 목적, 수단, 형태에 따라 다양하게 분류할 수 있다.

- 목적에 따른 3가지 유형
  - 제안, 설명식 프레젠테이션
  - 회의식 프레젠테이션
  - 강의, 강연식 프레젠테이션

기본적으로 발표는 정보 전달을 위하여 사용된다. 정보 전달형 발표는 정보나 지식을 충분히 이해한 후 프레젠테이션 문서를 활용하여 청중에게 설명하는 공식적인 말하기이다. 발표를 준비하면서 지식과 정보를 체계화할 수 있고, 이를 청중에게 효과적으로 전달하는 훈련도 할 수 있다. 효과적인 정보 전달을 위한 발표 과정의 단계를 다음과 같이 소개한다.

(1) 기획 단계

◆ 주제 선정

적절성과 구체성을 고려하여 발표 내용의 핵심을 예측하거나 관심을 끌 수 있도록 참신하고 구체적이지만, 간명한 주제를 선택한다.

◆ **3P 분석**

3P 분석 프레젠테이션의 기본은 누구에게(청중, people), 무엇(목적, purpose), 어디서(장소, place) 이다[그림 10-1]. 가장 중요한 것은 청중이며, 그 순서는 다음과 같다.

① 청중(people)의 흥미와 관심사, 주제에 대한 지식수준, 성별, 세대를 고려하여 발표 내용을 구성한다. 청중의 입장에서 생각하여 의사를 정확히 파악한다.
② 정보 전달의 목적(purpose)을 분명히 한다.
③ 장소(place)의 규모, 좌석 배치, 발표 시 동선, 장비와 기자재 시설 등을 점검하고 준비하여 안정되고 안전하며 효율적으로 이루어지도록 준비한다.

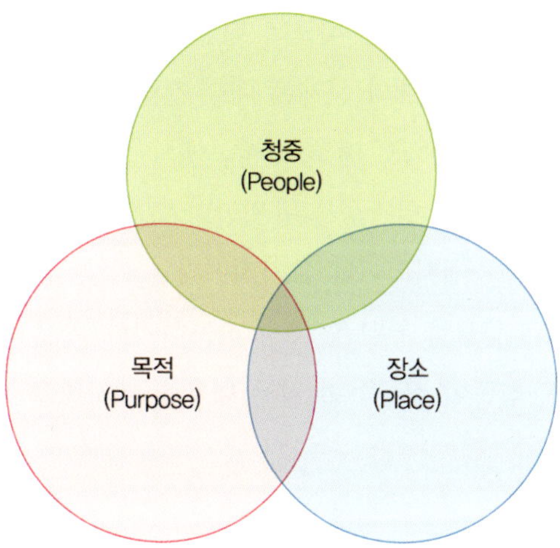

그림 10-1 3P 분석

(2) 프레젠테이션 문서 구성

프레젠테이션은 발표 내용에 맞게 문서를 디자인하며, 글자 크기와 서체를 통일하고, 색상의 수를 3~4가지로 제한하는 것이 좋다. 개별 슬라이드는 청중의 시선을 끌 수 있도록 하나의 슬라이드에는 하나의 메시지만 담는다. 글자 크기, 굵기, 색상을 통해 중요한 부분을 강조하거나 그림, 도표, 사진, 동영상 등 다양한 자료를 활용하면 내용의 이해도를 높일 수 있다. 슬라이드 구성은 전체 슬라이드의 흐름과 연결을 고려하여 내용을 몇 개의 단위로 나누고, 그 사이에 여백이 있는 슬라이드를 삽입하는 것이 좋다[표 10-5].

표 10-5 문서 구성의 단계

구성	단계별		
공통점	도입	본론	종결
3단 구성법	서론	본론	결론
4단 구성법	도입	전개 → 발전	정리
5단 구성법	주의 환기	문제 제기 → 문제해결 → 해결 구체화	요약과 전망

출처 : 윤영돈, 2005.

- 도입 : 인사말을 하고 주의를 환기하며 발표 주제와 목적, 전체적인 개요를 제시한다. 주제와 관련된 사례나 자신의 경험담을 제시하여 청중의 관심을 유도한다. 그래프나 지표의 제시는 흥미를 유발하거나 의도성을 갖도록 하는 데에 중요하다.
- 본론 : 도입 부분에서 제기한 문제와 문제에 대한 전략이나 해답이 포함된다. 자신의 의도를 상세하게 전달하며. 정의, 비교, 대조, 분류, 예시 등의 방법을 사용하여 핵심 내용을 진술하며, 슬라이드 간 내용의 일관성을 유지한다. 말하고자 하는 주장이나 의견을 뒷받침 하는 증거 또는 원리가 제시되어야 효과적이다.
- 종결 : 내용을 요약하고 중요한 부분을 다시 강조하거나 확실하게 인식되도록 주장을 간결하고 명확하게 한다. 청중이 질문하면 질문 내용을 메모하고 성실하게 답변하고 감사의 말로 마무리한다.

(3) 프레젠테이션의 준비와 연습

◆ 언어표현

① 발표 장소에 적합하도록 목소리 크기를 조절한다.

② 적절한 어휘를 사용하고, 정확하게 발음한다.

③ 음성의 톤(tone)에 변화를 주고, 중요한 내용에는 확실히 강세를 준다.

④ 문장의 길이는 호흡을 고려하여 알맞게 조절한다.

⑤ 청중이 발표 내용을 충분히 이해할 수 있도록 말의 빠르기를 조절한다.

◆ 비언어 표현

① 몸의 균형을 잡고 서서 어깨를 편 자세로 발표한다.

② 청중과 교감할 수 있도록 시선은 청중을 향해 골고루 준다.

③ 손동작을 적절하게 활용한다.

◆ **예상 질문 답변 준비**

① 예상 질문을 생각해 보고, 답변을 준비한다.

◆ **복장**

① 발표할 내용이나 발표장의 성격과 어울리는 단정한 복장을 갖춘다.

3) 발표자(presenter)의 4가지 유형

발표자의 유형은 지식형, 관계형, 사색형, 행동형으로 구분한다**[그림 10-2]**. 자신의 특성을 잘 아는 발표자가 청중을 잘 이해시킬 수 있다. 따라서 청중을 이해하기 전에 자신을 이해해야 한다. 발표자는 자신에 대한 이미지 즉, PI(Personal Identity)를 구축하여 성공적으로 이끌기 위해서는 철저하게 자기 분석한다. 자기 분석을 통해 자기 이미지의 장점을 최대한 살릴 수 있는 프레젠테이션 전략을 세워야 한다.

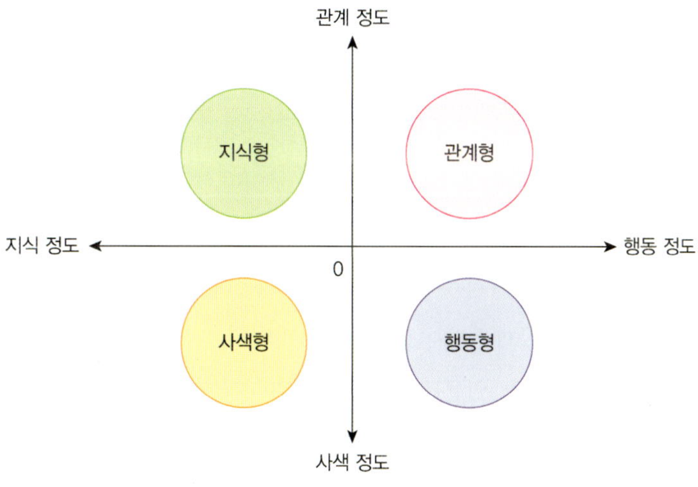

그림 10-2 발표자의 유형

출처 : 윤영돈(2005). 자연스럽게 YES를 끌어내는 창의적 프레젠테이션. 지식나무.

(1) 지식형 발표자

전달하고자 하는 지식이나 정보를 잘 생각하여 청중에게 제공하고 판단은 청중이 하게 한다. 대표적인 인물은 깊은 이해와 폭넓은 지식을 가진 현대 경영학의 석학 피터 드러커(Peter Drucker)이다.

(2) 관계형 발표자

청중과의 관계 중시형이며, 다른 사람을 먼저 배려하나, 풍부한 감정과 여린 마음으로 작은 것에도 상처받을 수 있다. 대표적인 인물은 비즈니스 세계에서의 인간관계 훈련의 필요성을 깨닫고 <카네기 인간관계론>을 출간한 데일 카네기(Dale Breckenridge Carnegie)이다.

(3) 사색형 발표자

신중한 태도로 상황을 검토하며, 최종 결정을 내리는 데 시간이 소요되어 융통성이 없는 것처럼 보이기도 한다. 대표적인 인물은 세계적 투자자인 워런 버핏(Warren Buffett)이며, 화술은 뛰어나지 않으나 치밀한 분석을 하여 투자자나 주주들에게 투자 당위성을 들어 설득하는 것으로 유명하다.

(4) 행동형 발표자

행동이 생각보다 앞서며, 고정관념을 무너뜨리기 좋아하고 모험을 두려워하지 않고 추진력이 좋다. 남의 의견을 잘 수용하지 않아 독불장군으로 보인다. 대표적인 인물은 행동 변화 전문가 앤서니 라빈스(Anthony Robbins)이며, 신경언어프로그래밍(Neuro Linguistic Programming)을 자기 계발 세미나에 접목하여 즉각적 행동 변화를 요구하며 대중에게 강하게 어필한다.

발표자는 좀 더 효과적인 프레젠테이션을 하기 위해서 '나는 어떤 유형에 속하는지 생각해보고, 어떤 프레젠테이션을 하고 있는지' 정확하게 인식하여 자신의 강·약점을 바르게 파악하는 것이 중요하다.

4) 효과적 발표의 원리 및 실제

(1) 효과적 발표의 원리

① 제한된 시간을 효과적으로 활용한다.

발표 시간이 20분을 초과하면 청중의 집중력이 떨어지기 시작한다. 정해진 시간이 초과하거나 늦게 시작하는 것은 신뢰감 형성을 저해하기도 한다.

② 일관된 흐름을 갖고 요점을 간결, 명확하게 전달한다.
발표하고자 하는 목표를 명확히 설정하고 전달하려는 핵심을 일관적이고 논리정연하게 명확하게 표현한다. 핵심은 도입부와 종결부에 반복하여 인지시킨다.

③ 슬라이드 프로젝터, 빔프로젝터 등 사용하기 편하고 가장 적절한 장비를 선택한다.

④ 철저한 준비를 통해 자신감을 느낀다. 리허설을 통해 전달하고자 하는 내용을 명확하게 점검하여 보완함으로써 자신감을 가지고 돌발 상황에 대해 대처 능력을 갖춘다.

⑤ 청중의 수준에 맞는 용어를 사용하여 잘 이해하도록 하고 명쾌하게 진행한다.

⑥ 청중에 대해 철저히 연구한다. 설득해야 할 대상자에 대한 구체적인 정보를 가능한 한 많이 수집하여 대상에게 맞는 프레젠테이션 스타일을 개발한다.

(2) 효과적 발표의 실제

① 표현 스타일을 결정한다.
언어와 표현 기법은 청중과의 심리적 거리에 영향을 주기 때문에 청중과 함께하고 있음을 표현하는 방식으로 사용한다.
'저', '나', '우리'라는 호칭을 사용하거나 "~라고 생각합니다."
"여러분이 건강하시고 행복한 일 많으셨으면 좋겠습니다."

② 청중을 중심으로 표현하며 동료의식을 느끼게 한다.
"오늘 여러분과 같이 이 문제에 대해 생각해 보고자 합니다."
"또한, 이 해결 방안이 우리에게 어떤 의미를 가져올지~."

③ 청중의 수준에 맞춘다. 청중의 교육 정도나 직업, 취미 등을 고려한 화법으로 구성하며 아이디어와 세부내용 등 요소들의 관계를 명확하게 하도록 예고(preview), 중간 요약(international summaries), 문간 이동(transitions) 등을 삽입하여 청중의 이해를 돕는다.
"다음에는 ~~에 관하여 말씀드리겠습니다."
"지금까지 말씀드린 것을 요약하면, 첫째, ~~"
"따라서, 왜냐하면, 이를테면, 그리고, 바꾸어 말하면, 요약하면 ~~"
"다음은, 또 하나는, 또 다른 예는 ~~."
"지금까지는 ~~에 대해서 말씀드렸는데, 좀 더 구체적으로 말씀드리자면, 첫 번째 방법은 ~~입니다. 지금부터는 두 번째 방법을 말씀드리겠습니다."

④ 프레젠테이션의 연습 과정을 갖는다.

가능한 자신의 창의성이 돋보이는 표현을 사용하며, 추상적인 것은 구체화하면서 표현하고자 하는 내용을 보충하여 충실하게 하며, 극단적인 표현은 삼간다.

⑤ 리허설과 연습 과정을 점검한다.

전체 설명 시간을 설정하고, 쉽게 내용을 전달하며, 연결이 잘 되는지, 그리고 실제 실시하는 환경을 접해 보고 방해나 장애 요소를 사전에 제거하거나 점검한다.

5) 시각 자료를 활용한 프레젠테이션

(1) 시각 자료를 활용한 프레젠테이션의 의의

프레젠테이션은 목적이나 내용에 따라 강의 및 연설을 위한 교육, 회의 보고 발표, 세미나, 심포지엄 등의 학술회의 등으로 나뉠 수 있다. 방법론적으로는 시간과 참석 인원에 따라 구두와 영상 프레젠테이션을 활용한다.

최근 각종 세미나, 보고서 발표 시 첨단 장비를 통해 영상을 보여주는 프레젠테이션이 일반화되어 있다. 어떤 경우는 영상이 주가 되고 말로 설명하는 것은 부연 설명에 그침으로써 단순 보조 시각화 자료들이 프레젠테이션에서 차지하는 비중이 더욱 높아지고 있다. 또한, 프레젠테이션 기기와 스마트 기기의 빠른 보급으로 직장이나 가정에서도 간단하게 콘텐츠를 제작하고, 모바일 앱을 이용한 동영상을 제작하고 편집하여 유튜브나 SNS에 게시하는 등 1인 콘텐츠 기획의 시대가 되었다.

(2) 시청각 매체의 선정 시 반드시 점검해야 할 사항

- 효과성 : 정해진 학습 목표의 달성에 도움을 주는가?
- 효율성 : 학습 목표의 달성을 위한 시간과 노력을 절약할 수 있는가?
- 매력성 : 학습자들이 재미있게 볼 수 있는 내용과 구조인가?
- 안전성 : 학습자들에게 도덕적으로 안전한 내용인가?
- 선수학습 : 학습자들이 이전에 정보를 습득하여서 이해할 수 있는 내용인가? 사용된 언어는 학습자의 수준에 적절한가?
- 기술성 : 화질, 음향, 음질은 양호한가?

6) 프레젠테이션 실행 기법

영어로 프리젠트(present)의 동음으로 선물이라는 뜻이 있듯, 선물을 고를 때 선물을 받을 사람이 만족하고 감동할지를 고민해야 한다는 말이 있다. 즉 '프레젠테이션은 선물을 주는 행위' 즉, 창의적 프레젠테이션이라고 하며, 기발하고 참신한 아이디어로 새로운 가치를 창출하고, 기술에만 의존하지 않은 개인의 창의성과 상상력을 활용하여 차별화와 경쟁력을 동시에 추구해야 한다.

프레젠테이션을 실행하기 전에 프레젠테이션의 내용을 어떻게 구성하여 파워포인트를 작성하여 실행할 것인가를 고려해야 한다. 프레젠테이션 실행은 프리젠테이션의 핵심인 콘텐츠에 어떤 것을 담을지, 어떻게 시각적으로 전달할지 심사숙고하는 과정이다**[그림 10-3]**. 콘텐츠에 초점을 맞춘 창의적인 메시지와 스토리로 프레젠테이션하여 남들과 차별화되고 경쟁력을 가져야 한다.

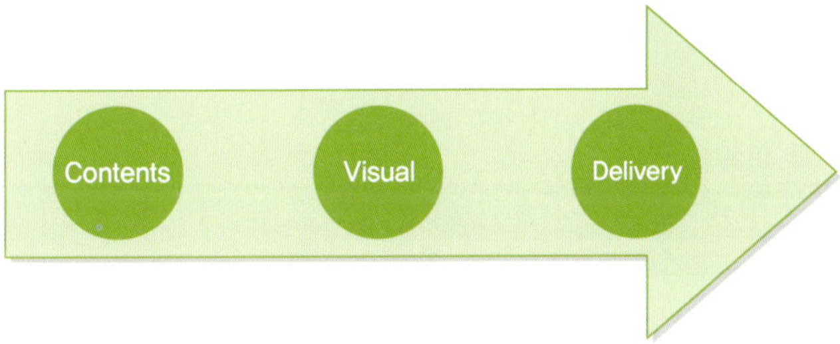

그림 10-3 프레젠테이션 과정

7) 발표 전 점검하기

프레젠테이션하기 전에는 영역별, 단계별 사항을 꼼꼼히 점검해 보아야 한다**[표 10-6][표 10-7]**.

표 10-6 발표 전 영역별 점검 항목

	점검 항목	그렇다	그렇지 않다
전달 내용	• 내용에 맞는 주제와 소재를 선택했다.		
	• 내용의 배열순서가 괜찮았다.		
	• 불필요한 내용은 없다.		
	• 청중을 고려한 내용이다.		
언어 내용	• 표준어를 사용했다.		
	• 경어법은 올바르다.		
	• 전문용어나 외국어를 많이 사용하지 않았다.		

표 10-6 발표 전 영역별 점검 항목 (계속)

	점검 항목	그렇다	그렇지 않다
음성 평가	• 어조의 변화가 있었다.		
	• 말하는 속도가 적절하였다.		
	• 목소리 크기는 충분하였다.		
	• 발음을 확실하게 하였다.		
전달 방법	• 짧고 간결하게 말하였다.		
	• 유머와 위트를 적절히 사용하였다.		
	• 시청각 자료도 활용하였다.		
회자 태도	• 열정과 성의를 다해 말했다.		
	• 바른 자세로 서 있었다.		
	• 옷차림이 깔끔하였다.		
	• 청중에 대한 예의를 지켰다.		

출처 : 한성대학교, 2012.

표 10-7 발표 전 단계별 점검 항목

	점검 항목	그렇다	그렇지 않다
준비 단계	• 발표에 앞서 청중의 특성을 충분히 분석하였는가?		
	• 필요한 기자재의 준비는 철저한가?		
	• 발표자의 용모와 태도는 단정한가?		
	• 발표를 시작하면서 청중의 주의를 집중시켰는가?		
발표 단계	• 말하는 속도와 말소리의 크기는 적절하였는가?		
	• 발표에 필요한 적절한 몸짓을 사용하였는가?		
	• 발표 도중 시선 처리는 적절하였는가?		
	• 발표에 주어진 시간을 정확히 지켰는가?		
	• 준비한 기자재를 제대로 활용했는가?		
	• 논리적으로 발표를 진행하였는가?		
	• 발표 내용은 참신한 것이었나?		
마무리 단계	• 청중이 발표 내용을 충분히 이해하였다고 판단되는가?		
	• 청중이 발표 내용에 호응하였는가?		
	• 청중의 질문에 충실히 답변하였는가?		
	• 준비된 내용을 발표하지 못하고 빠뜨린 것은 없는가?		
	• 발표 내용이 처음 의도한 것과 달라진 부분은 없는가?		
	• 발표를 통해 새로운 문제 제기가 이루어졌는가?		

출처 : 곽윤경 외, 2017.

REFERENCE

- 감사원(2018). 감사보고서－다문화가족정책 추진실태.
- 강문희, 이광자, 박경아(2003). 인간관계의 이해. 학지사.
- 강혜영(2013). 문화와 건강. 현문사.
- 강화석(2013). 프레젠테이션 스킬 개발. 한국외국어대학교.
- 공성숙, 김근민, 김명희, 노인숙 외(2019). 정신건강간호학. 군자출판사. 123.
- 공은숙, 양경희, 차경미, 박혜경, 박선옥, 박금숙(2018). 보건교육. 정담미디어.
- 곽윤경, 김윤경, 노지영 외(2017). 인간관계와 의사소통. 의학서원.
- 교육부(2016). 다문화가정 학생 수와 비율, 교육기본통계.
- 국립국어원. <알콩달콩 한국어 베트남 편>에서 가족편 8, https://www.korean.go.kr/front/page/pageView.do?page_id=P000152
- 권혜진, 김명희, 오금숙, 위휘 외(2016). 정신건강간호학. 수문사. 89.
- 김량희(2014). 조직커뮤니케이션 유형이 기업경쟁력에 미치는 영향과 조직문화의 조절효과에 관한 연구. 이화여자대학교 대학원 석사학위 논문.
- 김보란(2011). 아동이 지각한 부부갈등과 부모애착이 동성 및 이성과의 의사소통 어려움 지각에 미치는 영향. 고려대학교 대학원 석사학위 논문.
- 김분한(1992). 암의 원인지각에 관한 탐색적 연구－Q방법론 적용－, 이화여자대학교대학원 간호학과 박사학위논문.
- 김수진, 강관순, 강명옥, 고미자 외(2018). 정신건강간호학. 현문사. 196-200.
- 김주애, 윤성은, 정은희, 한상희 외(2018). NCS 기반의 의사소통 능력. 양서원.
- 김진석(2007). 상사의 커뮤니케이션 유형이 부하직원의 자기효능감에 미치는 영향. 고려대학교 교육대학원 석사학위 논문.
- 김현주(2015). 리더의 커뮤니케이션 유형이 조직원의 동기부여와 조직몰입에 미치는 영향. 명지대학교 대학원 석사학위 논문.
- 김후자, 김정남, 김영숙, 신정자 외(2001). 전문직 커뮤니케이션과 인간관계. 수문사.
- 도복늠, 강미경, 김명자, 김수옥 외(2016). 인간관계와 커뮤니케이션. 정담미디어.
- 문보영(2012). 국제예절. 대왕사. 94-95.
- 민영욱, 송영철(2008). 디지털 스피치시대의 유쾌한 프레젠테이션. 북포스.
- 박연경, 박종필, 조영란(2017). 인간관계와 의사소통. 양서원.

REFERENCE

- 박용한, 김동한(2009). 언어와 사회 : 사회언어학으로 초대. 소통출판사.
- 박재현, 전은주(2016). 직급과 성별에 따른 직장 의사소통 갈등요인. 한국화법학회지, 34. 173-202.
- 백성희, 양경희, 이삼순, 이순영, 임정남(2006). 호스피스케어, 정담미디어.
- 백승완(2004). 말기환자와의 효과적인 의사소통법－환자와 주변가족들 모두의 삶의 질을 향상시킬 수 있다고 판단되는 방법을 조언, 한국지역사회연구소, 47, 121-125.
- 서경희(2008). 성별 의사소통스타일의 습득 : 언어사회화 과정. 인문학 연구, 14, 113-140.
- 서미경(2006). <제1주제> 금연 : 2005년 정부 주도 금연홍보캠페인 현황 및 평가. 한국보건교육·건강증진학회 학술대회 발표논문집. 4-28.
- 서종남(2010). 결혼이민자의 가정의 문제점과 해결방안 연구. 시만교육연구, 42(1). 103-126.
- 신강현(2015). 글로벌 매너 코디네이션. 기문사. 253.
- 신유선, 이지현, 김이순, 김복용 외(2010). 보건교육학. 수문사.
- 안효자, 이영내, 김명자, 김현미 외(2015). 인간관계와 의사소통, 제2판. 수문사.
- 양경희 외(2019). 건강한 인간관계를 위한 의사소통 기술. 퍼시픽북스.
- 양경희 외(2021). 건강한 인간관계를 위한 의사소통 기술, 제2판. 퍼시픽북스.
- 양수 외(2016). 정신건강간호학. 현문사. 149-151.
- 원윤희, 강지연(2014). 중환자실 간호사들 간의 의사소통 경험. 성인간호학회지, 26(3). 352-361.
- 유시정(2006). 조직 내 의사소통 환경이 직무만족과 몰입에 미치는 영향 : 서비스 기업의 CEO 리더십 유형을 중심으로. 서비스경영학회지, 7(2). 31-56.
- 유태균, 유혜라 역(2009). 건강행동과 건강교육. 군자출판사.
- 윤순녕, 김숙영, 김순례, 김은미 외(2011). 보건프로그램 개발 및 평가. 수문사
- 윤영돈(2005). 자연스럽게 YES를 끌어내는 창의적 프레젠테이션. 지식나무.
- 윤치영(2007). 고객을 만족하게 하는 핵심 프레젠테이션 기술. 좋은 책 만들기.
- 이건혁(2012). 커뮤니케이션과 참여, 그리고 조직 성과－지식공유와 신뢰의 매개 효과. 언론과학연구, 12(3). 268-300.
- 이경미(2014). 글로벌 비즈니스 매너. 한올출판사. 153-154.
- 이경순, 이미경, 김경희(2012). A to Z 인간관계와 의사소통. 현문사.
- 이숙, 김순오, 최윤정(2017). 정신건강간호학. 신광출판사. 50.
- 이영희(2009). 현대인의 생활매너. 백산출판사. 134-135.

REFERENCE

- 이종만(2013). 업무 중 비공식적 커뮤니케이션의 워터쿨러 효과－스마트폰 사용자의 카카오톡을 중심으로. 한국콘텐츠학회논문지, 13(3). 367-397.
- 임숙빈 외(2017). 정신건강간호학. 수문사. 190-195.
- 임지형(2020). 나랑 딱 맞는 친구 찾아요: 랜선 친구는 어때?. 지학사 아르볼.
- 임숙빈, 강창희, 김덕희, 김현숙 외(2014). 간호실무 의사소통. 엘스비어코리아. 162-164.
- 전국대학보건관리학교육협의회(2011). 보건교육사를 위한 보건의사소통. 도서출판 한미의학.
- 전은주(2018). 직장 내 의사소통의 양상과 개선방향. 새국어생활, 28(1). 27-46.
- 조영신, 김선희, 이석호(2014). 서비스매너. 한국방송통신대학교출판문화원. 258-262.
- 최영임, 장휘숙(2006). 성과 성역할 정체감 및 성격특성이 의사소통 어려움 지각에 미치는 영향. 한국심리학회지 : 발달, 19(2). 77-91.
- 최정숙(2010). 조직 내 커뮤니케이션유형에 따른 직무만족에 미치는 영향에 관한 연구 : 강원도 춘천시에 근무하는 초등교사를 대상으로. 강원대학교 대학원 석사학위 논문.
- 한국건강증진개발원 국가금연지원센터(2018). 금연정책포럼－우리나라 담배광고, 판촉 및 후원 규제 현황－. 8.
- 한국건강증진개발원(2018). 금연이슈리포트. 11.
- 한금선, 양승희, 손정남, 박정원, 김근면(2018). 의사소통과 인간관계론, 제4판. 고문사.
- 한금선, 양승희, 손정님, 박정원 외(2014). 의사소통과 인간관계론, 제3판. 고문사.
- 한성대학교(2012). 사고와 표현. 교육과정 위원회.
- 호스피스·완화의료학회(2018). 호스피스·완화의료학회. 509-511.
- Brunetto, Y., Farr-Wharton, R., & Shacklock, K.(2011). Supervisor-subordinate communication relationships, role ambiguity, autonomy and affective commitment for nurses. Contemporary Nurse, 39, 227-239. http://dx.doi.org/10.5172/conu.2011.227.
- Ceravolo, D. J., Schwartz, D. G., Foltz-Ramos, K. M., & Castner, J.(2012). Strengthening communication to overcome lateral violence. Journal of Nursing Management, 20, 599-606. http://dx.doi.org/10.1111/j.1365-2834.2012.01402.x.
- Duddle, M., & Boughton, M.(2007). Intraprofessional relations in nursing. Journal of Advanced Nursing, 59, 29-37. http://dx.doi.org/10.1111/j.1365-2648.2007.04302.x.
- Elisabeth Kübler-Ross(1969). To live until we say good-bye, Simon & Schuster; New York.

REFERENCE

- Ferguson, Sherry Devereaux, Terrion, Jenepher, Lennox(2014). Communication in Every Life. Oxford university press.
- Gray, J.(1992). Men are from Mars, Women are from Venus, HarperCollins Pulichers.
- James L. Bowdick and Anthony F. Buono(1985). A Primer on Onganizational Behavior. New York : John Wiley & Sone. 81.
- Karen. G., Babara K. R., & Frances M. L.(2002). Health Behavior and Health Education, Jossey-Brass.
- Quality and Safety Education for Nurse(2012). Patient centered care. Retrieved from http://www.qsen.org/definition.php?id=1.
- Schuster, Pamela M.(2000). Communication The Key to the Therapeutic Relationship. F.A.Davis Company. Philadelphia.
- Selman, R. L., & Byrne, D. F.(1974). "A structural-developmental analysis of levels of role taking in middle childhood". Child Development. 45(3) : 803-806.
- Shaffer, D. R.(2008). Social and personality development. Belmont, CA : Wadsworth Publishing. https://en.wikipedia.org/wiki/Role-taking_theory.
- Tannen, D.(1990). You just don't understand : Women and men in conversation. New York : Ballantine Books.
- What is HealthCo. https://www.cdc.gov/healthcommunication/healthbasics/WhatIsHC.html.

가

나

다

아

자

차

I/N/D/E/X

P

R

S

T

U

V

기타

Communication Skills for Healthy Relationships

THIRD EDITION

건강한 인간관계를 위한

의사소통 기술

한국간호연구학회 편

Korean Society of Nursing Research

초판발행 2019년 5월 20일
2 판발행 2021년 2월 10일
3 판발행 2022년 7월 25일

저 자 양경희, 강서영, 김정호, 김한나, 박선정, 박순옥, 배영주, 오은정
이상화, 장효열, 전미경, 정기언, 정선아, 정춘화, 조영란, 현은희

발행인 이 웅 현
발행처 **퍼시픽북스**
서울특별시 중구 충무로 29 아시아미디어타워 501호
TEL. 02-2272-7766(代) / FAX. 02-2272-7166
www.papu.co.kr

ISBN 979-11-6375-360-5

정가 **29,000원**

Communication Skills for Healthy Relationships